KB070037

주역절중

周易折中

8

이 책은 (재)한국연구재단의 지원으로 학고방출판사에서 출간, 유통합니다.

한국연구재단 학술명저번역총서 동양편 620

주역절중

周易折中

8

象傳(下)

편찬
이광지
李光地
책임역주
신창호
공동역주
김학목 · 심의용 · 윤원현

學古房

서문

『주역』은 '변화(變化)의 성경(聖經)'이라 불린다. 그만큼 자연 질서와 인간 사회 법칙을 변화의 원칙에 따라 변주하며, 성스럽게 우주적 삶의 기준을 구가한다. 그러나 '이현령비현령(耳懸鈴鼻懸鈴)'이라는 말이 붙을 정도로 다양하고 복합적인 해석의 차원이 개입하면서, 『주역』은 축적된 역사 이상으로 심오하고 의미심장한 세계를 형성한다. 그것이 『주역』의 특성이자 묘미일 수 있다.

본 번역 연구서 『어찬주역절중(御纂周易折中)』은 강희제(康熙帝)가 이광지(李光地, 1642~1718)에게 총괄책임의 칙명을 내려 1713~1715년에 걸쳐 완성한 『주역』 해설서이다. 전체 22권의 석판본(石版本)이 내부각본(內府刻本)으로 현존한다. 『주역절중』은 『주역』이 경전으로 성립된 이후 한대(漢代)에서 명대(明代)까지의 다양한 견해를 핵심적으로 정돈한 『주역』 학술의 결정판이다. 주희의 견해를 기본으로 하여 경(經)과 전(傳)이 분리된 『주역』 고본(古本)의 체제를 회복하였다. 또한 주희의 주역관을 근거로 의리학(義理學)과 상수학(象數學)을 망라하는 다양한 학설을 폭넓게 해석하고, 의리에 국한되었던 『주역전의대전(周易傳義大全)』의 결점을 보완하였다. 정주(程朱)의 뜻을 존숭하면서도 그와 다른 주장들을 절충하고 있는 저작이다.

『주역절중』의 편찬자인 이광지는 중국 청대(淸代) 사람으로 복건성(福建省) 천주(泉州) 출신이다. 자(字)는 진경(晋卿)이고 호(號)는 후암(厚庵)이다. 1670년 진사(進士)에 급제하고 삼번(三藩)의 난을 평정함으로써 강희제의 두터운 신임을 받았고, 관직이 문연각대학사

겸이부상서(文淵閣大學士兼吏部尙書)에 이르렀다. 학문의 경지도 상당하여 경전에 두루 통달하였는데, 특히 『주역』에 정통하여 『주역통론(周易通論)』, 『주역관상(周易觀象)』, 『이문정역의(李文貞易義)』, 『역의전선(易義前選)』 등을 저술하였다. 당시 반주자학적(反朱子學的) 학풍을 대표하던 모기령(毛奇齡)과 달리 정주리학(程朱理學)의 학풍을 충실히 계승하였다.

『주역절중』의 체계와 내용을 보면, 경과 전을 분리하여 편찬하고, 64괘의 괘사와 효사, 「단전」, 「상전」, 「계사전」, 「문언전」, 「설괘전」, 「서괘전」, 「잡괘전」의 순서로 『주역』 전문을 서술하였다. 그리고 『역학계몽』, 「계몽부록(啓蒙附錄)」, 「서괘잡괘명의(序卦雜卦明義)」를 첨부하였다. 주희의 『주역본의(周易本義)』, 정이(程頤)의 『역정전(易程傳)』, 한대부터 명대까지 역학에 조예가 깊은 학자 218명의 「집설(集說)」, 편찬자의 「안(案)」, 이를 종합한 「총론(總論)」이 실려 있다. 그런 만큼 『주역절중』은 『주역』 관련 학술 연구에서 의미가 크다.

본 번역 연구는 내부각본을 저본으로 하고 문연각(文淵閣) 『사고전서(四庫全書)』본을 대교본으로 하였으며 무구비재(無求備齋) 『역경집성(易經集成)』본을 참고하였다. 1715년에 이광지가 『어찬주역절중』을 완성했으므로, 『주역절중』이 만들어진지 이제 막 300년이 지났다. 이 긴 세월의 무게만큼 『주역』 연구도 질적으로 깊이를 더하고 양적으로 방대해졌다. 그런 와중에 300년 만인 21세기 초반에 『주역절중』이 한글로 번역·출간되어 무척이나 기쁘다. 『주역』을 비롯한 역학 연구자, 나아가 동양학을 연구하는 관련 학인들에게 조금이나마 보탬이 된다면 번역 연구자로서 더욱 보람을 느낄 것 같다.

본 번역 연구는 먼저, 『주역절중』의 본문을 완역하고, 원문 및 번역문을 온전하게 이해하기 위해 자세한 설명이 필요한 부분은 각주로 해설하였다. 아울러 『주역절중』에 등장하는 학자들의 「인명사전」을 별도로 작성하여 첨부하였다. 이런 연구 성과가 『주역절중』의 한문을 옮기는 수준을 훨씬 넘어서 있기에, 단순하게 『주역절중』 '번역'이라 하지 않고 '번역 연구'라고 자부해 본다.

본 번역 연구 작업은 2015년 5월~2017년 4월까지 2년여 동안 이루어졌다. 연구책임자를 맡은 신창호 교수를 비롯하여, 공동연구자인 윤원현 박사·김학목 박사·심의용 박사 등 우리 번역 연구진은 번역 연구기간 동안 수시로 만나 초교를 윤독하고 다양한 연구 자료를 교환하면서 『주역』의 학술 마당을 열었다. 한대부터 명대에 걸쳐 있는 『주역절중』의 특성상, 역학(易學) 사상의 방대함으로 인해 내용을 정확하게 이해하고 정돈하는데 애로 사항도 많았다. 하지만 전문 학자들의 자문과 번역 연구자 상호 간의 소통을 통해 문제점을 극복하려고 노력했다. 그러나 번역과 연구의 두 측면에서 여전히 아쉬운 부분이 많다. 대부분의 번역 연구가 장·단점을 지니고 있듯이, 본 번역 연구도 미비한 점이 있을 것이다. 특히, 제대로 연구가 이루어지지 않아 오류가 난 부분이 있다면, 사계의 권위 있는 학자들의 애정 어린 질정을 부탁한다.

본 번역 연구진 이외에 감사해야 할 분들이 있다. 먼저, 교정과 윤문 등 원고를 정돈하는 과정에서 수고해 준 고려대학교 대학원의 철학 및 교육철학 전공의 여러 제자들(김지은, 우버들, 위민성, 이유정, 임용덕, 장우재, 정순희, 한지윤 등)에게 고마운 마음을 전한다. 젊은 제자들은 그들의 시각에서 번역 연구 내용의 가독성과 표현 등 여러 부분을 꼼꼼하게 살피며 의미 있는 충고를 해 주었다.

또한 교육부와 한국연구재단에 감사를 드린다. 본 번역 연구는 2015년 한국연구재단의 '명저번역지원' 사업으로 2년 동안 지원을 받아 수행한 결과이다. 방대한 분량이기 때문에 한국연구재단의 지원이 없었다면, 실행하기 어려운 작업이었다. 마지막으로 어려운 사정에도

불구하고 편집과 출판을 맡아 책을 깔끔하게 정돈해 준 하운근 대표님을 비롯한 도서출판 학고방 가족들에게 감사의 말씀을 전한다.

어떤 저술이건 혼자만의 노력과 작업에 의해 이루어지는 성과는 존재하지 않는다. 마찬가지로 이 『주역절중』의 번역 연구에도 많은 분들의 땀과 열정이 녹아들어 있다. 번역 연구에 직·간접으로 참여한 모든 분들과 이 책을 참고로 연구를 진행하는 여러 학인들도 『주역』의 사유가 더욱 풍성해지기를 소망한다. 나아가 미래에 또 다른 공동 노력의 결실로, 본 번역 연구보다 세련된 『주역절중』이 많이 저술되기를 기대해 본다.

2018. 6

번역 연구자를 대표하여

신창호 삼가 씀

일러두기

1. 본 역서는 문연각(文淵閣)판본 『어찬주역절중(御纂周易折中)』을 저본으로 한다.
2. 본 역서는 원문을 먼저 제시하고 번역문을 붙이는 대조본 형식으로 한다.
3. 번역은 직역을 원칙으로 하되, 가독성을 높이기 위해 필요에 따라 의역을 가미한다.
4. 『역』의 경문(經文) 번역은 편자 이광지(李光地)가 정이(程頤)의 『이천역전』보다 주희(朱熹)의 『주역본의』를 전면으로 내세운 의도에 따라, 주희의 주장을 기준으로 한다.
5. 원문에는 최소한의 현대식 표점을 표기한다.
6. 인용한 선행 학설에 대해서는 가능한 출전을 밝히고, 요약문일 경우 필요에 따라 설명을 첨가한다.
7. 인용한 학설은 전체적으로 큰 따옴표(" ")로 묶고, 인용문 속의 인용문은 작은 따옴표(' '), 작은 꺾쇠(「 」) 순으로 한다.
8. 각주에서, 원문에 대한 각주는 원문을 먼저 제시하고(예 : 潛龍勿用[잠긴 용은 쓰지 않는다]), 번역문에 대한 각주는 한글을 먼저 제시한다(예 : 잠긴 용은 쓰지 않는다[潛龍勿用]).
9. 괘명(卦名)은 '곤(坤)괘'와 같은 형식으로 통일하되, 필요할 경우 '곤(坤䷁)괘', '곤(坤☷)괘'와 같이 괘상(卦象)을 병기한다.
10. 국한문 병기는 매 장과 매 괘의 첫 부분에서 표기하고, 나머지는 국문을 중심으로 하되, 각주에는 한문으로 처리한 것도 있다.

11. 번역문이 10줄을 초과할 경우, 가독성을 높이기 위해 가능한 단락을 구분한다.
12. 『역』과 관련된 전문적인 개념어는 주석에서 풀이하고, 번역문에는 해석하지 않고 드러내어 용어 통일을 기한다.
13. 제1권의 뒷부분에 『주역절중』에서 인용된 학자들의 약력을 정돈한 별도의 「인명사전」을 작성하여 첨부하였다.
14. 『주역절중』의 맨 마지막 부분인 22권 「서괘·잡괘명의(序卦·雜卦明義)」는 편의상 「서괘·잡괘전(序卦·雜卦傳)」 다음에 배치하였다.

상전象傳

象傳
상전

제12권

상하전象下傳

31. 함咸䷞괘

山上有澤, 咸, 君子以虛受人.

산 위에 연못이 있는 것이 함괘의 모습이니, 군자는 이것을 본받아 마음을 텅 비우고 타인의 마음을 받아들인다.

本義

山上有澤, 以虛而通也.

산 위에 연못이 있으니 마음을 텅 비우고 통한다.

程傳

澤性潤下, 土性受潤, 澤在山上, 而其漸潤通徹, 是二物之氣相感通也. 君子觀山澤通氣之象, 而虛其中以受於人. 夫人中虛則能受, 實則不能入矣, 虛中者無我也. 中無私主, 則無感不通. 以量而容之, 擇合而受之, 非聖人有感必通之道也.

연못의 성질은 촉촉이 아래로 스며들어 적시고 흙의 성질은 촉촉한 물기를 받아들이니 연못이 산 위에 있어 점차로 산을 촉촉이 적셔 통하게 함은 두 가지 기운이 서로 감응하여 통하는 것이다. 군자는 산과 연못의 기운이 소통하는 모습을 관찰하여 그 마음을 텅 비워 사람을 받아들인다. 사람이 마음을 텅 비우면 상대의 마음을 받아들일 수 있고 꽉 차면 받아들일 수 없다. 마음을 텅 비우는 일은 내가 없다는 뜻이다. 마음속에 사사로운 주인이 없으면 감응하여 통하지 못할 것이 없다. 계산하여 수용하고 합치할 것을 선택하여 받아들이는 일은 감응이 있어 반드시 소통하는 성인의 도리가 아니다.

集說

● 崔氏憬曰 : "山高而降, 澤下而升, 山澤通氣, 咸之象也."[1]

최경(崔憬)[2]이 말했다. "산은 높지만 내려가고 연못은 낮지만 올라

1) 이정조(李鼎祚), 『주역집해(周易集解)』 권7
2) 최경(崔憬) : 당(唐)대 역학가로서 그 생졸연대는 공영달의 뒤 이정조(李鼎祚)의 앞이다. 그의 역학은 역상(易象)과 역수(易數)를 중시하여, 왕필(王弼)의 『주역주(周易注)』를 묵수하지 않고 의리와 상수를 함께 다루었다. 순상(荀爽) · 우번(虞翻) · 마융(馬融) · 정현(鄭玄)의 역학에도 조예가 깊었다. 공영달의 『주역정의(周易正義)』가 관학으로서 학계를 지배할 때 그의 역학은 독창적으로 새로운 의의가 있다고 칭송되었으며, 특히 이정조(李鼎祚)에게 추앙받았다. 이로써 그의 역학은 한(漢)대 역학에서 송(宋)대 역학으로 옮겨가는 선구가 되었다고 평가받는다. 저작으로는 『주역탐현(周易探玄)』이 있었다고 하는데 전해지지 않고, 이정조(李鼎祚)의 『주역집해(周易集解)』에 그의 주장이 많이 보인다.

가니 산과 연못이 기를 통하는 것이 함괘의 모습이다."

● 呂氏大臨曰 : "澤居下而山居高, 然山能出雲而致雨者, 山內虛而澤氣通也. 故君子居物之上, 物情交感者, 亦以虛受也."

여대림(呂大臨)[3]이 말했다. "연못은 아래에 있고 산은 높이 있지만 산은 구름을 내어 비를 내릴 수 있고 산은 안이 텅 비어 연못의 기가 통한다. 그러므로 군자는 사람들 위에 있지만 사람들의 사정을 교감하는 자이니 또한 텅 비우고 받아들인다."

● 郭氏雍曰 : "唯虛故受, 受故能感, 不能感者, 以不能受故也, 不能受者, 以不能虛故也."[4]

곽옹(郭雍)[5]이 말했다. "오직 마음을 텅 비우기 때문에 받아들이

---

3) 여대림(呂大臨, 1040~1092) : 자는 여숙(與叔)이고, 당시 예각선생(藝閣先生)으로 불리었다. 송대 남전(藍田 : 현 섬서성 소속) 사람으로 『여씨향약(呂氏鄕約)』을 쓴 여대균(呂大鈞)의 동생이다. 장재(張載)가 처음으로 관중(關中)에 와서 강학할 때 형들과 함께 장재를 스승으로 모셨으나, 장재가 죽은 뒤 이정(二程)에게 배워 사량좌(謝良佐)·유초(游酢)·양시(楊時)와 함께 '정문4선생(程門四先生)'이라 일컫는다. 태학박사(太學博士)·비서성정자(秘書省正字)를 역임하였다. 저서는 『예기전(禮記傳)』, 『고고도(考古圖)』 등이 있다.

4) 곽옹(郭雍), 『곽씨전가역설(郭氏傳家易說)』 권4.

5) 곽옹(郭雍, 1106~1187) : 송(宋)대 낙양(洛陽 : 현 하남성 낙양시) 사람으로 자는 자화(子和)이고 자호는 백운(白雲)이다. 정이(程頤)의 제자인 곽충효(郭忠孝)의 둘째 아들로 가학을 이었으며, 벼슬길은 나아가지 않고 은거하면서 역학과 의학에 정통하였다고 한다. 역학 방면 저술로 『전

고, 받아들이기 때문에 교감할 수 있으니, 교감할 수 없는 것은 받아들일 수 없기 때문이고, 받아들일 수 없는 것은 마음을 텅 비우지 못했기 때문이다."

● 胡氏炳文曰 : "以虛受人, 無心之感也."[6]

호병문(胡炳文)[7]이 말했다. "마음을 비워 사람을 받아들이는 일은 마음이 없는 교감이다."

● 陳氏琛曰 : "山上有澤, 澤以潤而感乎山, 山以虛而受其感, 咸之象也. 君子體之, 則虛其心以受人之感焉! 蓋心無私主, 有感皆通. 若有一毫私意自蔽, 則先人者爲主, 而感應之機窒矣, 雖有所受, 未必其所當受, 而所當受者, 反以爲不合而不之受矣."

진침(陳琛)[8]이 말했다. "산 위에 연못이 있으니 연못이 촉촉하여

가역해(傳家易解)』, 『괘사지요(卦辭指要)』, 『시괘변의(蓍卦辨疑)』 등이 있다고 한다.

6) 호병문(胡炳文), 『주역본의통석(周易本義通釋)』 권2.

7) 호병문(胡炳文, 1250~1333) : 원나라 휘주(徽州) 무원(婺源) 사람으로 자는 중호(仲虎)고, 호는 운봉(雲峰)이다. 주희(朱熹)의 종손(宗孫)에게 『주역』과 『서경』을 배워 주자학에 잠심했으며, 특히 『주역』에 뛰어났다. 신주(信州) 도일서원(道一書院) 산장(山長)을 지내고, 난계주학정(蘭溪州學正)이 되었는데, 나가지 않았다. 저서에 『주역본의통석(周易本義通釋)』과 『서집해(書集解)』, 『춘추집해(春秋集解)』, 『예서찬술(禮書纂述)』, 『사서통(四書通)』, 『대학지장도(大學指掌圖)』, 『오경회의(五經會義)』, 『이아운어(爾雅韻語)』 등이 있다.

8) 진침(陳琛, 1477~1545) : 자는 사헌(思獻)이고, 호는 자봉선생(紫峰先

산과 교감하고 산은 텅 비어 그 교감을 받아들이는 것이 함괘의 모습이다. 군자가 이를 체득하면 그 마음을 비워 사람을 받아들이는 교감을 한다! 마음에 사사로운 주인이 없어 감응이 오면 모두 통한다. 추호라도 사사로운 의도로 스스로 가려지면 사람에 앞서 주인이 있어 감응하는 기틀이 막혀 비록 받아들이는 것이 있더라도 반드시 합당하게 받아들임이 못되니 받아들이는 것이 합당하다고 해도 도리어 합당하지 않다고 여겨 받아들이지 않는다."

● 何氏楷曰 : "六爻之中, 一言思, 三言志. 思何可廢? 而至於朋從則非虛, 志何可無? 而末而外而隨人, 則非虛. 極而言之, 天地以虛而感物, 聖人以虛而感人心, 三才之道, 盡於是矣."

하해(何楷)[9]가 말했다. "여섯 효 가운데 생각을 한 번 말했고 뜻을

生)이다. 명(明)대 복건(福建) 진강(晉江) 사람이다. 채청(蔡淸)의 수제자로 역학을 익혀서 왕선(王宣), 역시충(易時沖), 임동(林同), 조록(趙逯), 채열(蔡烈) 등과 함께 청원학파(淸源學派)의 주요 구성원이었으며, 명대 후기 복건주자학의 대표자 가운데 한 사람이었다. 정덕(正德) 12년(1517) 진사에 급제하여, 벼슬은 형부산서사주사(刑部山西司主事), 남경호부운남사주사(南京戶部雲南司主事), 남경이부고공랑중(南京吏部考功郎中) 등을 역임하였다. 저서에 『사서천설(四書淺說)』, 『역학통전(易學通典)』, 『정학편(正學編)』, 『자봉문집(紫峰文集)』 등이 있다.

9) 하해(何楷) : 자는 현자(玄子)이고 호는 황여(黃如)이다. 명말청초 때 장주 진해위(漳州鎭海衛 : 현 복건성 용해시〈龍海市〉) 사람이다. 천계(天啓) 5년(1625)에 진사에 급제하여 벼슬은 호부주사(戶部主事), 공과급사중(工科給事中), 호부상서(戶部尙書) 등을 역임했다. 직언과 직간으로 유명했는데, 말년에 정성공(鄭成功)의 부친인 정지룡(鄭芝龍)과 뜻이 어긋나서 사직하고 귀향했다. 저서에는 『고주역정고(古周易訂詁)』, 『시경세본고의(詩經世本古義)』 등이 있다.

세 번 말했다.[10] 생각을 어떻게 없앨 수 있겠는가? 친구를 따르는 데 이르면 텅 빈 것이 아니다. 뜻을 어떻게 없앨 수 있겠는가? 뜻이 낮고 밖에 있으면서[11] 사람을 따르면 텅 빈 것이 아니다. 지극하게 말하면 천지는 텅 비워 사물과 감응하고 성인은 텅 비워 사람의 마음과 감응하니 삼재(三才)의 도가 여기에서 다한다."

● 吳氏曰愼曰："虛者咸之貞也, 天地之常, 以其心普萬物而無心. 聖人之常, 以其情順萬事而無情者, 虛而已. 君子之學, 廓然大公, 物來順應, 所謂以虛受人也."

오왈신(吳曰愼)[12]이 말했다. "텅 빈 것이 감응의 올바름이니 천지의 상도(常道)는 그 마음을 만물에 널리 펴지만 마음이 없고, 성인의 상도는 그 정(情)이 모든 일을 따르지만 정이 없는 것은 텅 비웠을 뿐이다. 군자의 배움은 확연하게 크고 공평하여 사물이 오면 순응하니 텅 비워 사람을 받아들인다는 말이다."

10) 생각을 한 번 말했고 뜻을 세 번 말했다.: 구사효에서 붕종이사(朋從爾思)라 했고 초구효, 구삼효, 구호요 「상전」에서 지(志)를 말했다.

11) 낮고 밖에 있으면서 : 구오효 「상전」에서 "뜻이 낮기 때문이다[志末]"라고 했고, 초구효에서 "뜻이 밖에 있다[志在外也]"라고 했다.

12) 오왈신(吳曰愼) : 자는 휘중(徽仲)이고 흡현(歙縣 : 현 안휘성 黃山市) 사람으로 제생[諸生 : 명(明)·청(淸) 시대 성(省)에서 실시하는 각종 고시(考試)에 합격한 다음 부(府), 주(州), 현(縣)의 학교에 들어가 공부하는 자들]을 지냈다. 북송오자의 책에 마음을 다 쏟았고, 학문을 논함에 경을 주로 하기 때문에 정암(靜菴)이라고 스스로 호를 붙였다. 초년에 양계(梁溪)를 유람하다가 동림(東林)서원에서 강학을 했다. 얼마 뒤 흡현으로 돌아와 자양서원과 환고서원 두 서원에서 제자들을 모아 강학했는데, 흥기하는 자들이 많았다.

咸其拇, 志在外也.

엄지발가락에서 느끼는 것은 뜻이 밖에 있는 말이다.

程傳

初志之動, 感於四也, 故曰在外. 志雖動而感未深, 如拇之動, 未足以進也.

초육효의 뜻이 움직인 것은 구사효에 감응한 것이므로, 밖에 있다고 했다. 뜻이 움직였지만 아직 감동이 깊지 못하여 엄지발가락이 움직이는 것 같으니, 나아가기에는 충분하지 않다.

集說

● 虞氏翻曰 : "志在外, 謂四也."[13]

우번(虞翻)이 말했다. "뜻이 밖에 있다는 것은 사효를 말한다."

● 孔氏穎達曰 : "與四相應, 所感在外."[14]

공영달(孔穎達)이 말했다. "사효와 서로 호응하니 감응하는 것이

13) 이정조(李鼎祚), 『주역집해(周易集解)』 권7.
14) 공영달(孔穎達), 『주역주소(周易注疏)』 권7.

밖에 있다."

● 兪氏琰曰 : "初與四感應以相與, 則志之所之, 在於外矣."

유염(兪琰)이 말했다. "초효는 사효와 감응하여 서로 함께 하니, 뜻이 가는 곳이 밖에 있다."

雖凶居吉, 順不害也.

흉하지만 그 자리에 있으면 길한 것은 이치에 따르면 해롭지 않기 때문이다.

程傳

"二居中得正, 所應又中正, 其才本善, 以其在咸之時, 質柔而上應, 故戒以先動求君則凶, 居以自守則吉. 「象」復明之云, 非戒之不得相感, 唯順理則不害, 謂守道不先動也.

육이효는 가운데 자리하여 올바름을 얻었고 호응하는 사람도 중정(中正)을 이룬 사람이니, 그 재능이 본래 좋지만 감응하는 때에 자질이 유약한데 윗사람과 호응하고 있으므로, 먼저 조급하게 움직여서 군주를 구하려고 하면 흉하고 스스로 지키면서 자리하면 길하다고 경계한 것이다. 「상전」에서 다시 분명하게 밝혀 말한 것은 서로 감응하지 말라고 경계한 것이 아니라 오직 이치에 따르면 해롭지 않다는 뜻이니 도리를 지키면서 먼저 조급하게 동요하지 말라는 말이다.

集說

● 顧氏象德曰 : "雖凶而居則吉者, 蓋能順理以爲感, 不爲躁動害也. 居非專靜特不妄動而已."

고상덕(顧象德)이 말했다. “비록 흉하지만 자리하면 길한 것은 이치를 따라 감응할 수 있고 조급하게 행동하여 해롭지 않기 때문이다. 자리함에 오로지 고요하라는 뜻이 아니라 망령되게 움직이지 않을 뿐이다.”

咸其股, 亦不處也, 志在隨人, 所執下也.

넓적다리에서 느끼는 것은 또한 자처하지 않고 뜻이 타인을 따르는 데 있으니 고집하는 바가 낮다.

本義

言'亦'者, 因前二爻皆欲動而云也, 二爻陰躁, 其動也宜, 九三陽剛, 居止之極, 宜靜而動, 可吝之甚也.

'또한[亦]'이라고 말한 것은 앞의 두 효가 모두 움직이려고 했기 때문에 말한 것이다. 두 효는 음(陰)으로 조급하니 움직임이 마땅하나, 구삼효는 양의 굳셈으로 그침의 극한에 자리하였으니 마땅히 정해야 하는데 움직이는 것은 매우 부끄러울 만한 일이다.

程傳

云亦者, 蓋「象」辭本不與『易』相比, 自作一處, 故諸爻之「象」辭, 意有相續者. 此言亦者, 承上爻辭也. 上云"咸其拇志在外"也, "雖凶居吉順不害"也. "咸其股亦不處也", 前二陰爻皆有感而動, 三雖陽爻亦然, 故云亦"不處"也. 不處, 謂動也. 有剛陽之質, 而不能自主, 志反在於隨人, 是所操執者卑下之甚也.

'또한[亦]'이라고 말한 것은 「상전」의 말이 본래 『역』의 경문(經文)

과 서로 나란히 붙어 있는 것이 아니라 따로 써진 것이므로 모든 효의 「상전」의 말에 뜻이 서로 이어진 경우가 있기 때문이다. 여기에서 '또한'이라고 말한 것은 앞 효의 말을 이어서 한 것이다. 앞에서 "엄지발가락에서 느꼈다는 말은 뜻은 밖에 있는 것이다"라고 했고 "흉하지만 그 자리에 있으면 길하다는 것은 이치를 따르면 해롭지 않기 때문이다"라고 했다. 그래서 "넓적다리에서 느낀 것 또한 자처하지 않는다"는 말은 앞의 두 음효가 모두 자극을 받아 동요했는데, 구삼효도 양효이지만 또한 그렇게 했으므로 "또한 자처하지 않는다"고 했다. 자처하지 않는다는 말은 성급하게 먼저 움직인다는 말이다. 굳센 양의 자질을 가지고 스스로 주체가 될 수 없고 뜻이 오히려 남을 따르는 데 있으니 이것은 고집하는 바가 매우 비속하고 저급한 것이다.

貞吉悔亡, 未感害也, 憧憧往來, 未光大也.

올바름을 굳게 지키면 길하여 후회가 없음은 사사로운 느낌에 해를 당하지 않은 것이고, 왕래하기를 끊임없이 함은 크게 빛나지 못한 것이다.

本義

感害, 言不正而感, 則有害也.

느껴서 해롭다는 것은 바르지 못하면서 느끼면 해가 있음을 말한다.

程傳

貞則吉而悔亡, 未爲私感所害也, 系私應則害於感矣, 憧憧往來, 以私心相感, 感之道狹矣, 故云"未光大也".

올바름을 굳게 지키면 길하고 후회가 없어지는 것은 사사로운 느낌에 해를 당하지 않은 것이니, 사사로운 반응에 얽매이면 감동하는 데 해가 된다. "왕래하기를 끊임없이 한다"는 말은 사사로운 마음으로 서로 느낌이니 것이니 감응하는 도리가 좁기 때문에 "크게 빛나지 못한다"고 한 것이다.

集說

● 陸氏九淵曰 : "咸九四一爻, 聖人以其當心之位, 其言感通爲尤至, 曰貞吉悔亡, 而「象」以爲未感害也. 蓋未爲私感所害, 則心之本然, 無適而不正, 無感而不通. 曰憧憧往來朋從爾思, 而「象」以爲未光大也. 蓋憧憧往來之私心, 其所感必狹, 從其思者, 獨其私朋而已. 聖人之洗心, 其諸以滌去憧憧往來之私, 而全其本然之正也與. 此所以退藏於密, 而能同乎民, 交乎物, 而不墮於膠焉溺焉之一偏者也."[15]

육구연(陸九淵)[16]이 말했다. "함(咸)괘 구사효 한 효는 성인이 그 마음이 당면한 지위와 그 느껴서 통함을 말한 것이 더욱 지극하니, '올바름을 굳게 지키면 길하여 후회가 없다'는 것을 「상전」에서는 '사사로운 감동에 해를 당하지 않는다'라고 했다. 사사로운 감동에 해를 당하지 않았으니 마음의 본연(本然)은 가서 올바르지 않은 것

15) 육구연(陸九淵), 『상산외집(象山外集)』 권1.

16) 육구연(陸九淵, 1139~1192) : 자는 자정(子靜)이고, 호는 존재(存齋)·상산옹(象山翁)이며, 상산선생(象山先生)이라고 부르기도 한다. 송대 금계(金溪 : 현 강서성 금계현) 사람으로 1172년에 진사에 급제하여 숭안현주부(崇安縣主簿), 지형문군(知荊門軍)을 역임하였다. 맹자(孟子)를 계승하여 정주(程朱)의 이학(理學)과 대비되는 육왕(陸王) 심학(心學)의 학파를 열었다. 주희가 정이천의 학통에 따라 도문학(道問學)을 더 존중한 데 반하여, 육구연은 정명도의 존덕성(尊德性)을 존중했다. 이 때문에 주희는 격물치지(格物致知)의 성즉리설(性卽理說)을 제창하고, 육구연은 치지(致知)를 주로 한 심즉리설(心卽理說)을 제창했다. 주희와 학문방법론 및 무극·태극론 등을 논쟁한 '아호지쟁(鵝湖之爭)'으로 유명하다. 그의 학문은 그의 제자 양자호(楊慈湖) 등에 의하여 강서(江西)와 절강(浙江) 각지에서 계승되었다. 저서로는 『상산선생전집(象山先生全集)』이 있다.

이 없고 느껴서 통하지 않는 것이 없다. '왕래하기를 끊임이 없으니 친구들만이 너의 생각을 따른다'는 것을 「상전」에서는 '크게 빛나지 못한 것이다'라고 했다. 왕래하기를 끊임이 없는 사사로운 마음은 그 느끼는 것이 반드시 좁고 그 생각을 따르는 것은 오직 그 사사로운 친구일 뿐이다. 성인이 마음을 깨끗이 하는 것은 그 실마리가 왕래하기를 끊임없이 하는 사사로움을 없애 그 본연의 올바름을 보전하는 일이다. 이것이 은밀한 곳에 물러나서 백성들과 함께 할 수 있는 일이고 사물들과 교제하여 한편에 교착하고 빠지는 일에 떨어지지 않는 일이다."

咸其脢, 志末也.

그 등살에 느끼는 것은 그 뜻이 말단에 있기 때문이다.

本義

志末謂不能感物.

뜻이 말단에 있는 것은 사물과 느낄 수 없다는 말이다.

程傳

戒使背其心而咸脢者, 爲其存心淺末, 系二而說上, 感於私欲也.

그 심장을 등지고 등살에 느끼라고 경계한 것은 마음을 보존함이 얕고 지엽적이므로 육이효와 관계하고 상육효에 기뻐하여 사사로운 욕심에 감응하기 때문이다.

集說

● 李氏鼎祚曰 : "末, 猶上也, 五比於上, 故咸其脢, 志末者, 謂五志感於上也."[17]

이정조(李鼎祚)[18]가 말했다. "말단이란 상(上)과 같아서 오효가 상효와 나란히 하므로 등살에 느끼니, 뜻이 말단에 있다는 것은 오효의 뜻이 상효와 감응함을 말한다."

● 朱氏震曰 : "卦以初爲本, 上爲末."[19]

주진(朱震)[20]이 말했다. "괘는 초효가 근본이고 상효가 말단이다."

● 王氏宗傳曰 : "謂五有咸其脢之象者, 以其志意之所向, 在於一卦之末, 故欲咸其脢以背去之也."[21]

왕종전(王宗傳)[22]이 말했다. "오효에 등살에 느낀다는 상이 있다고

17) 이정조(李鼎祚), 『주역집해(周易集解)』 권7.

18) 이정조(李鼎祚) : 이정조(李鼎祚)는 당(唐)나라 중후기 자주(资州) 반석(盤石) 사람이다. 그 생애는 자세하지 않다. 관직은 전중시어사(殿中侍御史)를 지냈다. 재위 기간 동안 적극적으로 간책을 올렸다. 그는 안록산의 난 때에 「평호론(平胡論)」을 올려 안록산을 축출하는 계책을 올렸다. 경학(經學)에 밝았고, 상수학에 정통했다.

19) 주진(朱震), 『한상역전(漢上易傳)』 권4.

20) 주진(朱震, 1072~1138) : 자는 자발(子發)이고, 당시 한상선생(漢上先生)이라 불리었다. 송대 형문군(荊門軍 : 현 호북성 소속) 사람으로 한림학사(翰林學士)를 여러 번 역임하였다. 저서는 『한상역전(漢上易傳)』이 있다.

21) 왕종전(王宗傳), 『동계역전(童溪易傳)』 권14.

22) 왕종전(王宗傳) : 자는 경맹(景孟)이고, 송대 영덕(寧德 : 현 복건성 영덕시) 사람이다. 1181년에 진사에 급제하여 소주교수(韶州教授)를 역임하였다. 왕필의 의리역학을 추종하여 상수역학을 배척하였다. 저서에는 『동계역전(童溪易傳)』이 있다.

말하는 것은 그 뜻이 향하는 바가 한 괘의 말단에 있으므로 그 등살에 느껴 등지고 가려는 것이다."

● 何氏楷曰 : "謂五志在與仁相感也. 「繫辭」曰其初難知, 其上易知, 本末也. 大過「彖傳」本末弱, 末指上六可知矣."[23]

하해(何楷)[24]가 말했다. "오효의 뜻이 인자한 사람과 서로 감응하고 있음을 말했다. 「계사전」에서 '초(初)효는 알기 어렵고 상(上)효는 알기 쉬우니 근본과 말단이다'[25]라고 했고 대과(大過)괘 「단전」에서 '근본과 말단이 약하다'[26]고 했으니 말(末)은 상육효를 가리킴을 알 수 있다."

---

23) 하해(何楷), 『고주역정고(古周易訂詁)』 권6.

24) 하해(何楷) : 자는 현자(玄子)이고 호는 황여(黃如)이다. 명말청초 때 장주 진해위(漳州鎭海衛 : 현 복건성 용해시〈龍海市〉) 사람이다. 천계(天啓) 5년(1625)에 진사에 급제하여 벼슬은 호부주사(戶部主事), 공과급사중(工科給事中), 호부상서(戶部尚書) 등을 역임했다. 직언과 직간으로 유명했는데, 말년에 정성공(鄭成功)의 부친인 정지룡(鄭芝龍)과 뜻이 어긋나서 사직하고 귀향했다. 저서에는 『고주역정고(古周易訂詁)』, 『시경세본고의(詩經世本古義)』 등이 있다.

25) 『주역』「계사하」 : "『역(易)』이라는 책은 시작에 근원하고 끝을 맞추어 질(質)을 삼고 여섯 효가 서로 섞임은 오직 그 때의 일이다. 초(初)효는 알기 어렵고 상(上)효는 알기 쉬우니, 본(本)과 말(末)이다. 처음 말은 모의(摸擬)하고 끝마쳐 끝을 이룬다.[易之爲書也, 原始要終, 以爲質也, 六爻相雜, 唯其時物也. 其初, 難知, 其上, 易知, 本末也. 初辭擬之, 卒成之終.]"라고 하였다.

26) 『주역』「대과(大過)괘」「단전」 : "들보기둥이 휘어졌다는 것은 뿌리와 끝이 약하다는 말이다.[棟橈, 本末弱也.]"라고 하였다.

咸其輔頰舌, 滕口說也.

광대뼈와 뺨과 혀에 느낀다는 입과 말로만 떠드는 것이다.

本義

滕, 騰通用.

등(滕)과 등(騰)은 통용된다.

程傳

唯至誠爲能感人, 乃以柔說騰揚於口舌言說, 豈能感於人乎?

오직 지극한 성실함만이 사람을 감동시킬 수 있는데 부드럽고 기뻐하는 낯으로 입과 말로만 떠드니 어떻게 사람을 감동시킬 수 있겠는가?

集說

● 王氏弼曰 : "咸道轉末, 故在口舌言語而已."

왕필(王弼)이 말했다. "감응의 도가 말단으로 전환되니, 입과 혀의 말들에 있을 뿐이다."

32. 항恒䷟괘

雷風恒, 君子以立不易方.

우레와 바람이 항괘의 모습이니, 군자는 이를 본받아 우뚝 서서 자리를 바꾸지 않는다.

程傳

君子觀雷風相與成恒之象, 以常久其德, 自立於大中常久之道, 不變易其方所也.

군자가 우레와 바람이 함께 하여 항상성을 이루는 모습을 관찰하여 그 덕을 오래도록 지속하여 대중(大中)의 항구한 도에 스스로 서서 그 자리를 바꾸지 않는다.

集說

- 呂氏大臨曰 : "雷風雖若非常, 其所以相與則恒."

여대임(呂大臨)[1]이 말했다. "우레와 바람은 늘 변함이 없지 않은 것 같아도 서로 함께 하면 늘 변하지 않고 간다."

● 胡氏炳文曰 : "雷風雖變, 而有不變者存, 體雷風之變者, 爲我之不變者, 善體雷風者也."[2]

호병문(胡炳文)[3]이 말했다. "우레와 바람은 변하더라도 변하지 않

1) 여대림(呂大臨, 1046~1092) : 자는 여숙(與叔)이고, 여대균(呂大鈞)의 동생이다. 북송 경조 남전(京兆藍田 : 현 섬서성 소속) 사람으로 처음에 장재(張載)에게 배웠고 나중에 정이(程頤)에게 배웠는데, 사좌량(謝良佐), 유조(游酢), 양시(楊時)와 함께 '정문사선생(程門四先生)'으로 일컬어진다. 육경(六經)에 정통했고, 특히 『예기(禮記)』에 밝았다. 문음(門蔭)으로 관직에 올라 나중에 진사 시험에 합격했다. 철종(哲宗) 원우(元祐) 연간에 태학박사(太學博士)를 지냈고, 비서성정자(秘書省正字)로 옮겼다. 범조우(范祖禹)의 천거로 강관(講官)이 되었는데, 기용되기도 전에 죽었다. 예학(禮學)에 밝아 예의를 중시했으며, 정자의 예학을 계승하여 심성지학(心性之學)에 치중했다. 저서에 『역장구(易章句)』, 『대역도상(大易圖象)』, 『맹자강의(孟子講義)』, 『대학중용해(大學中庸解)』, 『노자해(老子注)』, 『서명집해(西銘集解)』 등이 있었지만 대부분 없어지고, 지금은 『고고도(考古圖)』, 『속고고도(續考古圖)』, 『석문(釋文)』이 사고전서(四庫全書)에 수록되어 있다. 문집에 『옥계집(玉溪集)』이 있다.
2) 호병문(胡炳文), 『주역본의통석(周易本義通釋)』 권4.
3) 호병문(胡炳文, 1250~1333) : 자는 중호(仲虎)이고, 호는 운봉(雲峰)이다. 원(元)대 휘주(徽州) 무원(婺源) 사람으로, 주희(朱熹)의 종손(宗孫)에게 『주역』과 『서경』을 배워 주자학에 잠심했으며, 특히 『주역』에 뛰어났다. 신주(信州) 도일서원(道一書院) 산장(山長)을 지내고, 난계주학정(蘭溪州學正)이 되었는데 취임하지 않았다. 저서에 『주역본의통석(周易本義通釋)』, 『서집해(書集解)』, 『춘추집해(春秋集解)』, 『예서찬술(禮

은 것이 존재하니 우레와 바람이 변하는 것을 체득하여 내가 변하지 않은 것이 되면 우레와 바람을 잘 체득한 것이다."

案

說此象者, 用烈風雷雨弗迷, 說震象者, 用迅雷風烈必變, 皆非也. 雷風者, 大地之變而不失其常也. 立不易方者, 君子之暦萬變而不失其常也. 洊雷者, 天地震動之氣也. 恐懼修省者, 君子震動之心也.

이 모습을 말하는 자는 '세찬 바람과 천둥 번개가 치는 빗속에서도 길을 잃지 않았다'[4]는 말을 쓰고, 진(震☳)괘의 모습을 말하는 자는 '빠른 우뢰와 맹렬한 바람이 일면 반드시 낯빛을 변하였다'[5]는 말

書纂述)』, 『사서통(四書通)』, 『대학지장도(大學指掌圖)』, 『오경회의(五經會義)』, 『이아운어(爾雅韻語)』 등이 있다.

4) 『서경』「순전(舜典)」: "옛 순임금을 상고해 보건대, 이름은 중화(重華)이고 그의 덕은 요임금과 합치했다. 뛰어나게 명철하고 문(文)이 밝았으며, 온화하고 공손하며 진실하고 성실했다. 그 현덕(玄德)이 소문이 나서 알려지니 요임금이 직위를 명하셨다. 요임금이 순에게 오전(五典 : 五常)을 아름답게 하라 하니 오전이 순조롭게 되었고, 백규(百揆) 조정의 관리를 맡기니 백관들을 때에 맞게 관리했으며, 사문(四門)에서 빈객을 영접하는 직책을 맡기니, 사방이 화목해졌고 큰 산기슭에 들어가게 했는데도 세찬 바람과 천둥 번개가 치는 빗속에서도 길을 잃지 않았다.[曰若稽古帝舜. 曰重華協于帝. 濬哲文明, 溫恭允塞, 玄德升聞, 乃命以位. 愼徽五典, 五典克從, 納于百揆, 百揆時敍, 賓于四門, 四門穆穆, 納于大麓, 烈風雷雨弗迷.]"라고 하였다.

5) 『논어』「향당」: "빠른 우뢰와 맹렬한 바람이 일면 반드시 낯빛을 변하시었다.[迅雷風烈, 必變.]"라고 하였다.

을 쓰는데 모두 잘못이다. 우레와 바람은 대치의 변화이지만 그 항상성을 잃지 않는다. 우뚝 서서 장소를 바꾸지 않는 것은 군자의 운명은 끊임없이 변하지만 그 항상성을 잃지 않는다. 거듭되는 우레는 천지가 진동하는 기운이다. 두려워하고 수양하여 살피는 것은 군자의 진동하는 마음이다.

浚恒之凶, 始求深也.

깊이 구하면 흉한 것은 시작부터 과도하게 구하려 하기 때문이다.

程傳

居恒之始, 而求望於上之深, 是知常而不知度勢之甚也. 所以凶, 陰暗不得恒之宜也.

늘 변함없는 처음에 자리하면서 윗사람에게 요구하고 바라기만 하는 것이 깊으니, 이는 상도(常道)를 지키려는 것만 알고 형세를 헤아리는 것을 알지 못함이 아주 심하다. 그래서 흉하니 음의 어두운 성격으로 상도의 마땅함을 얻지 못한 것이다.

集說

● 朱氏震曰 : "初居巽下, 以深入爲恒, 上居震極, 以震動爲恒, 在始而求深, 在上而好動, 皆凶道也."[6)]

주진(朱震)[7)]이 말했다. "초효는 손(巽☴)괘의 아래에 자리하여 깊

6) 『주역절중』에서는 주진(朱震)의 말로 표시되어 있지만 『사고전서』에서는 항안세(項安世)의 『주역완사(周易玩辭)』 권7에 나온다.

7) 주진(朱震, 1072~1138) : 자는 자발(子發)이고, 당시 한상선생(漢上先生)이라 불리었다. 송대 형문군(荊門軍 : 현 호북성 소속) 사람으로 한림학사(翰林學士)를 여러 번 역임하였다. 저서는 『한상역전(漢上易傳)』이 있다.

이 들어가 항상성이 되고 상효는 진(震☳)괘의 끝에 자리하여 진동하면서 항상성이 되니, 시작에서 심하게 구하고 끝에서 움직임을 좋아하면 모두 흉한 도이다."

● 郭氏雍曰 : "進道有漸而後可久, 在恒之初, 浚而深求, 非其道也."[8)]

곽옹(郭雍)[9)]이 말했다. "나아가는 도는 점차적 과정이 있은 뒤에 오래 지속될 수 있으니 항괘의 처음부터 깊이 구하는 것은 도가 아니다."

● 王氏申子曰 : "可恒之道, 以久而成, 始而求深, 是施諸己則欲速不達, 施諸人則責之太遽者也, 故凶."[10)]

왕신자(王申子)[11)]가 말했다. "오래 지속할 수 있는 도는 항구성으

8) 곽옹(郭雍), 『곽씨전가역설(郭氏傳家易說)』 권4.
9) 곽옹(郭雍, 1091~1187) : 자는 자화(子和)이고, 호는 백운선생(白雲先生)이다. 남송 낙양(洛陽 : 현 하남성 낙양시) 사람이다. 정이(程頤)의 제자인 곽충효(郭忠孝)의 둘째 아들로 가학을 계승했다. 벼슬길에 나아가지 않고 평생 섬주(陝州) 장양산(長楊山)에 은거하면서 역학과 의학에 정통했다고 한다. 『주역(周易)』에 대해서는 정이(程頤)의 학설을 계승·발전시켰다. 저서에 『곽씨전가역설(郭氏傳家易說)』, 『괘사지요(卦辭指要)』, 『시괘변의(蓍卦辨疑)』 등이 있고, 순희(淳熙) 초에 학자들이 곽씨 두 부자와 이정(二程), 장재(張載), 유초(游酢), 양시(楊時) 등 칠가(七家)의 설을 모아 『대역수언(大易粹言)』을 편집했다.
10) 왕신자(王申子), 『대역집설(大易緝說)』 권6.
11) 왕신자(王申子) : 자는 손경(巽卿)이다. 원나라 공주(邛州, 사천성 공래

로 완성하니 시작부터 깊은 것을 구하는 일은 자신에게 베풀면 빠르게 이루려고 하여 도달하지 못하고 남에게 베풀면 지나치게 성급하게 책망하므로 흉하다."

● 蘇氏濬曰:"凡人用功之始, 立志太銳, 取效太急, 便有欲速助長之病, 故曰始求深, 孟子言深造必以道, 正是此意."

소준(蘇濬)[12]이 말했다. "사람들이 힘을 쓰는 시작단계에서 뜻을 세움이 지나치게 날카롭거나 효과를 얻으려는 것이 지나치게 급한 것은 빠르게 이루려고 조장하는 병통이므로 시작에서 깊게 구하는 것은 맹자가 '깊이 나아가기를 도(道)로써 한다'[13]는 말이 바로 이러한 뜻이다."

〈邛崍〉) 사람이다. 인종(仁宗) 황경(皇慶) 연간(1311~1320)에 무창로(武昌路) 남양서원(南陽書院)의 산장(山長)을 지냈다. 나중에 30여 년 동안 자리주(慈利州) 천문산(天門山)에 은거했다. 저서에 『춘추류전(春秋類傳)』, 『대역집설(大易集說)』, 『주례정의(周禮正義)』 등이 있다.

12) 소준(蘇浚, 1542~1599) : 명나라 유명한 안찰사이다. 자는 군우(君禹)이고 호는 자계(紫溪)이다. 진(晋)땅 강소(江蘇) 사람이다. 남경의 형부주사, 협서성 참의, 광서성 안찰사와 광서성 참정을 지냈다. 광서성에 있을 때 『광서통지(廣西通志)』를 편찬하였는데 병에 걸로 귀주(貴州)로 돌아가 연구에 매진했다. 『역경인설(易經儿說)』, 『사서인설(四書儿說)』 등이 있다.

13) 『맹자』「이루하」: "군자가 깊이 나아가기를 도(道)로써 함은 그 자득(自得)하고자 해서이니, 자득하면 거함에 편안하고, 거함에 편안하면 이용함이 깊고, 이용함이 깊으면 좌우에서 취하여 씀에 그 근원을 만나게 된다. 그러므로 군자는 자득하고자 하는 것이다.[孟子曰 君子深造之以道, 欲其自得之也, 自得之則居之安, 居之安則資之深, 資之深則取之左右, 逢其原, 故君子欲其自得之也.]"라고 하였다.

九二悔亡, 能久中也.

구이효의 후회가 없어지는 것은 오래도록 중도를 지킬 수 있기 때문이다.

程傳

所以得悔亡者, 由其能恒久於中也, 人能恒久於中, 豈止亡其悔? 德之善也.

후회를 없앨 수 있는 이유는 중도를 오래도록 지속시킬 수 있기 때문이니, 사람이 중도를 오래도록 지속시킬 수 있다면 어찌 후회를 없앨 뿐이겠는가? 그것은 덕의 착함이다.

集說

● 胡氏炳文曰 : "九二獨提能久中. 諸爻不中, 故不久可見."[14)]

호병문(胡炳文)이 말했다. "구이효는 홀로 중도를 오래 지속할 수 있다. 여러 효는 중도를 이루지 못하므로 오래 지속하지 못함을 볼 수 있다."

14) 호병문(胡炳文), 『주역본의통석(周易本義通釋)』 권4.

不恒其德, 無所容也.

그 덕을 오래 지속시키지 못한 것은 받아줄 곳이 없다는 뜻이다.

程傳

人旣無恒, 何所容處? 當處之地, 旣不能恒, 處非其據, 豈能恒哉? 是不恒之人, 尤所容處其身也.

사람이 항상성이 없다면 어디에서 받아들여 거처하겠는가? 마땅히 처해야 할 곳에서 항상성을 유지할 수 없어, 처한 곳이 자신이 머물러야 할 곳이 아니라면 어찌 오래도록 지속할 수 있겠는가? 이는 항상성을 유지하지 못하는 사람은 그 몸을 받아줄 곳이 없다는 말이다.

案

此無所容, 與離四相似, 皆謂德行無常度. 自若無所容, 非人不容之也.

이것은 받아들일 곳이 없다는 말이니 이(離)괘의 구사효[15]와 유사

15) 『주역』「이(離)괘」: "구사효는 갑작스럽게 오는 것으로 불타오르는 듯하니, 죽게 되고 버림을 받는다.[九四, 突如其來如, 焚如, 死如, 棄如.]"라고 하였다.

하여 모두 덕행에 항상된 절도가 없다는 말이다. 스스로 받아들이는 것을 없게 하는 것이지 사람들이 받아들이지 않는다는 것이 아니다.[16)]

16) 받아들이지 않는다는 것이 아니다. : 이광지는 이(離)괘 구사효를 다음과 같이 설명하고 있다. "갑작스럽게 온다는 것은 『서경』에서 말하는 어둡고 포악한 자가 그것이다. 사람이 받아들이지 않는다는 것이 아니라 스스로 받아들이는 바가 없게 할 뿐이다.[突如其來如, 書所謂昏暴者是也. 非人不容之, 自若無所容爾.]"

久非其位, 安得禽也.

그에 걸맞는 자리가 아닌 데 오래 지속하니 어찌 짐승을 잡겠는가?

程傳

處非其位, 雖久何所得乎, 以田爲喻, 故云安得禽也.

그에 걸맞는 지위가 아닌 곳에 처했으니 오래도록 지속한들 무슨 소득이 있겠는가? 사냥으로 비유했으므로 "어찌 짐승을 잡겠는가?"라고 했다.

集說

● 王氏弼曰 : "恒非其位, 雖勞無獲也."[17]

왕필(王弼)이 말했다. "그에 걸맞는 지위가 아닌 곳에 처했다면 힘을 쓰더라도 얻음이 없다."

案

爻旣以田爲喻, 則非處非其位也, 乃所往者非其位耳, 謂所動而施爲者, 不得其方也.

17) 왕필(王弼), 『주역주(周易註)』 권4.

효에서 밭이라는 비유를 했으니 처함이 그에 걸맞는 지위가 아니라는 것이 아니라 가는 것이 그 지위가 아닐 뿐이니 움직여 시행하는 것이 그 방도를 얻지 못한다는 말이다.

婦人貞吉, 從一而終也. 夫子制義, 從婦凶也.

부인은 올바르게 해서 길하니 하나를 순종하여 끝마치기 때문이고, 장부는 의로움으로 제어할지언정 부인의 도를 따르면 흉하다.

程傳

如五之從二, 在婦人則爲正而吉, 婦人以從爲正, 以順爲德, 當終守於從一. 夫子則以義制者也, 從婦人之道, 則爲凶也.

육오효가 구이효를 따르는 경우는 부인에게서는 정도(正道)이므로 길하니, 부인은 순종함을 정도로 여기고 순종함을 덕으로 삼아 마땅히 끝까지 한 사람에게만 순종하는 태도를 지켜야 한다. 장부는 의로움으로써 제어하는 자인데, 부인의 도를 따르면 흉하게 된다.

集說

● 項氏安世曰: "九二以剛中爲常, 故悔亡, 六五以柔中爲恒, 在二可也, 在五, 則夫也父也君也, 而可乎? 婦人從夫則吉, 夫子從婦則凶矣."[18]

항안세(項安世)가 말했다. "구이효는 굳세면서 알맞음으로 항상성을 지키므로 후회가 없고 육오효는 부드러우면서 알맞음으로 항상

18) 항안세(項安世), 『주역완사(周易玩辭)』 권7.

성을 이루는데, 이효에서는 옳지만 오효는 남자이자 아버지이고 군주인데 옳겠는가? 부인이 남자를 따르면 길하지만 남자가 부인을 따르면 흉하다."

● 楊氏啟新曰:"爻辭只曰婦人吉,「象傳」又添一貞字, 明恒其德, 貞, 爲婦人之貞也."[19]

양계신(楊啟新)이 말했다. "효사에서는 단지 부인이 길하다고 했는데 「상전」에서는 또 정(貞)이라는 한 글자를 첨가해서 그 덕을 항상되게 하는 것을 밝혔으니 정(貞)은 부인의 정이다."

19) 『주역절중』에서는 양계신(楊啟新)의 말로 되어 있지만 『사고전서』에서는 임희원(林希元)의 『역경존의(易經存疑)』 권5에 나온다.

振恒在上, 大無功也.

동요하는 항상성으로 가장 위의 자리에 있으니, 크게 공이 없다.

程傳

居上之道, 必有恒德, 乃能有功. 若躁動不常, 豈能有所成乎? 居上而不恒, 其凶甚矣. 「象」又言其不能有所成立, 故曰大無功也."

위에 자리하는 도리는 반드시 그 덕을 오래 지속할 수 있어야 공을 세울 수 있다. 만약 조급하게 동요하여 오래 지속하지 못하면 어찌 공을 이룰 수 있겠는가? 위에 자리하면서 오래 지속하지 못하면 그 흉함이 심하다. 「상전」에서 또 이루고 세우는 것이 있을 수 없다고 했으므로 "크게 공이 없다"고 했다.

集說

● 王氏安石曰 : "終乎動, 以動爲恒者也. 以動爲恒, 而在物上, 其害大矣."

왕안석(王安石)[20]이 말했다. "움직임으로 끝을 내니 움직임으로 변

20) 왕안석(王安石, 1021~1086) : 북송(北宋)시대 사상가, 정치가, 문필가로서 임천(臨川 : 현 강서성 무주시 임천구〈撫州市臨川區〉) 사람이다. 자

함없는 자이다. 움직임으로 변함없이 가니 사물에서는 그 해로움이 크다."

● 王氏申子曰 : "此所謂天下本無事, 庸人自擾之, 其好功生事之過乎! 故聖人折之曰大無功, 言振擾於守恒之時, 決無所成也."[21]

왕신자(王申子)가 말했다. "이것은 천하는 본래 아무런 일이 없는데 용렬한 사람이 스스로 요란스럽게 하는 것이니 공을 좋아하고 일을 벌이는 잘못이구나! 그러므로 성인이 비난하여 크게 공이 없다고 하였으니, 항상성을 지켜야 할 때 요란스럽게 하는 것은 결코 이루는 것이 없다고 했다."

는 개보(介甫)이고 호는 반산(半山)이다. 1042년 진세에 급제하여 벼슬은 양주첨판(揚州簽判), 은현지현(鄞縣知縣), 서주통판(舒州通判) 등을 역임하고, 1069년 참지정사(參知政事)가 되어 변법(變法) 즉 신법(新法)을 주도하였으나. 구당파의 반대로 1074년 파직되었다. 1년 뒤 송 신종(神宗)이 재상에 재임용하여 신법(新法)을 시행하였으나, 또 파직되어 1086년 마침내 신법이 폐지되었다. 문학으로는 당송팔대가의 한 사람으로서, 특히 그의 시(詩)는 왕형공체(王荊公體)라는 하나의 문체를 이루었다. 경학(經學) 방면으로도 당시에 통유(通儒)라고 불릴 정도로 경전에 두루 해박하였으며, 특히 북송대의 의경변고학풍(疑經變古學風)을 촉진하는 데에 기여하였다. 저서로 『왕임천집(王臨川集)』, 『임천집습유(臨川集拾遺)』이 전해지고 있다.

21) 왕신자(王申子), 『대역집설(大易緝說)』 권6.

33. 돈遯☰☶괘

> 天下有山, 遯, 君子以遠小人, 不惡而嚴.
>
> 하늘 아래 산이 있는 것이 돈괘의 모습이니, 군자는 이것을 본받아 소인을 멀리하되, 증오하지 않고 엄격한 태도를 취한다.

本義

天體無窮, 山高有限, 遯之象也. 嚴者, 君子自守之常, 而小人自不能近.

하늘의 본체는 무궁하고 산의 높음은 유한하니, 돈(遯)의 모습이다. 엄격함은 군자가 스스로 지키는 떳떳한 도리인데 소인이 저절로 가까이 하지 못한다.

程傳

天下有山, 山下起而乃止, 天上進而相違, 是遯避之象也. 君子觀其象, 以避遠乎小人. 遠小人之道, 若以惡聲厲色, 適足以致其怨忿, 唯在乎矜莊威嚴, 使知敬畏, 則自然遠矣.

하늘 아래 산이 있으니 산은 위로 솟아있지만 멈추어 있고 하늘은 위로 올라가려고 하여 서로 어긋나니 이것이 은둔하여 피하는 모습이다. 군자는 이 모습을 관찰하여, 소인을 피하여 멀리한다. 소인을 멀리하는 방도는 증오하는 소리를 내며 싫어하는 내색을 드러내면 결국에는 분노와 원한을 사게 되니, 오직 엄숙하고 위엄있는 태도로 소인이 공경하고 두려워할 줄 알게 하면 저절로 멀어지게 된다.

集說

● 石氏介曰:"不惡而嚴, 外順而內正也, 尙惡則小人憎, 不嚴則正道消."

석개(石介)[1]가 말했다. "미워하지 말고 엄격하라는 겉으로는 순종하고 안으로는 올바름을 지키는 것이니, 미워하면 소인이 증오하고 엄격하지 않으면 정도(正道)가 없어진다."

1) 석개(石介) : 석개(石介, 1005~1045)의 자는 수도(守道)이고 혹은 공조(公操)이다. 곤주(兗州) 봉부(奉符) 사람이다. 북송(北宋) 초기 학사이며 사상가이다. 송대 이학(理學)의 선구자이다. 태산서원(泰山書院)과 조래(徂徠書书院)를 창건하여 『역』과 『춘추(春秋)』를 가르쳐서 의리(義理)를 중시했다. 세상에서는 조래선생(徂徠先生)이라 부른다. 태산(泰山)학파의 창시자이다. 이정(二程)과 주희(朱熹)에게 영향을 미쳤다. 천성(天聖) 8년에 진사(進士)가 되었으며 국자감직강을 역임했다. 손복(孫復), 호원(胡瑗)과 함께 북송 삼선생(三先生)으로 불린다. 백성을 천하국가의 근본으로 여겼다. 저작은 『조래집(徂徠集)』이 있다.

● 張子曰 : "惡讀爲憎惡之惡, 遠小人不可示以惡也. 惡則患及之, 又焉能遠? 嚴之爲言, 敬小人而遠之之意也."[2]

장자(張子 : 장재)[3]가 말했다. "악(惡)은 미워하다는 뜻의 오(惡)로 읽으니 소인을 멀리 하는 데 증오를 보여서는 안 된다. 증오하면 환난이 이르니 또 어찌 멀리 할 수 있겠는가? 엄격하라고 말한 것은 소인을 공경하면 멀어진다는 뜻이다."

● 楊氏時曰 : "天下有山, 其藏疾也無所拒, 然亦終莫之陵也. 此君子遠小人不惡而嚴之象也."

양시(楊時)[4]가 말했다. "하늘 아래 산이 있으니 숨어 있는 것도 거

2) 장재(張載), 『횡거역설(橫渠易說)』 권2.

3) 장재(張載, 1020~1077) : 자는 자후(子厚)이고, 세칭 횡거선생(橫渠先生)이라고 한다. 송대 대양(大梁 : 현 하남성 개봉〈開封〉) 사람으로 거주지는 미현 횡거진(郿縣橫渠鎭 : 현 섬서성 미현〈眉縣〉)이었다. 1057년 진사에 급제했고 운암령(雲巖令)·숭정원교서(崇政院校書) 등을 역임하였다. 젊어서 병법을 좋아하여 범중엄에게 서신을 보냈다가 『중용』을 읽기를 권유받고, 얼마 뒤 『6경(六經)』에 전념하게 되었다. 특히 『역』과 『중용』을 중시하여 『정몽(正蒙)』, 『서명(西銘)』, 『역설(易說)』 등을 지었는데, 이로써 나중에 '관학(關學)'의 창시자가 되었다.

4) 양시(楊時, 1053~1135) : 자는 중립(中立)이고, 호는 구산(龜山)이며, 시호는 문정(文靖)이다. 북송 검남 장락(劍南將樂 : 현 복건성 장락현) 사람이다. 신종(神宗) 희녕(熙寧) 9년(1076)에 진사에 급제하였지만, 관직에 나가지 않고 10년 동안 칩거하다가 형주교수(荊州敎授), 우간의대부(右諫議大夫), 국자감좨주(國子監祭酒), 공부시랑(工部侍郞), 용도각직학사(龍圖閣直學士) 등을 역임하였다. 정호(程顥)·정이(程頤) 형제에게 사사(師事)했는데, 특히 형 정호의 신임을 받았다. 민학(閔學)의 창시

부할 것이 없지만 또한 결국에 능멸하지 않는다. 이것이 군자가 소인을 멀리 하되 증오하지 않고 엄격한 모습이다."

● 郭氏雍曰: "君子當遯之時, 畏小人之害, 志在遠之而已. 遠之之道何如? 不惡其人而嚴其分是也. 孔子曰: '疾之已甚, 亂也.' 不惡則不疾矣."[5)]

곽옹(郭雍)이 말했다. "군자는 은둔할 때 소인의 해침을 두려워하니 뜻은 멀리 하는 데 있을 뿐이다. 멀리하는 방도는 무엇인가? 그 사람을 증오하지 않고 그 본분을 엄격하게 함이 이것이다. 공자가 '너무 심하게 미워하는 것도 난을 일으킨다'[6)]고 했다. 증오하지 않으면 질시하지 않는다."

● 俞氏琰曰: "君子觀象以遠小人, 豈有它哉! 不過危行言遜而已. 遜其言則不惡, 不使之怨也, 危其行則有不可犯之嚴, 不使之不遜也. 此君子遠小人之道也."[7)]

자로서, 유초(游酢), 여대림(呂大臨), 사량좌와 함께 정문사선생(程門四先生)으로 불렸다. 그의 학문 계통에서 주희·장식(張栻)·여조겸(呂祖謙) 등 뛰어난 학자가 많이 배출되었다. 저서에 『구산집(龜山集)』, 『구산어록(龜山語錄)』, 『이정수언(二程粹言)』 등이 있다.

5) 곽옹(郭雍), 『곽씨전가역설(郭氏傳家易說)』 권4.

6) 『논어』「태백」: "용맹을 좋아하고 가난을 싫어하는 것도 난(亂)을 일으키고, 사람으로서 인(仁)하지 못한 것을 너무 심히 미워하는 것도 난(亂)을 일으킨다.[好勇疾貧, 亂也, 人而不仁, 疾之已甚, 亂也.]"라고 하였다.

7) 유염(俞琰), 『주역집설(周易集說)』 권12.

유염(兪琰)[8]이 말했다. "군자가 상을 보고 소인을 멀리 하니 어찌 다른 것이겠는가! 행실을 높게 하고 말을 공손하게 할[9] 뿐이다. 그 말을 공손하게 하면 증오하지 않아 원한을 갖지 않게 하고, 행실을 높게 하면 함부로 범하지 못하는 위엄이 있어 공손하지 않게 하지 않을 수 있다. 이것이 군자가 소인을 멀리 하는 방도이다."

案

"天下有山", 以山喻小人, 以天喻君子, 似未切. 蓋天下有山, 山之高, 峻極於天也, 山之高峻者, 未嘗絕人, 而自不可攀躋, 故有不惡而嚴之象. 楊氏之說, 蓋是此意.

"하늘 아래 산이 있다"고 하여 산으로 소인을 비유하고 하늘로 군자를 비유했으나 비슷하지는 않은 듯하다. 하늘 아래 산이 있으니 산의 높음은 하늘보다 높으니 산이 매우 높은 것은 사람이 끊이지 않은 적이 없어 본래 올라갈 수가 없으므로 증오하지 않고 엄격한 모습이 있다. 양씨의 말은 이러한 뜻이다.

8) 유염(兪琰) : 자는 옥오(玉吾)이고, 호는 전양자(全陽子), 임옥산인(林屋山人), 석간도인(石澗道人) 등이다. 남송 말 원대 초기에 활동한 학자로 송대 오군(吳郡 : 현 강소성 소주〈蘇州〉) 사람이다. 어려서 가학을 익히고 젊어서는 기서(奇書)를 즐겨 연구하다가, 뒤늦게 과거시험 준비를 했다. 남송이 멸망하고 원대 조정이 들어서자 과거응시를 포기하고 은거하여 역학 연구에 전념하였다. 역학 관련 저술이 특히 많았는데, 대표적인 것으로 『주역집설(周易集說)』, 『독역거요(讀易擧要)』, 『역외별전(易外別傳)』 등이 있다.

9) 『논어』「헌문」: "나라에 도(道)가 있을 때는 말을 높게 하고 행실을 높게 하며, 나라에 도(道)가 없을 때는 행실은 높게 하되 말은 공손하게 해야 한다.[子曰 邦有道, 危言危行, 邦無道, 危行言孫.]"라고 하였다.

遯尾之厲, 不往, 何災也.

은둔하는 꼬리이므로 위태롭지만, 함부로 가지 않는데 무슨 재앙이 있겠는가?

程傳

見幾先遯, 固爲善也, 遯而爲尾, 危之道也. 往旣有危, 不若不往而晦藏, 可免於災, 處危故也. 古人處微下, 隱亂世, 而不去者多矣.

기미를 보고 먼저 은둔하는 것이 실로 최선이니, 은둔하면서 꼬리처럼 가장 늦게 하는 것은 위태로운 방도이다. 가서 위태로운 것은 가서 숨어 스스로를 감추어 재앙을 면할 수 있는 것보다 못하니 위험한 곳에 처했기 때문이다. 옛날 사람들은 미천하고 낮은 지위에 처해 난세를 피해 은둔하더라도 난세를 떠나가지 않은 자가 많았다.

案

『程傳』以不遯爲免災, 朱子以晦處勿有所行爲免災, 故朱子嘗欲劾韓伕胄, 占得此爻而止.

『정전』은 은둔하지 않고 재난을 면하는 것으로 생각했고, 주자는 어두움에 처하여 행하지 않고 재난을 면하는 것으로 생각했으므로 주자는 한복위(韓伏胄)를 탄핵하려고 했는데, 이 효를 점쳐 멈추었다.

執用黃牛, 固志也.

황소의 가죽으로 잡아맴은 뜻을 견고하게 한 것이다.

程傳

上下以中順之道相固結, 其心志甚堅, 如執之以牛革也.

위와 아래가 알맞게 따르는 도리로 서로 굳건하게 결합하여 그 마음의 뜻이 매우 견고하니, 마치 소의 가죽으로 잡아맨 것과 같다.

集說

● 侯氏行果曰 : "上應貴主, 志在輔時, 不隨物遯, 獨守中直, 堅如革束. 執此之志, 莫之勝說, 殷之父師, 當此爻矣."[10]

후행과(侯行果)[11]가 말했다. "위로 귀한 주인과 호응하니 뜻은 시대를 도우려고 하여 남들이 은둔하는 것을 따르지 않고 홀로 가운데서 바름을 지키고 있으니 그 견고함이 마치 가죽으로 묶은 듯하

10) 이정조(李鼎祚), 『주역집해(周易集解)』 권7.

11) 후행과(侯行果) : 당대(唐代) 상곡(上穀) 사람으로 후과(侯果)라고도 한다. 벼슬은 국자사업(國子司業)·대황태자독(待皇太子讀)을 지냈다. 저서는 모두 전해지지 않지만, 이정조(李鼎祚)의 『주역집해(周易集解)』에서 그의 주요사상을 엿볼 수 있다. 황석(黃奭)의 『황씨일서고(黃氏逸書考)』 가운데 『후과역주(侯果易注)』 한 책이 실려 있다.

다. 이러한 뜻을 잡아 벗겨지지 않으니 은나라 부사(父師)가 이 효에 해당한다."

● 蔡氏清曰: "謂自固其志, 不可榮以祿也."[12]

채청(蔡清)[13]이 말했다. "스스로 그 뜻을 견고히 하여 봉록으로 영화를 누릴 수 없다는 말이다."

附錄

● 孔氏穎達曰: "固志者, 堅固遯者之志, 使不去已也."[14]

공영달(孔穎達)이 말했다. "뜻을 견고하게 함은 은둔하는 뜻을 견고하게 하여 없어지지 않게 하는 일일 뿐이다."

---

12) 채청(蔡清), 『역경몽인(易經蒙引)』 권1 상.

13) 채청(蔡清, 1453~1508) : 자는 개부(介夫)이고 별호는 허재(虛齋)이다. 명(明)대 진강(晉江) 사람으로, 31세에 진사에 급제하여 벼슬은 남경문선랑중(南京文選郎中), 강서제학부사(江西提學副使) 등을 역임하였다. 명대의 저명한 이학가(理學家)로서 주로 이정(二程)과 주희(朱熹)의 저술 연구를 통해 그들의 사상을 계승하였다. 특히 천주(泉州) 개원사(開元寺)에서 역학연구단체를 결성하여 90여 책을 출간하면서 청원학파(清源學派)를 이루었다. 이정기(李廷機), 장악(張嶽), 임희원(林希元), 진침(陳琛) 등의 학자들이 그 학파의 주요 구성원이었다. 저술로는 『사서몽인(四書蒙引)』, 『역경몽인(易經蒙引)』, 『허재문집(虛齋文集)』 등이 있다.

14) 공영달(孔穎達), 『주역주소(周易注疏)』 권6.

系遯之厲，有疾憊也，畜臣妾吉，不可大事也.

얽매인 은둔이 위태로움은 병이 있어 고달픈 것이고, 신하와 첩을 기르면 길한 것은 큰일은 할 수 없다는 뜻이다.

程傳

遯而有系累，必以困憊致危. 其有疾乃憊也，蓋力亦不足矣. 以此昵愛之心，畜養臣妾則吉，豈可以當大事乎?

은둔하면서 얽매임이 있다면 반드시 곤란하여 위태로움에 이르니, 병이 있어 고달픈 것으로 힘 또한 부족하다. 이처럼 사사롭게 친밀하고 아끼는 마음으로 신하와 첩을 기르면 길하지만, 이런 방도가 어찌 큰일을 감당할 수 있겠는가?

集說

● 張氏清子曰: "當遯而系，故有疾而厲，至於憊乏也. 唯當以剛自守，止下二陰，而畜之以臣妾之道，然後獲吉，又豈可當大事乎?"

장청자(張淸子)가 말했다. "은둔할 때 얽매었으므로 병이 있고 위태로워 고달픈 지경에 이른다. 오직 마땅히 굳셈으로 스스로를 지키고 아래 두 음을 제지하고 신하와 첩의 도로 기른 뒤에 길함을 얻으니, 어찌 큰일을 할 수 있겠는가?"

案

"不可大事", 言未可直行其志, 危言危行也. 與象小貞言, 「大象」不惡而嚴之意, 皆相貫.

"큰 일을 할 수 없다"는 것은 그 뜻을 직접 행할 수 없다는 말로, 말을 높게 하고 행함을 높게 하라는 뜻이다.[15] 괘사에서 '조금 바로 잡는 것이 이롭다는 말과 같으니 「대상전」에서 증오하지 않고 엄격하라는 뜻과 모두 서로 관통한다.

15) 『논어』「헌문」: "나라에 도(道)가 있을 때는 말을 높게 하고 행실을 높게 하며, 나라에 도(道)가 없을 때는 행실은 높게 하되 말은 공손하게 해야 한다.[子曰邦有道, 危言危行, 邦無道, 危行言孫.]"라고 하였다.

君子好遯, 小人否也.

군자는 좋아하면서도 은둔하지만, 소인은 나쁜데 이른다.

程傳

君子雖有好而能遯, 不失於義, 小人則不能勝其私意, 而至於不善也.

군자는 좋아하는 것이 있더라도 은둔할 수 있어 마땅한 의리를 잃지 않고, 소인은 그 사사로운 의도를 이기지 못해 좋지 못한 것에 이른다.

集說

● 兪氏琰曰 : "爻辭云好遯, 君子吉小人否, 爻傳不及吉字, 蓋謂唯君子爲能好遯, 小人則不能好遯也. 旣好遯, 則遯而亨, 其吉不假言矣."[16)]

유염(兪琰)이 말했다. "효사에서 '좋아하면서도 은둔하는 것이니, 군자는 길하고 소인은 나쁘다'고 하였는데, 효「상전」에서 길함을 언급하지 않은 것은 군자만이 좋아하면서도 은둔할 수 있고 소인은 좋아하면서 은둔할 수 없기 때문이다. 좋아하면서도 은둔할 수 있으면 은둔하여 형통하니 그 길함은 따로 말할 필요가 없다."

16) 유염(兪琰), 『주역집설(周易集說)』 권23.

嘉遯貞吉, 以正志也.

아름다운 길함이니 올바름을 굳게 지켜 길한 것은 뜻을 올바르게 했기 때문이다.

程傳

志正則動必由正, 所以爲遯之嘉也. 居中得正而應中正, 是其志正也, 所以爲吉. 人之遯也止也, 唯在正其志而已矣.

뜻이 올바르면 움직임이 반드시 그 올바름으로부터 나오니, 그래서 은둔의 아름다움이다. 가운데 자리하면서 올바름을 얻었고, 중정(中正)의 사람과 호응하니, 이것이 그 뜻이 올바르고 길하게 되는 근거이다. 은둔하는 것은 합당한 자리에 멈추는 일이니, 오직 그 뜻을 바르게 하는 데 달려 있을 뿐이다.

集說

● 張子曰 : "居正處中, 能正其志, 故獲貞吉."[17]

장자(張子 : 張載)가 말했다. "올바름에 자리하고 가운데 처했으니 그 뜻을 바르게 할 수 있으므로 곧음과 길함을 얻는다."

---

17) 장재(張載), 『횡거역설(橫渠易說)』 권2.

案

君子之志, 不在寵利, 故進以禮而退以義, 所謂"正志"也.

군자의 뜻은 총애와 이득에 있지 않으므로 나아감에 예로 하고 물러남에 의로움으로 하니 뜻을 올바로 한다는 말이다.

肥遯無不利, 無所疑也.

여유로운 은둔이니, 이롭지 않음이 없는 것은 의심하는 바가 없다는 뜻이다.

程傳

其遯之遠, 無所疑滯也. 蓋在外則已遠, 無應則無累, 故爲剛決無疑也.

은둔하는 데 멀리 떠나는 것은 의심하여 지체함이 없다는 뜻이다. 밖에 있으면 이미 멀리 떠난 것이고 호응함이 없으면 얽매이는 바가 없으므로 강직하게 결단하여 의심이 없는 것이다.

集說

● 侯氏行果曰 : "最處外極, 無應於內, 心無疑戀, 超世高擧, 安時無悶, 故肥遯無不利."[18]

후행과(侯行果)[19]가 말했다. "밖의 끝에 처하고 안으로 호응함이

18) 이정조(李鼎祚), 『주역집해(周易集解)』 권7.

19) 후행과(侯行果) : 일명 후과(侯果)라고 하며, 당(唐)대 상곡(上谷 : 현 하북성 장가구시〈張家口市〉) 사람이다. 당 중엽 유명한 18학사(十八學士) 가운데 한 사람으로, 벼슬은 국자사업(國子司業), 대황태자독(待皇太子讀) 등을 역임하였다. 『역(易)』과 노장학 연구에 뛰어났다고 하는

없으며 마음에 의심과 그리움이 없고 세속을 초월하여 행동이 고상하며, 때에 편안하여 근심이 없으므로 여유로운 은둔이니 이롭지 않음이 없다."

● 趙氏汝楳曰:"四陽之中, 三系於陰, 四五應於陰, 皆不能不自疑, 至上則疑慮盡亡, 蓋无有不利者矣"[20]

조여매(趙汝楳)[21]가 말했다. "네 양 가운데 삼효는 음에 얽매여 있고 사효와 오효는 음과 호응하여 모두 스스로 의심하지 않을 수 없으나 상효에 이르러 의심과 생각이 모두 없어져 이롭지 않음이 없는 자이다."

● 李氏心傳曰:"無所疑也, 此及升之九三並言之, 此決於退, 彼決於進, 時之宜耳."

이심전(李心傳)[22]이 말했다. "의심하는 것이 없으니 이것을 승(升)

데, 저술은 이미 전해지지 않고 이정조(李鼎祚)의 『주역집해(周易集解)』에 그의 글이 보인다. 또 황석(黃奭)의 『황씨일서고(黃氏逸書考)』 가운데 『후과역주(侯果易注)』 한 권이 실려 있다.

20) 조여매(趙汝楳), 『주역집문(周易輯聞)』 권4.

21) 조여매(趙汝楳): 송(宋)대 종실(宗室)로서, 명주(明州) 은현(鄞縣: 현 절강성 영파시〈寧波市〉)에서 살았고, 조선상(趙善湘)의 아들이다. 이종(理宗) 보경(寶慶) 2년(1226) 진사에 급제하고, 호부시랑(戶部侍郎), 강회안무제치사(江淮安撫制置使) 등을 역임했다. 천수군공(天水郡公)에 봉해졌다. 역상(易象)에 정통했다. 저서에 『주역집문(周易輯聞)』, 『역아(易雅)』, 『역서총서(易敍叢書)』, 『서종(筮宗)』 등이 있다.

22) 이심전(李心傳, 1166~1243): 자는 미지(微之) 또는 백미(伯微)고, 호는

괘 구삼효와 아울러 말하면, 이 효는 물러남을 결단하고 승괘 구삼효는 나아감을 결단하니 때의 마땅함일 뿐이다."

수암(秀巖)이며, 이순신(李舜臣)의 아들이다. 남송 융주 정연(隆州井研 : 현 사천성 낙산〈樂山〉) 사람이다. 영종(寧宗) 경원(慶元) 초에 과거시험에 낙방한 뒤 연구와 저술에 힘썼다. 만년에 최여지(崔與之)·위료옹(魏了翁) 등의 천거로 사관교감(史館校勘)이 되어 『중흥사조제기(中興四朝帝紀)』와 『십삼조회요(十三朝會要)』를 편찬하고, 공부시랑(工部侍郎)에 발탁되었다. 사직한 뒤 조주(潮州)에서 살았다. 저서에 『병자학역편(丙子學易編)』, 『춘추고(春秋考)』, 『예변(禮辨)』, 『송시훈(誦詩訓)』, 『독사고(讀史考)』, 『건염이래계년요록(建炎以來系年要錄)』, 『건염이래조야잡기(建炎以來朝野雜記)』, 『구문정오(舊聞正誤)』, 『도명록(道命錄)』 등이 있다.

34. 대장大壯䷡괘

雷在天上, 大壯, 君子以非禮弗履.

우레가 하늘 위에 있는 것이 대장괘의 모습이니, 군자는 이것을 본받아 예가 아니면 실천하지 않는다.

本義

自勝者強.

스스로 이기는 자는 강하다.

程傳

雷震於天上, 大而壯也. 君子觀大壯之象以行其壯. 君子之大壯者, 莫若克己復禮. 古人云, "自勝之謂強", 『中庸』於"和而不流", "中立而不倚", 皆曰"強哉矯", 赴湯火, 蹈白刃, 武夫之勇可能也, 至於克己復禮, 則非君子之大壯, 不可能也. 故云"君子以非禮弗履".

우레가 하늘에서 진동하는 것이 크고 강성하다. 군자가 대장괘의 모습을 관찰하여 그 씩씩함을 행한다. 군자의 크고 씩씩함은 자신을 극복하여 예로 돌아가는 것 만한 것이 없다. 옛 사람들이 "스스로를 이기는 것이 강하다"[1]고 했고, 「중용」에서 "화합하면서도 과도하게 흐르지 않고" "가운데 우뚝 서서 치우침이 없는" 것을 모두 "강하구나, 굳셈이여"[2]라고 말하고 있으니, 물과 불에 뛰어들고 흰 칼을 밟는 것은 무사의 용맹이라면 가능하지만 자신을 극복하고 예로 돌아오는 것은 군자의 크고 씩씩함이 아니라면 불가능할 것이다. 그러므로 "군자는 이것을 본받아 예가 아니면 실천하지 않는다"고 했다.

1) 『노자』 33장, "타인을 이기는 사람은 힘이 있지만, 스스로를 이기는 사람은 강하다.[勝人者有力, 自勝者强.]"라고 하였다.

2) 『중용』 10장 : "남방의 강함인가? 북방의 강함인가? 아니면 그대의 강함을 말하는가? 너그러움과 유순함으로써 가르쳐주고, 무도함에 보복하지 않는 것이 남방의 강함이니, 군자가 여기에 자리한다. 병기와 갑옷을 입고 전투에 임하여 죽더라도 싫어하지 않는 것은 북방의 강함이다. 네가 말하는 강함은 여기에 자리한다. 그러므로 군자는 화합하면서도 과도하게 흐르지 않으니, 강하구나, 굳셈이여! 가운데 우뚝 서서 치우침이 없으니, 강하구나, 굳셈이여! 나라에 도가 있어도 궁색한 시절의 지조를 변하지 않으니, 강하구나, 굳셈이여! 나라에 도가 없어도 평소 지녔던 절개를 죽음에 이를지언정 변하지 않으니, 강하구나, 굳셈이여![南方之强與? 北方之强與? 抑而强與? 寬柔以敎, 不報無道, 南方之强也, 君子居之. 衽金革, 死而不厭, 北方之强也, 而强者居之. 故君子和而不流, 强哉矯! 中立而不倚, 强哉矯! 國有道, 不變塞焉, 强哉矯! 國無道, 至死不變, 强哉矯!]"라고 하였다.

集說

● 張子曰 : "克己反禮, 壯莫盛焉."[3]

장자(張子 : 張載)가 말했다. "자신을 이기고 예로 돌아가는 것은 씩씩함이 이보다 성대할 수 없다."

● 『朱子語類』云 : "雷在天上, 是甚生威嚴, 人之克己, 須是如雷在天上方能克去非禮."[4]

『주자어류』에서 말했다. "우레가 하늘에 있으니 위엄이 매우 자라난다. 사람이 자신을 극복하니 반드시 우레가 하늘에 있는 것처럼 예가 아닌 것을 극복할 수 있다."

● 項氏安世曰 : "君子所以養其剛大者, 亦曰非禮勿履而已."[5]

항안세(項安世)가 말했다. "군자가 그 굳세고 큰 것을 기르는 일은 또한 예가 아니면 행하지 말라고 말할 뿐이다."

---

3) 장재(張載), 『횡거역설(橫渠易說)』 권2.
4) 『주자어류』 72장, 40조목.
5) 항안세(項安世), 『주역완사(周易玩辭)』 권7.

壯於趾, 其孚窮也.

발에서 씩씩한 것은 곤궁하게 되는 것이 분명하다.

本義

言必窮困.

반드시 곤궁함을 말한 것이다.

程傳

在最下而用壯以行, 可必信其窮困而凶也.

가장 아래의 자리에서 씩씩하게만 행하면, 반드시 곤궁하게 되어 흉하게 되는 것이 분명하다.

集說

● 王氏申子曰: "居下而用壯, 任剛而決行, 信乎其窮而凶也."[6]

왕신자(王申子)가 말했다. "아래에 자리하여 씩씩함을 쓰고 굳셈을 믿고 과감하게 행하면 곤궁하고 흉할 것이 분명하다."

6) 왕신자(王申子), 『대역집설(大易緝說)』 권6.

九二貞吉, 以中也.

구이효가 올바름을 굳게 지켜 길한 것은 중도를 얻었기 때문이다.

程傳

所以貞正而吉者, 以其得中道也. 中則不失正, 況陽剛而乾體乎.

올바름을 굳게 지켜 길한 까닭은 중도를 얻었기 때문이다. 중도를 얻으면 올바름을 잃지 않으니, 하물며 양의 굳센 자질과 강건한 체질을 지닌 사람은 어떻겠는가?

集說

● 孔氏穎達曰 : "以其居中履謙, 行不違禮, 故得正而吉也."[7]

공영달(孔穎達)이 말했다. "가운데에 자리하여 겸손함을 이행하니 행함이 예에 어긋나지 않으므로 올바름을 얻어 길하다."

案

卦言大壯利貞, 唯九二剛德則爲大, 健體則爲壯, 而居中則爲處

7) 공영달(孔穎達), 『주역주소(周易注疏)』 권6.

壯之貞, 乃卦之主也, 故「傳」言以中, 明大壯之貞在於中也.

괘에서 씩씩함이 자라남은 올바름을 굳게 지키는 것이 이롭다고 했으니 오직 구이효의 굳센 덕이라면 크게 되고 강건한 체질이라면 씩씩함이 되니 가운데에 자리하면 씩씩함의 굳셈에 처하여 괘의 주효가 된다. 그러므로 「상전」에서 중도를 얻었다고 말했으니 대장(大壯)괘의 굳셈은 알맞음에 달렸음을 밝혔다.

小人用壯, 君子罔也.

소인은 씩씩하게 힘을 쓰지만, 군자는 무시한다.

本義

小人以壯敗, 君子以罔困.

소인은 씩씩함으로 무너지고 군자는 무시하여 곤궁하게 된다.

程傳

在小人則爲用其強壯之力, 在君子則爲用罔. 志氣剛強, 蔑視於事, 靡所顧憚也.

소인의 경우는 씩씩한 힘만을 사용하고 군자의 경우는 세상을 무시한다. 뜻과 기운이 굳세고 강하니 세상일을 무시하여 거리낄 것이 없다.

集說

● 項氏安世曰:"君子用罔, 說者不同. 然觀爻辭之例, 如'小人吉, 大人否亨', '君子吉, 小人否', '婦人吉, 夫子凶', 皆是相反之辭. 又「象辭」曰, '小人用壯, 君子罔也', 全與'君子好遯, 小人否也'句法相類. 詩書中罔字與弗字勿字毋字通用, 皆禁止之義也."[8]

항안세(項安世)가 말했다. "군자용망(君子用罔)에 대해 말하는 것이 다르다. 그러나 효사의 용례를 보건대 '소인은 길하고 대인은 정체되지만 형통하다'[9]와 '군자는 길하고 소인은 나쁘다',[10] '부인은 길하고 남편은 흉하다'[11]는 구절은 모두 상반되는 말이다. 또 「상전」의 말에서 '소인은 강성한 힘을 쓰고, 군자는 무시한다'는 온전히 '군자는 좋아하면서도 은둔하고, 소인은 나쁘다'[12]는 구절과 서로 유사하다. 『시경』 『서경』 가운데 망(罔)자는 불(弗)·물(勿)·무(毋)자와 서로 통용하니 모두 금지의 뜻이다."

● 楊氏簡曰 : "九三雖益進, 勢雖壯, 君子之心未嘗以爲意焉. 唯小人則自嘉已勢之壯, 而益肆益壯, 是謂小人用壯. 罔, 無也. 言君子之所用, 異乎小人之用也, 故曰'小人用壯, 君子罔也'."[13]

양간(楊簡)[14]이 말했다. "구삼효가 더욱 나아가고 형세가 더욱 씩

8) 항안세(項安世), 『주역완사(周易玩辭)』 권7.
9) 『주역』「비(否)괘」: "육이효는 마음에 품고 있는 것이 윗사람의 뜻을 따르는 것이니, 소인은 길하고 대인은 정체되지만 형통하다.[六二, 包承, 小人吉, 大人否亨.]"라고 하였다.
10) 『주역』「둔(遯)괘」: "구효사는 좋아하면서도 은둔해야만 하는 것이니, 군자는 길하고 소인은 나쁘다.[九四, 好遯, 君子吉, 小人否.]"라고 하였다.
11) 『주역』「항(恒)괘」: "육오효는 그 덕을 오래도록 지속하면, 올바르니, 부인의 경우는 길하고, 장부의 경우는 흉하다.[六五, 恒其德, 貞, 婦人吉, 夫子凶.]"라고 하였다.
12) 『주역』「둔(遯)괘」: "「상전」에서 말했다. 군자는 좋아하면서도 은둔하고, 소인은 나쁘다.[象曰, 君子好遯, 小人否也.]"라고 하였다.
13) 양간(楊簡), 『양씨역전(楊氏易傳)』 권12.
14) 양간(楊簡, 1141~1226) : 자는 경중(敬仲)이고, 호는 자호선생(慈湖先

씩하지만 군자의 마음은 의도한 적이 없다. 오직 소인은 세력이 큰 것을 스스로 기뻐하여 더욱 방자하고 더욱 크게 나가니 소인이 씩씩하게 힘을 쓴다고 한 것이다. 망(罔)은 없다는 뜻이다. 군자가 사용하는 것은 소인이 쓰는 것과는 다르므로 '소인은 씩씩하게 힘을 쓰고 군자는 무시한다'고 했다."

● 龔氏煥曰："大壯本以四陽盛長而得名, 九三又以陽居陽而過剛, 壯而又壯者也. 用壯如此, 是小人之所爲而非君子之道. 故曰君子用罔.「象」釋之曰小人用壯, 君子罔也. 語意與遯九四君子好遯小人否也同. 蓋遯之九四, 卽大壯九三之反對, 皆君子小人並言."

공환(龔煥)[15]이 말했다. "대장괘는 본래 네 양이 성장하여 이름지

生)이며, 시호는 문원(文元)이다. 남송 명주 자계(明州慈溪 : 현 절강성 영파시〈寧波市〉) 사람으로 양정현(楊庭顯)의 아들이다. 효종(孝宗) 건도(乾道) 5년(1169)에 진사에 급제하여 부양주부(富陽主簿)에 올랐다. 이때 육구연(陸九淵)을 스승으로 섬겨 육씨심학파(陸氏心學派)의 대표적 인물이 되었다. 원섭(袁燮), 서린(舒璘), 심환(沈煥) 등과 함께 녹상사선생(甬上四先生), 사명사선생(四明四先生)으로 일컬어졌다. 육구연의 심학을 우주의 만물(萬物), 만상(萬象), 만변(萬變)이 모두 자신에게 속해 있다는 유아론(唯我論)으로 발전시켰다. 저서에 『자호시전(慈湖詩傳)』, 『양씨역전(楊氏易傳)』, 『계폐(啓蔽)』, 『선성대훈(先聖大訓)』, 『오고해(五誥解)』, 『자호유서(慈湖遺書)』 등이 있다.

15) 공환(龔煥) : 자는 유문(幼文)이고, 천봉선생(泉峯先生)이라고 불렸다. 원(元)대 임천(臨川)사람이다. 요응중(饒應中)에게 사사하여 본체를 밝히고 실천에 옮기는 데 힘썼다. 당시 아직 과거제도가 시행되지 못했는데, 시행되면 반드시 정자와 주자의 학문을 법식으로 삼아야 한다고 주장했다. 과연 뒤에 그의 말대로 시행되었다.

은 것인데 구삼효는 또 양으로 양에 자리하여 굳셈이 지나치니 씩씩하고 또 씩씩한 자이다. 씩씩함을 씀이 이와 같으니 소인이 행하는 것이지 군자의 도는 아니다. 그러므로 군자는 쓰지 않는다고 했다. 「상전」에서 해석하기를 '소인은 씩씩하게 힘을 쓰고 군자는 무시한다'고 했으니 말의 뜻이 둔(遯)괘 구사효의 '군자는 좋아하면서 은둔하고 소인은 막힌다'는 것과 같다. 둔괘의 구사효는 대장괘의 구삼효와 반대되니 모두 군자와 소인을 함께 말한 것이다."

● 俞氏琰曰 : "孔子恐後世疑爻辭有兩用字, 以爲小人之用與君子同, 故特去其一."[16]

유염(俞琰)이 말했다. "공자가 후세에 효사에 두 가지 쓰임이 있는 것을 의심하고, 소인의 쓰임과 군자가 같다고 여길까 근심하여 특히 그 하나를 제거했다."

16) 유염(俞琰), 『주역집설(周易集說)』 권23.

藩決不羸, 尙往也.

울타리가 터져도 열려 곤궁하지 않는 것은 계속해서 나아갈 수 있기 때문이다.

程傳

剛陽之長, 必至於極. 四雖已盛, 然其往未止也, 以至盛之陽, 用壯而進, 故莫有當之. 藩決開而不羸困其力也. 尙往, 其進不已也.

굳센 양의 성장은 반드시 극한에 이른다. 구사효의 강성함이 성대하지만 그 나아감이 적절하게 그치지 못하여 지극히 성대한 양(陽)으로 강성하게 나아가므로 그 형세를 감당할 수 있는 자가 없다. 그래서 울타리가 터져 열려도 그 강성한 힘이 곤궁하게 되지 않는 것이다. '상왕(尙往)'이란 나아감이 그치지 않는 것이다.

集說

● 項氏安世曰 : "九四以剛居柔, 有能正之吉, 無過剛之悔. 貞吉悔亡四字, 旣盡之矣. 又曰'藩決不羸, 壯於大輿之輹'者, 恐人以居柔爲不進也, 故以尙往明之."[17]

17) 항안세(項安世), 『주역완사(周易玩辭)』 권7.

항안세(項安世)가 말했다. "구사효는 굳셈으로 부드러움에 자리하여 올바를 수 있는 길함이 있고 굳셈이 지나친 후회는 없다. 올바르면 길하여 후회가 없다는 말을 이미 다했다. 또 '울타리가 터져 열려도 곤궁하지 않으며 큰 수레의 바퀴살이 튼튼하다'고 한 것은 사람들이 부드러움에 자리한 것을 나아가지 않는 뜻으로 여길까 근심하였으므로 여전히 나아갈 수 있다고 밝혔다."

喪羊於易, 位不當也.

양을 쉽게 잃는 것은 지위가 합당하지 않기 때문이다.

程傳

所以必用柔和者, 以陰柔居尊位故也. 若以陽剛中正得尊位, 則下無壯矣. 以六五位不當也, 故設喪羊於易之義. 然大率治壯不可用剛. 夫君臣上下之勢, 不相侔也. 苟君之權足以制乎下, 則雖有強壯跋扈之人, 不足謂之壯也. 必人君之勢有所不足, 然後謂之治壯. 故治壯之道, 不可以剛也.

반드시 유순함과 온화함을 쓰는 것은 음의 부드러움으로 존귀한 지위에 자리했기 때문이다. 양의 굳셈과 중정(中正)으로 존귀한 지위에 있다면 아래에 씩씩함이 없다. 육오효는 지위가 합당하지 않으므로 "양을 쉽게 잃는다"는 뜻을 세웠다. 그러나 대체로 강성한 세력을 다스리는 데는 굳센 방식을 써서는 안 된다. 군주와 신하 그리고 위와 아래의 세력은 서로 대등하지 않다. 군주의 권세가 아랫사람들을 제어하기에 충분하다면, 강성하여 발호하는 사람이 있더라도 그것을 강성한 세력이라고 말할 수는 없다. 반드시 군주의 세력이 부족하고 난 후에야 강성한 세력을 다스린다고 말할 수 있다. 그러므로 강성한 세력을 다스리는 도는 굳센 방식을 써서는 안 된다.

集說

● 王氏安石曰 : "剛柔者所以立本, 變通者所以趨時. 方其趨時, 則位正當而有咎凶, 位不當而無悔者有矣. 大壯之時, 得中而處之以柔, 能喪其很者也."

왕안석(王安石)[18]이 말했다. "굳셈과 부드러움은 근본이 세워지는 근거이고 변통은 때를 따르는 근거이다. 때를 따르면 지위가 옳고 합당해도 허물과 흉함이 있고 지위가 부당하여 후회가 없는 것이 있다. 크고 씩씩한 때에 가운데를 얻고 부드러움으로 처해서 그 어긋남을 잃을 수 있다."

案

位當位不當, 『易』例多借爻位, 以發明其德與時地之相當不相當也. 此位不當, 不止謂以陰居陽, 不任剛壯而已. 蓋謂四陽已過

18) 왕안석(王安石, 1021~1086) : 북송(北宋)시대 사상가, 정치가, 문필가로서 임천(臨川 : 현 강서성 무주시 임천구〈撫州市臨川區〉) 사람이다. 자는 개보(介甫)이고 호는 반산(半山)이다. 1042년 진세에 급제하여 벼슬은 양주첨판(揚州簽判), 은현지현(鄞縣知縣), 서주통판(舒州通判) 등을 역임하고, 1069년참지정사(參知政事)가 되어 변법(變法) 즉 신법(新法)을 주도하였으나. 구당파의 반대로 1074년 파직되었다. 1년 뒤 송 신종(神宗)이 재상에 재임용하여 신법(新法)을 시행하였으나, 또 파직되어 1086년 마침내 신법이 폐지되었다. 문학으로는 당송팔대가의 한 사람으로서, 특히 그의 시(詩)는 왕형공체(王荊公體)라는 하나의 문체를 이루었다. 경학(經學) 방면으로도 당시에 통유(通儒)라고 불릴 정도로 경전에 두루 해박하였으며, 특히 북송대의 의경변고학풍(疑經變古學風)을 촉진하는 데에 기여하였다. 저서로 『왕임천집(王臨川集)』, 『임천집습유(臨川集拾遺)』이 전해지고 있다.

矣, 則五所處非當壯之位也. 於是而以柔中居之, 故爲喪羊於易.

자리가 합당하거나 자리가 부당한 것은 『역』의 용례에 효의 지위를 빌린 경우가 많아 그 덕과 때와 자리가 서로 합당하거나 서로 부당한 것을 밝힌다. 이 자리는 부당하여 음으로 양에 자리하여 강성함만을 맡기지 않았다고 말하지 않았을 뿐이다. 네 양이 이미 지나치면 오효가 처한 것은 강성함에 합당한 자리가 아니다. 그래서 부드러움으로 가운데 자리하였으므로 양을 쉽게 잃는다고 말했다.

不能退不能遂, 不詳也, 艱則吉, 咎不長也.

물러날 수도 없고 나아갈 수도 없음은 신중하지 못한 것이고, 어려움을 알면 길한 것은 허물이 자라나지 않기 때문이다.

程傳

非其處而處, 故講退不能. 是其自處之不詳愼也. 艱則吉, 柔遇艱難, 又居壯終, 自當變矣. 變則得其分, 過咎不長, 乃吉也.

처해야 할 곳이 아닌 데 처했으므로 나아갈 수도 물러날 수도 없다. 이는 스스로 처신하는 데 신중하지 못한 것이다. 어려움을 알면 길한 것은 부드러움이 어려움을 만나고 또 씩씩함의 끝에 자리하니 스스로 마땅히 변화해야 한다. 변하면 본분을 얻어 지나치게 허물이 자라지 않으니 이에 길하다.

集說

● 胡氏炳文曰: "臨六三, 壯上六, 皆無攸利, 皆曰咎不長. 蓋六三之憂, 上六之艱, 不貴無過而貴改過也."[19]

호병문(胡炳文)[20]이 말했다. "임(臨)괘 육삼효와 대장(大壯)괘 상육

19) 호병문(胡炳文), 『주역본의통석(周易本義通釋)』 권4.

20) 호병문(胡炳文, 1250~1333) : 원나라 휘주(徽州) 무원(婺源) 사람으로

효는 이로운 것이 없어 모두 허물이 자라지 않는다고 했다. 육삼효의 근심과 상육효의 어려움은 허물이 없는 것을 귀하게 여기지 않고 허물을 고치는 것을 귀하게 여긴다."

● 俞氏琰曰："人之處事, 以爲易則不詳審, 以爲艱則詳審. 向也旣以不詳審而致咎, 令詳審而不輕率, 則其咎不長也."[21]

유염(俞琰)이 말했다. "사람이 일을 처리하는 데 쉽게 여기면 자세하게 살피지 않고 어렵게 여기면 상세하게 살핀다. 이전에 자세하게 살피지 못하여 허물에 이르렀으니 상세하게 살펴 경솔하지 않으면 그 허물이 자라지 않는다."

자는 중호(仲虎)고, 호는 운봉(雲峰)이다. 주희(朱熹)의 종손(宗孫)에게 『주역』과 『서경』을 배워 주자학에 잠심했으며, 특히 『주역』에 뛰어났다. 신주(信州) 도일서원(道一書院) 산장(山長)을 지내고, 난계주학정(蘭溪州學正)이 되었는데, 나가지 않았다. 저서에 『주역본의통석(周易本義通釋)』과 『서집해(書集解)』, 『춘추집해(春秋集解)』, 『예서찬술(禮書纂述)』, 『사서통(四書通)』, 『대학지장도(大學指掌圖)』, 『오경회의(五經會義)』, 『이아운어(爾雅韻語)』 등이 있다.

21) 유염(俞琰), 『주역집설(周易集說)』 권23.

35. 진晉䷢괘

明出地上, 晉, 君子以自昭明德.

밝음이 땅 위로 나오는 것이 진괘의 모습이니, 군자는 이것을 본받아 스스로 밝은 덕을 밝힌다.

本義

昭, 明之也.

소(昭)는 밝힘이다.

程傳

"昭", 明之也. 『傳』曰昭德塞違, 昭其度也. 君子觀明出地上而益明盛之象. 而以自昭其明德. 去蔽致知, 昭明德於己也, 明明德於天下, 昭明德於外也. 明明德在己, 故云自昭.

"소(昭)"는 밝히는 것이다. 『좌전(左傳)』에서 "덕을 밝히고 잘못을 막음은 그 법도를 밝히는 것이다"[1]라고 했다. 군자가 밝은 빛이 땅 위로 나와 더욱 빛을 밝혀 성대한 모습을 관찰하고, 스스로 그 명덕(明德)을 밝힌다. 가려진 것을 제거하고 지극한 앎에 이르니, 이는 자신에게서 명덕을 밝히는 일이며 세상에 명덕을 밝히니 밖으로 명덕을 밝히는 일이다. 명덕을 밝히는 일은 자신에게 달려 있으므로 스스로 밝힌다고 했다.

集說

● 胡氏炳文曰:"至健莫如天, 君子以之自強, 至明莫如日, 君子以之自昭."[2]

호병문(胡炳文)이 말했다. "지극히 강건함은 하늘만한 것이 없어서 군자는 그것을 본받아 스스로 강하게 만들고 지극히 밝음은 해만한 것이 없어서 군자는 그것을 본받아 스스로 비춘다."

● 俞氏琰曰:"明德, 君子固有之德也, 自昭者, 自有此德而自明之也. 人德本明, 人欲蔽之, 不能不少昏昧, 其本然之明, 固未嘗息. 知所以自明, 則本然之明, 如日之出地, 而其昭著初無增損也. 大學所謂明明德, 所謂自明, 與此同旨."

유염(俞琰)이 말했다. "명덕(明德)은 군자가 본래 지닌 덕이다. 스스로 비추는 것은 본래 이 덕을 지니고 있어 스스로 밝히는 일이

1) 『춘추좌전』「환공(桓公)」 원년(元年) 조항에 있다.
2) 호병문(胡炳文), 『주역본의통석(周易本義通釋)』 권4.

다. 사람의 덕은 본래 밝은데 인욕(人欲)이 그것을 가려 조금이라도 혼매하지 않을 수가 없으나 그 본연의 밝음은 그친 것이 없다. 스스로 밝히는 것을 알면 본연의 밝음은 마치 해가 땅위로 솟아오르듯 하니 그 밝게 드러나는 것은 애초부터 덧붙이고 덜어냄이 없다. 『대학』에서 명덕(明德)을 밝힌다고 했는데 스스로 밝힌다는 말이 이와 같은 뜻이다."

晉如摧如, 獨行正也, 裕無咎, 未受命也.

나아가거나 물러남은 홀로 올바름을 행하는 일이고, 여유로우면 허물이 없는 것은 아직 명을 받지 않았기 때문이다.

本義

初居下位, 未有官守之命.

초효가 아래 지위에 자리하여 아직 관직을 맡는 명령이 있지 않다.

程傳

無進無抑, 唯獨行正道也. 寬裕則無咎者, 始欲進而未當位故也. 君子之於進退, 或遲或速, 唯義所當, 未嘗不裕也. 聖人恐後之人, 不達寬裕之義, 居位者廢職失守以爲裕, 故特云初六裕則無咎者, 始進未受命當職任故也. 若有官守, 不信於上而失其職, 一日不可居也. 然事非一概, 久速唯時, 亦容有爲之兆者.

나아가건 물러나건 오직 홀로 정도(正道)를 행한다. 관대하고 여유로우면, 허물이 없는 것은 처음으로 나아가려고 하지만 자리가 마땅하지 않은 이유가 된다. 군자가 나아가거나 물러설 때 어떨 때는 느리게 하고 어떨 때는 신속하게 하는데, 오직 마땅한 의리(義理)에 합당하니 여유롭지 않은 적이 없었다. 성인은 후세 사람들이 관대하고 여유로움의 뜻을 이해하지 못하여, 지위에 있는 자가 직위를 버리는 것을 여유로운 마음이라고 여길까를 근심했으므로, 특별히 초육효가 여유로우면 허물이 없는 것은 처음 나아가는 데 직임을 담당하라는 명령을 받지 않았기 때문이라고 했다. 만일 관직이 있었는데 윗사람의 신임을 받지 못하고 그 직임을 잃게 되었다면 하루라도 그 자리에 있어서는 안 된다. 그러나 모든 상황을 일괄적으로 말할 수 없고 오래 지속하거나 신속하게 떠나는 것은 오직 때에 맞게 해야 하니, 또한 어떤 일을 할 수 있는 조짐을 허용한 것이다.

集說

● 劉氏曰 : "君子之於正, 不可以人之不見知而改其度."

유씨(劉氏)가 말했다. "군자가 올바름에 대해 말할 때, 사람이 알지 못하는 것으로 그 절도를 바꿀 수는 없다."

● 張氏振淵曰 : "獨行正, 是原所以見摧之故. 大凡君子處世, 枉己易合, 直道難容, 唯正所以見摧, 然安可因摧而自失其正? 正與爻互相發明."

장진연(張振淵)이 말했다. "홀로 올바름을 행하는 것이 물러나게 된 이유의 근원이 된다. 대체로 군자의 처세는 자기를 굽히는 일에 쉽게 합치하지만 곧은 도리는 어렵게 받아들이니, 오직 물러나게 되는 일은 바르게 하지만, 어찌 물러나는 것으로 인해 그 올바름을 잃겠는가? 효와 서로 발명한다."

案

"未受命", 與臨九二同. 臨晉皆君子道長向用之卦也, 然君子無急於乘勢趨時之意, 當其臨也, 至誠感物, 如忘其勢, 當其進也, 守道優遊, 若將終身然, 故一則曰"未順命", 一則曰"未受命".

"아직 명령을 받지 않았다"는 것은 임(臨)괘 구이효[3]와 동일하다. 임(臨)괘와 진(晉)괘는 모두 군자의 도가 자라나 앞으로 쓰이는 괘이지만, 군자는 형세를 타고 때를 따르는 데 조급한 뜻이 없으니 그 임함에는 지극히 성실함으로 사물을 감동하게 만드니 마치 그 형세를 잊고 그 나아감을 감당하는 것 같고, 도를 지키며 유유자적함이 마치 죽을 때까지 그러한 듯하므로, 한편으로는 "명령에 순종하는 듯하지 않고"[4] 한편으로는 "아직 명령을 받지 않는 듯하다."

3) 『주역』「임(臨)괘」: "구이효는 감동시켜 다가감이니, 길하여 이롭지 않음이 없다.[九二, 咸臨, 吉無不利.]"라고 하였다.

4) 『주역』「임(臨)괘」「상전」: "감동시켜 다가감이니 길하여 이롭지 않음이 없는 것은 단지 명령에 순종하는 것만은 아니기 때문이다.[象曰, 咸臨吉無不利, 未順命也.]"라고 하였다.

受茲介福, 以中正也.

큰 복을 받는 것은 중정(中正)하기 때문이다

程傳

受茲介福, 以中正之道也. 人能守中正之道, 久而必亨, 況大明在上而同德, 必受大福也.

큰 복을 받는 것은 중정의 도로 행하기 때문이다. 사람이 중정의 도를 지킬 수 있으면, 오랜 시간이 지나 반드시 형통하니, 하물며 크게 밝은 군주가 위에 있고 덕이 같으니, 반드시 큰 복을 받는다.

集說

● 楊氏時曰 : "六二以柔順處乎衆陰, 而獨無應, 是不見知也. 故晉如愁如, 然居中守正, 素位而行, 鬼神其福之矣. 詩曰, 靖共爾位, 好是正直, 神之聽之, 介爾景福. 此之謂也."

양시(楊時)[5]가 말했다. "육이효는 유순(柔順)함으로 여러 음(陰)을

5) 양시(楊時, 1053~1135) : 자는 중립(中立)이고, 호는 구산(龜山)이며, 시호는 문정(文靖)이다. 북송 검남 장락(劍南將樂 : 현 복건성 장락현) 사람이다. 신종(神宗) 희녕(熙寧) 9년(1076)에 진사에 급제하였지만, 관직에 나가지 않고 10년 동안 칩거하다가 형주교수(荊州敎授), 우간의대부(右諫議大夫), 국자감좨주(國子監祭酒), 공부시랑(工部侍郎), 용도각직

대처하지만 홀로 호응함이 없으니 이것이 인정받지 못함이다. 그러므로 '나아가는 일이 근심스럽다.' 그러나 가운데에 자리하여 올바름을 지키고 본분의 지위를 지키며 행하면 귀신이 그에게 복을 준다. 『시경』에서 '네 지위를 조용히 하고 공손히 하여 정직한 사람을 좋아하면, 신(神)이 네 소원을 들어주어 큰 복을 크게 해주리라.'[6]는 것이 이를 말한다."

● 何氏楷曰:"爾雅云父之妣爲王母. 小過六二遇妣, 卽此言王母. 二五德同位應, 二受介福, 以其履中得正也."[7]

하해(何楷)[8]가 말했다. "『이아(爾雅)』에서 아버지의 돌아가신 어미

학사(龍圖閣直學士) 등을 역임하였다. 정호(程顥)·정이(程頤) 형제에게 사사(師事)했는데, 특히 형 정호의 신임을 받았다. 민학(閩學)의 창시자로서, 유초(游酢), 여대림(呂大臨), 사량좌와 함께 정문사선생(程門四先生)으로 불렸다. 그의 학문 계통에서 주희·장식(張栻)·여조겸(呂祖謙) 등 뛰어난 학자가 많이 배출되었다. 저서에 『구산집(龜山集)』, 『구산어록(龜山語錄)』, 『이정수언(二程粹言)』 등이 있다.

6) 『시경』「소아·북산지십·소명(小明)」: "아, 너희 군자(君子)들은 편안히 쉼을 떳떳하게 여기지 말지어다. 네 지위를 조용히 하고 공손히 하여 정직한 사람을 좋아하면, 신(神)이 네 소원을 들어주어 큰 복을 크게 해주리라.[嗟爾君子, 無恒安息. 靖共爾位, 好是正直, 神之聽之, 介爾景福.]"라고 하였다.

7) 하해(何楷), 『고주역정고(古周易訂詁)』 권4.

8) 하해(何楷): 자는 현자(玄子)이고 호는 황여(黃如)이다. 명말청초 때 장주 진해위(漳州鎭海衛: 현 복건성 용해시〈龍海市〉) 사람이다. 천계(天啓) 5년(1625)에 진사에 급제하여 벼슬은 호부주사(戶部主事), 공과급사중(工科給事中), 호부상서(戶部尙書) 등을 역임했다. 직언과 직간으로 유명했는데, 말년에 정성공(鄭成功)의 부친인 정지룡(鄭芝龍)과 뜻

를 왕모(王母)라 했다. 소과(小過)괘에서 '할아버지를 지나 할머니를 만난다'[9]고 했으니 이것은 왕모를 말한다. 이효와 오효는 덕이 같고 자리가 호응하여 이효가 복을 받으니 가운데를 밟고 바름을 얻었기 때문이다."

이 어긋나서 사직하고 귀향했다. 저서에는 『고주역정고(古周易訂詁)』, 『시경세본고의(詩經世本古義)』 등이 있다.

9) 『주역』「소과(小過)괘」: "육이효는 할아버지를 지나가 할머니를 만나는 것이니, 군주에게 미치지 않고, 신하의 도리에 합당하다면, 허물이 없다.[六二, 過其祖, 遇其妣, 不及其君, 遇其臣, 无咎.]"라고 하였다.

衆允之, 志上行也.

군중이 믿는 뜻이란 위로 가는 것이다.

程傳

"上行", 上順麗於大明也, 上從大明之君, 衆志之所同也.

"위로 간다"는 말은 위로 크게 밝은 군주에 순종하여 따르는 것이니, 위로 크게 밝은 군주를 따르는 것이 군중들과 뜻을 같이 한다는 말이다.

集說

● 李氏過曰 : "初之罔孚, 衆未允也, 二之愁如, 猶有悔也. 三德孚於衆, 進得所願而悔亡也."

이과(李過)가 말했다. "초효에서 믿음이 없음은 군중이 믿지 못하는 것이고, 이효에서 근심스러움은 후회가 있는 것이다. 삼효의 덕은 군중들이 믿으니 나아가 원하는 것을 얻고 후회가 없어진다."

鼫鼠貞厲, 位不當也.

나아감이 쥐새끼와 같으니, 그런 마음을 굳게 지키면 위태롭다.

程傳

賢者以正德宜在高位, 不正而處高位, 則爲非據, 貪而懼失則畏人, 固處其地, 危可知也.

현자는 올바른 덕으로 마땅히 높은 지위에 있어야 하지만, 올바르지 못하면서 높은 지위를 차지하면 차지할 자리가 아닌데 탐욕을 부리면서 그 지위를 잃을 것을 근심하고 사람들을 두려워하니, 그 자리가 아닌 것을 고집하면서 차지하면 위태로움을 알 수가 있다.

集說

● 陸氏希聲曰 : "履非其位, 固其寵祿, 鼫鼠之志, 竊食黍稷而已."

육희성(陸希聲)[10]이 말했다. "그 지위가 아닌 것을 밟고 총애와 녹

10) 육희성(陸希聲, ?~905) : 자는 홍경(鴻磬)이고, 호는 군양둔수(君陽遁叟) 혹은 군양도인(君陽道人)이며, 당나라 소주(蘇州) 오현(吳縣) 사람이다. 의흥(義興)에 은거했다가 천거되어 벼슬은 우습유(右拾遺), 합주자사(歙州刺史), 급사중(給事中), 호부시랑(戶部侍郎), 동중서문하평장사(同中書門下平章事) 등을 역임했다. 『역(易)』, 『춘추(春秋)』, 『도덕경(道德經)』에 정통했고, 문장을 잘 지었다. 저서에 『춘추통례(春秋

봉을 고집하면 쥐새끼와 같은 뜻이 되니, 기장을 훔쳐 먹는 짓을 할 뿐이다."

通例)』, 『도덕경전(道德經傳)』이 있다.

失得勿恤, 往有慶也.

득실을 걱정하지 말라는 것은 그렇게 가면 경사가 있기 때문이다.

程傳

以大明之德, 得下之附, 推誠委任, 則可以成天下之大功, 是往而有福慶也.

크게 밝은 덕으로 아랫사람들의 복종을 얻어 지극히 성실함으로 일을 위임하면 천하의 큰 공을 이룰 수 있으니 이것이 나아가 복이 있다는 말이다.

維用伐邑, 道未光也.

오직 고을을 정벌하는 데 사용하는 것은 도가 밝게 드러나지 못한 것이다.

程傳

"維用伐邑", 旣得吉而無咎, 復云"貞吝"者, 其道未光大也. 以正理言之, 尤可吝也. 夫道旣光大, 則無不中正, 安有過也? 今以過剛自治, 雖有功矣, 然其道未光大, 故亦可., 聖人言盡善之道.

"오직 고을을 정벌하는 데 사용하면" 길하여 허물이 없는데, 다시 "올바름에는 유감함이 있다"고 말한 것은 올바른 도리가 밝고 크게 드러나지 못했기 때문이다. 바른 이치로 말하면 오히려 유감이 있을 만하다. 도가 밝고 크게 드러났다면 중정(中正)하지 않음이 없으니, 어찌 허물이 있겠는가? 지금 지나친 굳셈으로 스스로를 다스리면 공이 있을지라도 그 도는 밝고 크게 드러나지 못하므로, 또 유감이 있을 수 있다고 한 것이다. 성인이 그 착함을 다하는 도리를 말한 것이다.

案

"道未光", 乃推原所以伐邑之故. 蓋進之極, 則於道必未光也, 如勢位重，則有居成功之嫌，爵祿羈，則失獨行願之志，故必克治其私，然後高而不危，免於亢悔也．夬五之“中未光”同．

“도가 밝게 드러나지 못했다”는 말은 고을을 정벌하는 이유를 미루어 고찰한 것이다. 나아감의 극단은 도에서 반드시 빛나지 못하니, 마치 형세와 자리가 막중하면 공을 이루는 일을 혐오하고 작위와 봉록에 얽매이면 홀로 원하는 것을 행하는 뜻을 잃으므로, 반드시 그 사사로움을 극복한 뒤에 고상하여 위태롭지 않고 지나친 후회를 면할 수 있다. 쾌(夬)괘 구오효 “중도는 아직 크게 빛나지 못했다”[11]는 말과 같다.

11) 『주역』「쾌(夬)괘」: “중도를 이룬 행위에는 허물은 없지만 중도(中道)는 크게 빛나지 못한다.[象曰，中行无咎，中未光也.]”라고 하였다.

36. 명이明夷䷣괘

明入地中, 明夷, 君子以涖衆, 用晦而明.

밝음이 땅속으로 들어간 것이 명이괘의 모습이니, 군자는 이것을 본받아 군중을 대할 때 어둠을 써서 밝게 한다.

程傳

明所以照, 君子無所不照, 然用明之過, 則傷於察, 太察則盡事而無含弘之度, 故君子觀明入地中之象, 於涖衆也, 不極其明察而用晦, 然後能容物和衆, 衆親而安, 是用晦乃所以爲明也. 若自任其明, 無所不察, 則己不勝其忿疾, 而無寬厚含容之德, 人情睽疑而不安, 失涖衆之道, 適所以爲不明也. 古之聖人設前旒屛樹者, 不欲明之盡乎隱也.

밝음은 밝게 비추는 일이니 군자는 밝게 비추지 않는 바가 없으나, 이 밝음을 사용하는 것이 지나치면 살피는 것에 해를 입을 수 있고 너무 지나치게 살피면 모든 일을 다 파헤쳐 포용의 도량이 없다. 그러므로 군자는 밝음이 땅속으로 들어가는 모습을 관찰하여, 군중을 대할 때 그의 밝게 살피는 능력을 극단적으로 사용하지 않고 어둠을 쓴다. 그런 뒤에 타인을 용납하고 군중들과 화합하여 군중들이 친하고 편안해 하니, 어두움을 쓰는 일이 바로 밝음이 된다.
만일 스스로 자신의 현명함을 자임하여 살피지 않는 것이 없다면 분함과 질시를 이기지 못하여 관대하고 포용하는 덕이 없어져 사람들의 감정이 반목하여 의심하고 불안하게 되어 군중을 대하는 도리를 잃을 것이니, 오히려 밝히지 못한 것이 되어 버린다. 옛날의 성인은 면류관의 앞에 술을 달고 문 앞을 가리개로 가렸는데, 이는 은은미한 부분까지 모두 밝게 드러내지 않으려고 한 것이다.

集說

● 孔氏穎達曰 : "冕旒垂目, 黈纊塞耳, 無爲清淨, 民化不欺, 若運其聰明, 顯其智慧, 民卽逃其密網, 奸詐愈生. 豈非藏明用晦, 反得其明也?"[1]

공영달(孔穎達)이 말했다. "면류관을 눈에 내리고 주광(黈纊)을 귀에 막은 것은 무위(無爲)하고 청정(淸淨)하여 백성을 교화하고 속이지 않으려는 것이니 만약 총명함을 운영하고 지혜를 드러내면 백성은 오히려 주밀한 법망을 도망가서 간사한 사기술이 더욱 생겨난다. 어찌 밝음을 감추고 어둠을 사용하지 않는데, 도리어 밝음을 얻겠는가?"

1) 공영달(孔穎達), 『주역주소(周易注疏)』 권6.

● 張子曰："不任察而不失其治也."[2]

장자(張子：張載)가 말했다. "살핌에 맡기지 않고 그 다스림을 잃지 않는다."

● 林氏希元曰："用晦而明, 不是以晦爲明, 亦不是晦其明. 蓋雖明而用晦, 雖用晦而明也. 用晦而明, 只是不盡用其明, 蓋盡用其明, 則傷於太察, 而無含弘之道. 唯明而用晦, 則旣不汶汶而暗, 亦不察察而明, 雖無所不照, 而有不盡照者, 此古先帝王所以莅衆之術也."[3]

임희원(林希元)[4]이 말했다. "어둠을 써서 밝은 것은 어두움을 밝음으로 여기는 것이 아니고 또한 밝음을 어둡게 하는 것도 아니다. 밝지만 어두움을 쓰고 어두움을 써서 밝아지는 것이다. 어둠을 써서 밝은 것은 단지 밝음을 완전히 사용하지 않는 것이 아니니 밝음을 다 사용해 버리면 지나치게 살피는 데서 손상을 입어 포용하는

2) 장재(張載), 『횡거역설(橫渠易說)』 권2.

3) 임희원(林希元), 『역경존의(易經存疑)』 권5.

4) 임희원(林希元, 1481~1565)：명(明)대 동안 신점(同安新店) 사람으로, 자는 무정(茂貞)이고 호는 차애(次崖)이다. 명(明) 정덕(正德)11년(1516)에 진사에 급제하여 남경대리사평사(南京大理寺評事), 광서사주판관(廣西泗州判官), 흠주지주(欽州知州) 등을 역임했다. 학문으로는 정주학과 채청(蔡清)의 『역경몽인(易經蒙引)』을 중시했다. 특히 『주역』을 다른 경전에 비해 극히 높게 평가하여, 오경 가운데 『역경』을 뺀 나머지는 강물과 같고 『역경』은 바다와 같다고 했다. 저술로는 『역경존의(易經存疑)』, 『사서존의(四書存疑)』, 『임차애선생문집(林次崖先生文集)』 등이 있다.

도량이 없다. 오직 밝은 상황에서 어둠을 쓰면 모호하지 않고, 어둡고 살피지 않으면서 밝아져, 비추지 않는 곳이 없으면서도 완전히 비추지 않은 것이 있으니, 이것이 옛 제왕들이 군중에게 임하는 기술이었다."

● 何氏楷曰 : "晦其明, 謂藏明於晦, 晦而明, 謂生明於晦. 意實相發."5)

하해(何楷)가 말했다. "그 밝음을 어둡게 함은 밝음을 어둠에 감추는 일이고, 어두우면서 밝은 것은 어두움에서 밝음이 생겨나는 것이지만 의미는 실상 서로 펼친다."

5) 하해(何楷), 『고주역정고(古周易訂詁)』 권4.

君子於行, 義不食也.

군자가 떠나는 것은 의리상 마땅히 먹지 않아야 하기 때문이다.

本義

唯義所在不食可也.

오직 의리(義理)가 있는 곳에서는 먹지 않아야 옳다.

程傳

君子遯藏而困窮, 義當然也. 唯義之當然, 故安處而無悶, 雖不食可也.

군자가 은둔하여 숨어 곤궁한 것은 의리상 당연한 일이다. 오직 의리에 당연한 일이므로 편안하게 처하여 근심하지 않는 것이니 먹지 않더라도 옳다.

集說

● 王氏申子曰 : "義所不食, 則於飛攸往, 義所當行亦明矣, 去之可不速乎? 此伯夷太公之事."[6)]

왕신자(王申子)가 말했다. "의리상 먹지 않는 것으로, 날아가는 데

가는 바가 있고, 의리상 당연히 가야 하는 것이 또한 분명하니, 떠나는 데 빠르지 않을 수 있겠는가? 이것이 백이와 태공(太公)[7]의 일이다."

6) 왕신자(王申子), 『대역집설(大易緝說)』 권6.

7) 태공(太公) : 여상(呂尙)으로 본명은 강상(姜尙)이다. 그의 선조가 여(呂)나라에 봉해져 여상(呂尙)이라고 부른다. 속칭 강태공으로 알려져 있다. 주나라 문왕(文王)의 초빙으로 그의 스승이 되고, 무왕(武王)을 도와 은(殷)나라 주왕(紂王)을 멸망시켜 천하를 평정하여 그 공으로 제(齊)나라에 봉해져 그 시조가 되었다. 동해(東海)에 사는 가난한 사람이었으나 위수(渭水)에서 낚시질하다가 문왕을 만났다는 전설적인 전기가 전한다. 병서(兵書) 『육도(六韜)』를 그가 지었다고 한다.

六二之吉, 順以則也.

육이효의 길함은 유순하면서 원칙을 따랐기 때문이다

程傳

六二之得吉者, 以其順處而有法則也. 則, 謂中正之道. 能順而得中正, 所以處明傷之時, 而能保其吉也.

육이효가 길함을 얻은 것은 그가 유순하게 처신하면서도 법칙이 있었기 때문이다. '법칙'이란 중정(中正)의 도를 말한다. 유순할 수 있으면서 중정의 도를 얻었으니 밝음이 손상되는 때에 처하여 그 길함을 보존할 수 있다.

集說

● 項氏安世曰: "明夷之下三爻, 惟六二有救之之誠, 上三爻, 惟六五無去之之心. 皆中順之臣也."[8)]

항안세(項安世)가 말했다. "명이(明夷)의 아래 세 효에서 오직 육이효만 구제하려는 정성이 있고, 위 세 효에서 오직 육오효만이 떠나려는 마음이 없다. 모두 알맞게 순종하는 신하이다."

8) 항안세(項安世), 『주역완사(周易玩辭)』 권7.

● 王氏申子曰："以柔順處之而不失其中正之則. 昔者文王用明夷之道, 其如是乎."[9)]

왕신자(王申子)가 말했다. "유순(柔順)함으로 처신하여 그 중정(中正)의 법칙을 잃지 않았다. 옛날 문왕이 명이의 도를 사용했으니 이와 같다!"

9) 왕신자(王申子), 『대역집설(大易緝說)』 권6.

南狩之志, 乃大得也.
남쪽으로 사냥하는 뜻을 크게 얻었다.

程傳

夫以下之明, 除上之暗, 其志在去害而已. 如商周之湯武, 豈有意於利天下乎? "得其大首", 是能去害而大得其志矣. 志苟不然, 乃悖亂之事也.

아랫자리의 밝음으로 윗자리의 어두움을 제거하니 그 뜻이 해로움을 제거하는 데 있을 뿐이다. 상(商)나라의 탕왕과 주나라의 무왕 같은 사람들이 어찌 천하를 이롭게 하려는 의도를 가지고 있었겠는가? "괴수를 얻는" 것은 해로움을 제거하여 그 뜻을 크게 얻을 수 있다는 말이다. 뜻이 그러하지 않다면 이는 하늘의 뜻을 어기고 천하를 혼란스럽게 하는 일이다.

入於左腹, 獲心意也.

왼쪽 배로 들어간 것은 마음과 뜻을 얻었다는 말이다.

程傳

"入於左腹", 謂以邪僻之道, 入於君而得其心意也, 得其心, 所以終不悟也.

"왼쪽 배로 들어갔다"는 것은 사악하고 편벽된 방식으로 군주의 마음에 들어가 그 마음과 뜻을 얻었다는 말이다. 마음을 얻었기 때문에 군주가 끝까지 깨닫지 못한다.

箕子之貞, 明不可息也.

기자의 올바름은 밝음이 소멸될 수 없는 것이다.

程傳

箕子晦藏, 不失其貞固, 雖遭患難, 其明自存, 不可滅息也. 若逼禍患, 遂失其所守, 則是亡其明, 乃滅息也. 古之人, 如揚雄者是也.

기자가 밝음을 감추어 그 올바른 뜻을 견고하게 지켜 잃지 않았으니 환난을 당했으나 그 밝음을 스스로 보존하여 없앨 수 없다. 만약 재앙과 화를 당하여 그 지키는 바를 잃었다면 이는 그 밝음을 잃는 것이니, 소멸되어 없어진다. 옛 사람들 가운데 양웅(揚雄)[10]과 같은 자가 이러하다.

集說

● 蘇氏軾曰 : "六五之於上六, 正之則勢不敵, 救之則力不能, 去之則義不可, 此最難處者也. 如箕子而後可, 箕子之處於此,

10) 양웅(揚雄, 기원전 53~18) : 자는 자운(子雲)이며 한나라 사람이다. 서한 말에 관리이며 학자이다. 왕망이 제위를 찬탈하고 나서 많은 유명 인사들을 처형하거나 옥에 가둘 때 곧 잡힐 처지에 놓이게 되었는데, 이를 두려워한 그는 높은 건물의 창밖으로 몸을 던져 크게 다쳤다고 한다.

身可辱也, 而明不可息也."[11]

소식(蘇軾)이 말했다. "육오효가 상육효에 대해 바로 잡으려면 세력이 대적하지 못하고, 구하려면 힘이 불가능하며 떠나려면 의리상 옳지 못하므로 이것이 가장 어려운 처신이다. 기자와 같은 사람이 된 후에 가능하므로, 기자가 이에 처신함에 몸을 욕되게 할 수는 있었어도 밝음은 소멸시킬 수 없었다."

11) 소식(蘇軾), 『동파역전(東坡易傳)』 권4.

初登於天, 照四國也, 後入於地, 失則也.

처음에 하늘에 올라감은 사방의 나라를 비추는 일이고, 뒤에 땅속으로 들어감은 법칙을 잃은 것이다.

本義

照四國, 以位言.

사방의 나라를 비춘다는 지위로써 말한 것이다.

程傳

"初登於天", 居高而明, 則當照及四方也, 乃被傷而昏暗, 是"後人於地", 火明之道也. "失則", 失其道也.

"처음에 하늘에 올라갔다"는 것은 높은 지위에 자리하여 밝게 비추면 당연히 사방으로 그 밝은 빛을 비추는데 손상당하여 어두워지게 된다. 이것이 "뒤에 땅속으로 들어갔다"는 뜻으로 되어 밝음의 도를 잃은 것이다. "원칙을 잃었다"는 것은 그 도를 잃었다는 말이다.

集說

● 胡氏炳文曰 : "則者, 不可逾之理, 失則所以爲紂, 順則所以爲文王."[12]

호병문(胡炳文)이 말했다. “칙(則)은 넘을 수 없는 이치를 말하는데, 잃으면 주(紂)왕이 되는 것이고 따르면 문왕(文王)이 되는 것이다.”

12) 호병문(胡炳文), 『주역본의통석(周易本義通釋)』 권4.

37. 가인家人䷤괘

風自火出, 家人, 君子以言有物而行有恒.

바람이 불에서 나오는 것이 가인괘의 모습이니, 군자는 이것을 본받아 말할 때 실속있게 하고 행할 때 변함없이 한다.

本義

身修則家治矣.

몸이 닦여지면 집안이 다스려질 것이다.

程傳

正家之本, 在正其身. 正身之道, 一言一動, 不可易也. 君子觀風自火出之象, 知事之由內而出, 故所言必有物, 所行必有恒也. "物", 謂事實. "恒", 謂常度法則也. 德業之著於外, 由言行之謹於內也, 言愼行修, 則身正而家治矣.

가정을 바로잡는 근본은 자신의 몸을 바르게 하는 데 달려 있다. 몸을 바르게 하는 길은 한 마디 말과 한 가지 행동도 쉽게 하지 않아야 한다. 군자는 바람이 불에서 나오는 모습을 관찰하여, 모든 일이 안으로부터 나온다는 점을 알기 때문에 말하는 데 반드시 실질이 있게 하고 행하는 데 반드시 항상성이 있게 한다. '물(物)'이란 일의 실속이고, '항(恒)'이란 일정한 법도와 본받을 만한 법칙을 말한다. 덕과 공적이 밖으로 드러나는 것은 말과 행위를 안에서 삼가고 조심했기 때문이다. 말을 신중히 하고 행위를 수양하면 몸이 바르게 되고 가정이 다스려질 것이다.

集說

● 孔氏穎達曰 : "物, 事也. 言必有事, 卽口無擇言. 行必有常, 卽身無擇行. 正家之義, 修於近小, 言之與行, 君子樞機, 出身加人, 發邇化遠, 故擧言行以爲之誡."[1]

공영달(孔穎達)이 말했다. "'물(物)'은 일이다. 말에는 반드시 일이 있으니 입이 말을 선택하는 경우는 없다. 행함에는 반드시 항상성이 있으니 몸이 행함을 선택하는 일이 없다. 가정을 바로 잡는 뜻은 가깝고 작은 일에서 수행하니 말과 행함이 군자의 추기(樞機)이므로 몸에서 나와 남에게 전해지고 가까운 데서 펼쳐져 먼 곳을 교화시키므로 말과 행함을 들어 경계했다."

● 楊氏時曰 : "言忠信則有物, 行篤敬則有常."

1) 공영달(孔穎達), 『주역주소(周易注疏)』 권6.

양시(楊時)가 말했다. "말이 충실하고 믿음직스러우면 일이 있고, 행함이 돈독하고 공경스러우면 상도가 있다."

● 胡氏炳文曰 : "風自火出, 一家之化, 自吾言行出, 皆由內及外, 自然薰蒸而成者也."[2)]

호병문(胡炳文)이 말했다. "바람이 불에서 나오는 것은 한 집안의 교화가 나의 말과 행함에서 나온다는 뜻인데, 모두 안으로부터 밖에 미치는 일로 저절로 훈습되어 이루어지는 것이다."

● 俞氏琰曰 : "齊家之道, 自修身始, 此風自火出, 所以爲家人之象也. 君子知風之自, 於是齊家以修身爲本, 而修身以言行爲先, 言必有物而無妄, 行必有恒而不改. 物, 謂事實, 言而誠實則有物, 不誠實, 則無物也. 恒, 謂常度, 行而常久則有恒, 不常久, 則無恒也."

유염(俞琰)이 말했다. "집안을 다스리는 도는 몸을 닦는 일로부터 시작하니 이것이 바람이 불로부터 나오는 것으로 가인(家人)의 모습이 된다. 군자는 바람이 비롯되는 실마리를 알아 이에 집안을 다스리는 일이 몸을 닦는 것을 근본으로 삼고, 몸을 닦는 것은 말과 행동을 우선시하여, 말하는 데 반드시 실속이 있어 망령됨이 없고 행함에 반드시 항상성이 있어 바꾸지 않는다. '물(物)'은 일의 실속을 말하니 말하여 성실하면 실속이 있고 성실하지 않으면 실속이 없다. '항(恒)'은 일정한 법도를 말하니 행하여 오래 지속하면 항상성이 있고 오래 지속하지 못하면 항상성이 없다."

2) 호병문(胡炳文), 『주역본의통석(周易本義通釋)』 권4.

閑有家, 志未變也.

집안을 방비하는 것은 뜻이 아직 변하지 않았기 때문이다.

本義

志未變而豫防之.

뜻이 변하기 전에 예방하는 것이다.

程傳

閑之於始, 家人志意未變動之前也. 正志未流散, 變動而閑之, 則不傷恩, 不失義, 處家之善也, 是以"悔亡". 志變而後治, 則所傷多矣, 乃有悔也.

처음에서부터 방비하는 것은 집안사람들의 뜻과 의지가 변하여 동요하기 이전이다. 뜻을 바르게 하여 흩어지거나 변하여 동요하지 않았을 때 방비하면 은혜를 손상하지 않고 의리를 잃지 않으니, 가정을 잘 다스리는 것이므로 "후회가 없어진다." 뜻이 변화한 후에 다스리려고 하면 손상되는 것이 많으니 후회가 있게 된다.

集說

- 蘇氏軾曰 : "忘閑焉則志變矣, 及其未變而閑之, 故悔亡."3)

소식(蘇軾)이 말했다. "방비를 잊으면 뜻이 변하니 변하지 않을 때 방비하므로 후회가 없어진다."

● 楊氏簡曰 : "治家之道, 當防閑其初, 及其心志未變而閑之以禮, 邪僻之意, 無由而興矣."[4]

양간(楊簡)[5]이 말했다. "가정을 다스리는 도는 마땅히 그 시초에 방비하여 그 마음이 변하기 전에 예(禮)로 방비하여 사특한 뜻이 일어날 이유가 없다."

---

3) 소식(蘇軾), 『동파역전(東坡易傳)』 권4.

4) 양간(楊簡), 『양씨역전(楊氏易傳)』 권12.

5) 양간(楊簡, 1141~1226) : 남송 명주(明州) 자계(慈溪) 사람으로 자는 경중(敬仲)이고, 호는 자호선생(慈湖先生)이며, 시호는 문원(文元)이다. 양정현(楊庭顯)의 아들이다. 효종(孝宗) 건도(乾道) 5년(1169) 진사(進士)가 되고, 부양주부(富陽主簿)에 올랐다. 이때 육구연(陸九淵)을 스승으로 섬겨 육씨심학파(陸氏心學派)의 대표적 인물이 되었다. 원섭(袁燮), 서린(舒璘), 심환(沈煥) 등과 함께 녹상사선생(甬上四先生), 사명사선생(四明四先生)으로 일컬어졌다. 육구연의 심학을 우주의 만물(萬物), 만상(萬象), 만변(萬變)이 모두 자신에게 속해 있다는 유아론(唯我論)으로 발전시켰다. 저서에 『자호시전(慈湖詩傳)』과 『양씨역전(楊氏易傳)』, 『계폐(啓蔽)』, 『선성대훈(先聖大訓)』, 『오고해(五誥解)』, 『자호유서(慈湖遺書)』 등이 있다.

六二之吉, 順以巽也.

육이효의 길함은 유순하여 공손하기 때문이다.

程傳

二以陰柔居中正, 能順從而卑巽者也, 故爲婦人之貞吉也.

육이효는 음의 부드러움으로 중정(中正)에 자리하여 순종하여 낮추고 공손할 수 있는 자이므로 부인의 올바르고 길함이 된다.

案

六二六四之爲順同, 順者女之貞也, 四位高, 故曰"順在位", 二位卑, 故曰"順以巽".

육이효와 육사효는 순종하여 같으니 순종하는 것은 여자의 올바름이다. 사효의 자리는 높으므로 "순종하면서 올바른 지위에 있는" 것이고 이효의 자리는 낮으므로 "유순하여 공손한" 것이다.

家人嗃嗃, 未失也, 婦子嘻嘻, 失家節也.

집안사람들이 원망함은 잃은 것이 아니고, 부인과 자식이 희희낙락하도록 내버려 둠은 집안의 절도를 잃는 것이다.

程傳

雖嗃嗃於治家之道, 未爲甚失, 若婦子嘻嘻, 是無禮法, 失家之節, 家必亂矣.

집안사람들이 원망하더라도 집안을 다스리는 도에 심한 과실이 없지만, 부인과 자식이 희희낙락거리는 것은 예법(禮法)이 없어 집안의 절도를 잃은 것이니, 집안이 반드시 혼란스럽게 된다.

集說

● 王氏弼曰 : "以陽處陽, 剛嚴者也. 處下體之極, 爲一家之長者也. 行與其慢, 寧過乎恭, 家與其瀆, 寧過乎嚴. 是以家人雖嗃嗃悔厲, 猶得其道, 婦子嘻嘻, 乃失其節也."[6]

왕필(王弼)이 말했다. "양으로 양에 자리하여 굳세고 엄격한 자이다. 하체(下體)의 끝에 자리하여 한 집안의 맏아들이다. 행함은 오만한 것보다는 차라리 지나치게 공손함이 좋다. 집안은 시끄러운

6) 왕필(王弼), 『주역주(周易註)』 권1.

것보다 차라리 지나치게 엄격한 것이 낫다. 그래서 집안사람들이 원망하여 엄격함을 후회하더라도 오히려 그 도는 얻고, 부인과 자식이 희희낙락하게 되면 집안의 절도를 잃는 것이다."

富家大吉, 順在位也.

집안을 부유하게 하여 크게 길한 것은 순종하면서 올바른 자리에 있기 때문이다.

程傳

以巽順而居正, 位正而巽順, 能保有其富者也, 富家之大吉也.

공손하고 순종하면서 올바름에 자리하니 지위가 올바르고 공손하고 순종하면 그 부유함을 보유할 수 있는 자이다. 부유한 집안의 큰 길함이다.

集說

● 俞氏琰曰: "「禮運」云, 父子篤, 兄弟睦, 夫婦和, 家之肥也. 豈以多財爲吉哉? 以順居之, 則滿而不溢, 可以保其家而長守其富, 吉孰大焉."[7]

유염(俞琰)이 말했다. "「예운」에서 '부자가 돈독하고 형제가 화목하며 부부가 조화로운 것이 집안을 살찌우는 일이다'[8]라고 했으니 어

7) 유염(俞琰), 『주역집설(周易集說)』 권23.
8) 『예기』「예운」.

찌 많은 재산을 가지고 있다고 길하겠는가? 순종하면서 자리하면 가득 차더라도 넘치지 않아 그 집안을 보존하고 그 부유함을 오래 지킬 수 있으니 길함이 어찌 크지 않겠는가?"

王假有家, 交相愛也.

집안을 세우는 도리를 지극히 하는 일은 서로 아끼는 것이다.

本義

程子曰, "夫愛其內助, 婦愛其刑家."

정자(程子)가 말하였다. "남편은 그 내조(內助)를 사랑하고 부인은 그 형가(刑家)를 사랑한다."

程傳

王假有家之道者, 非止能使之順從而已, 必致其心化誠合, 夫愛其內助, 婦愛其刑家, 交相愛也. 能如是者, 文王之妃乎, 若身修法立而家未化, 未得爲假有家之道也.

왕이 집안을 세우는 도를 지극히 하는 것은 집안사람들이 순종하게 할 뿐만 아니라, 반드시 그 마음이 화합하고 정성이 합쳐져 남편은 부인의 내조를 아끼고 아내는 형벌 받는 것을 아껴 서로 사랑해야 하니, 이렇게 할 수 있는 자는 문왕의 비(妃)[9]일 것이다. 몸을 수양

9) 문왕의 비(妃) : 문왕의 비는 태사(太姒)인데 『시경』의 첫 번째 시인 「주남(周南)」의 '관저(關雎)'에 나오는 요조숙녀가 태사를 형용한다고 한다. "꽥꽥 우는 저 물새, 하수의 모래섬에 있다. 요조숙녀는 군자의 좋은 짝

하고 법도를 세웠는데도 집안이 교화되지 않는다면 집안을 세우는 도리를 지극히 하지 못한 것이다.

集說

● 郭氏雍曰 : "父父子子, 兄兄弟弟, 夫夫婦婦, 同大順而無逆焉者, 交相愛之義也."[10]

곽옹(郭雍)[11]이 말했다. "부모는 부모답고 자식은 자식답고, 형은 형답고 동생은 동생답고 남편은 남편답고 아내는 아내다우니, 모두 크게 순종하여 거스리는 자가 없어 서로 사랑하는 뜻이다."

● 龔氏煥曰 : "交相愛則一家之父子兄弟, 夫婦長幼, 莫不相愛, 非特夫婦而已也."

공환(龔煥)[12]이 말했다. "서로 아끼면 한 집안의 부모와 자식, 형

이다.[關關雎鳩, 在河之洲. 窈窕淑女, 君子好逑.]"라고 하였다.

10) 곽옹(郭雍), 『곽씨전가역설(郭氏傳家易說)』 권4.

11) 곽옹(郭雍, 1106~1187) : 송(宋)대 낙양(洛陽 : 현 하남성 낙양시) 사람으로 자는 자화(子和)이고 자호는 백운(白雲)이다. 정이(程頤)의 제자인 곽충효(郭忠孝)의 둘째 아들로 가학을 이었으며, 벼슬길은 나아가지 않고 은거하면서 역학과 의학에 정통하였다고 한다. 역학 방면 저술로 『전가역해(傳家易解)』, 『괘사지요(卦辭指要)』, 『시괘변의(蓍卦辨疑)』 등이 있다고 한다.

12) 공환(龔煥) : 자는 유문(幼文)이고, 천봉선생(泉峯先生)이라고 불렸다. 원(元)대 임천(臨川)사람이다. 요응중(饒應中)에게 사사하여 본체를 밝히고 실천에 옮기는 데 힘썼다. 당시 아직 과거제도가 시행되지 못했는

제, 부부, 어른과 아이가 서로 사랑하지 않음이 없으니, 부부만 그런 것이 아니다."

데, 시행되면 반드시 정자와 주자의 학문을 법식으로 삼아야 한다고 주장했다. 과연 뒤에 그의 말대로 시행되었다.

威如之吉, 反身之謂也.
위엄이 있어 길함은 자신을 반성하는 것을 말한다.

本義

謂非作威也, 反身自治, 則人畏服之矣.

위엄을 일으키는 것이 아니라 자기 몸에 돌이켜 스스로 다스리면 사람들이 두려워하고 복종함을 말한 것이다.

程傳

治家之道, 以正身爲本, 故云反身之謂. 爻辭謂治家當有威嚴, 而夫子又復戒云, 當先嚴其身也. 威嚴不先行於己, 則人怨而不服, 故云威如而吉者, 能自反於身也. 孟子所謂身不行道, 不行於妻子也.

집안을 다스리는 도는 자신을 올바르게 하는 일을 근본으로 하므로 자신을 반성하는 것을 말한다고 했다. 효사는 집안을 다스리는 데 위엄이 있어야 한다고 했는데 공자가 또 먼저 그 자신을 엄격하게 반성하라고 경계했다. 위엄을 먼저 자신에게 적용하여 실행하지 않는다면 사람들이 원망하고 복종하지 않으므로 위엄이 있어 길함은 자신을 스스로 반성할 수 있기 때문이라고 했다. 맹자가 "자신이 몸소 도를 행하지 않는다면, 처와 자식에게 행하지 못한다"[13]고 한 말이 이것이다.

集說

● 朱氏震曰 : "威非外求, 反諸身而已. 反身則正, 正則誠, 誠則不怒而威, 後世不知所謂威嚴者正其身也, 或不正而尚威怒, 則父子相夷, 愈不服矣, 安得吉."[14]

주진(朱震)[15]이 말했다. "위엄은 밖에서 구하는 것이 아니라 자신의 몸을 반성하는 데서 나올 뿐이다. 반성하면 바르게 되고 바르면 진실해지고 진실하면 분노하지 않고 위엄을 가질 수 있으니 후세 사람들은 위엄이 그 몸을 바르게 하는 일이라는 것을 알지 못하고 간혹 올바르지 못하면서 위세와 분노만을 내세우면 부모와 자식이 서로 버팅기고 더욱 복종하지 않는 경우가 있으니, 어찌 길함을 얻겠는가?"

● 郭氏雍曰 : "「象」明言有物而行有恒, 而此又言反身之謂者, 家人之道, 所以成始成終者, 修身而已."[16]

곽옹(郭雍)이 말했다. "「상전」에서는 '말에 실속이 있고 행함에 항

---

13) 『맹자』「진심하」: "자신이 몸소 도를 행하지 않으면 처와 자식에게도 행하지 못하고, 사람을 부리는 데 도로써 하지 않으면 처와 자식에게도 행할 수 없다.[身不行道, 不行於妻子, 使人不以道, 不能行於妻子.]"라고 하였다.

14) 주진(朱震), 『한상역전(漢上易傳)』 권4.

15) 주진(朱震, 1072~1138) : 자는 자발(子發)이고, 당시 한상선생(漢上先生)이라 불리었다. 송대 형문군(荊門軍 : 현 호북성 소속) 사람으로 한림학사(翰林學士)를 여러 번 역임하였다. 저서는 『한상역전(漢上易傳)』이 있다.

16) 곽옹(郭雍), 『곽씨전가역설(郭氏傳家易說)』 권4.

상성이 있다'고 했고 여기서 또 몸을 반성하는 것을 말한다고 했으니, 가인(家人)의 도는 시작을 이루고 끝을 이루는 것이 몸을 닦는 일일 뿐이다."

● 趙氏汝楳曰: "爻於初言閑, 三言嗃嗃, 上言威. 聖人慮後世以爲威嚴有餘, 而親睦不足, 故特釋之以反身. 謂威如者, 非嚴厲以爲威, 反求諸己而已."[17]

조여매(趙汝楳)[18]가 말했다. "효를 보니, 초효에서는 방비를 말했고 삼효에서는 원망한다고 말했으며 상효에서는 위엄을 말했다. 성인은 후세 사람들이 위엄은 많은데 친목이 부족하다고 여길 것을 생각했으므로 특히 그것을 몸을 반성한다고 해석했다. 위엄이 있는 것은 엄격함 자체를 위엄으로 여기는 것이 아니라 자기에게 돌이켜 구한다는 뜻일 뿐이다."

17) 조여매(趙汝楳), 『주역집문(周易輯聞)』 권4

18) 조여매(趙汝楳): 송(宋)대 종실(宗室)로서, 명주(明州) 은현(鄞縣: 현 절강성 영파시〈寧波市〉)에서 살았고, 조선상(趙善湘)의 아들이다. 이종(理宗) 보경(寶慶) 2년(1226) 진사에 급제하고, 호부시랑(戶部侍郞), 강회안무제치사(江淮安撫制置使) 등을 역임했다. 천수군공(天水郡公)에 봉해졌다. 역상(易象)에 정통했다. 저서에 『주역집문(周易輯聞)』, 『역아(易雅)』, 『역서총서(易敍叢書)』, 『서종(筮宗)』 등이 있다.

38. 규睽☲괘

上火下澤, 睽, 君子以同而異.

위에 불이 있고 아래에 연못이 있는 것이 규괘의 모습이니, 군자는 이것을 본받아 같으면서도 다르다.

本義

二卦合體, 而性不同.

두 괘가 본체는 합치되는 부분이 있으나 성질은 같지 않다.

程傳

上火下澤, 二物之性違異, 所以爲睽離之象. 君子觀睽異之象, 於大同之中, 而知所當異也. 夫聖賢之處世, 在人理之常, 莫不大同, 於世俗所同者, 則有時而獨異. 蓋於秉彝則同矣, 於世俗之失則異也. 不能大同者, 亂常拂理之人也, 不能獨異者, 隨俗習非之人也, 要在同而能異耳. 中庸曰和而不流是也.

위에는 불이 있고 아래에는 연못이 있어 두 사물의 성질이 어긋나고 다르니 대립하고 분열하는 모습이다. 군자는 대립하고 차이나는 모습을 관찰하여 크게 같은 가운데서도 마땅히 달리 해야 할 바를 안다.

성현(聖賢)의 처세(處世)는 인간의 이치인 상도(常道)에서는 크게 같지 않음이 없지만 세속에서 같은 것에 대해 때때로 홀로 다른 것을 가지고 있으니, 떳떳한 도리에서는 같고 세속의 잘못에 대해서는 다른 것이다. 세속과 크게 같지 못한 자는 상도(常道)를 혼란스럽게 하여 이치를 깨뜨리는 사람이고, 홀로 다른 것을 가지지 못하는 자는 세속을 따라 잘못된 일을 답습하는 사람이니, 중요한 점은 세속과 같으면서 다를 수 있을 뿐이다. 『중용』에서 "화합하면서도 과도하게 휩쓸리지 않는다"[1]고 한 말이 이것이다.

---

1) 『중용』 10장 : "남방의 강함인가? 북방의 강함인가? 아니면 그대의 강함을 말하는가? 너그러움과 유순함으로 가르쳐주고, 무도함에 보복하지 않는 것이 남방의 강함이니, 군자가 여기에 자리한다. 병기와 갑옷을 입고 전투에 임하여 죽더라도 싫어하지 않는 것은 북방의 강함이다. 네가 말하는 강함은 여기에 자리한다. 그러므로 군자는 화합하면서도 과도하게 휩쓸리지 않으니, 강하구나, 굳셈이여! 가운데 우뚝 서서 치우침이 없으니, 강하구나, 굳셈이여! 나라에 도가 있어도 궁색한 시절의 지조를 변하지 않으니, 강하구나, 굳셈이여! 나라에 도가 없어도 평소 지녔던 절개를 죽음에 이를지언정 변하지 않으니, 강하구나, 굳셈이여! [南方之强與? 北方之强與? 抑而强與? 寬柔以敎, 不報無道, 南方之强也, 君子居之. 衽金革, 死而不厭, 北方之强也, 而强者居之. 故君子和而不流, 强哉矯! 中立而不倚, 强哉矯! 國有道, 不變塞焉, 强哉矯! 國無道, 至死不變, 强哉矯!]"라고 하였다.

集說

● 荀氏爽曰："火性炎上, 澤性潤下, 故曰睽也. 大歸雖同, 小事當異, 百官殊職, 四民異業, 文武並用, 威德相反, 共歸於治, 故曰君子以同而異也."[2]

순상(荀爽)[3]이 말했다. "불의 성질은 타오르고 연못의 성질은 촉촉이 아래로 흐르므로 어긋난다고 했다. 크게 모여 같지만 작은 일은 마땅히 다르고, 모든 관리가 다른 직분에 따라 일을 맡고 사해 백성은 다른 사업을 가지며, 문무(文武)는 아울러 쓰지만 위엄과 덕이 서로 상반되면서 함께 다스림으로 귀결된다. 그러므로 군자는 같지만 다르다고 했다."

2) 이정조(李鼎祚), 『주역집해(周易集解)』 권8.

3) 순상(荀爽, 128~190) : 자는 자명(慈明)이고, 일명 서(諝)라고도 한다. 후한 영천 영음(潁川潁陰, 현 하남성 허창시〈許昌市〉) 사람으로, 상서령(尙書令) 순숙(荀淑)의 아들이다. 어릴 때부터 총명하여 12살 때 『춘추』와 『논어』에 정통했다고 한다. 환제(桓帝) 연희(延熹) 9년(166)에 지극한 효성으로 천거되어 낭중(郎中)에 임명되었지만, 대책(對策)을 올려 당시의 폐단을 상주(上奏)하고는 벼슬을 버리고 떠났다. 당고(黨錮)의 화(禍)가 일어나자 바닷가에 숨어 10여 년을 지냈다. 헌제(獻帝) 때 다시 등용되어 사공(司空)을 역임했으며, 사도(司徒) 왕윤(王允)과 함께 잔악한 동탁(董卓)을 제거하려 하였으나 뜻을 이루지 못하고 죽었다. 저서에 『역전(易傳)』, 『시전(詩傳)』, 『예전(禮傳)』, 『상서정경(尙書正經)』, 『춘추조례(春秋條例)』, 『공양문(公羊問)』 등이 있었지만 모두 없어졌고, 비직(費直)의 고문역학(古文易學)을 연구한 『주역순씨주(周易荀氏注)』의 일부가 옥함산방집일서 및 『한위이십일가역주(漢魏二十一家易注)』에 전해지고 있다.

● 項氏安世曰 : "同象兌之說, 異象離之明."

항안세(項安世)가 말했다. "같음은 태(兌☱)괘의 기쁨으로 상징하고 다름은 이(離☲)괘의 밝음으로 상징했다."

見惡人, 以辟咎也.

싫어하는 사람일지라도 만나는 것은 허물을 피하기 위함이다.

程傳

睽離之時, 人情乖違, 求和合之, 且病其不能得也. 若以惡人而拒絶之, 則將衆仇於君子, 而禍咎至矣. 故必見之, 所以免避怨咎也, 無怨咎, 則有可合之道.

대립과 분열의 때에는 사람의 감정이 괴리되고 어긋나니 화합하기를 구하고, 또 그것을 이루지 못할까 근심한다. 만약 미워하는 사람이라 그를 거부하고 절교한다면 많은 사람들이 군자와 원수가 되어 재앙과 허물이 이를 것이다. 그러므로 반드시 만나보아야 하니, 원한과 허물을 면하고 피하려는 것이다. 원한과 허물이 없으면 화합할 수 있는 방도가 있다.

遇主於巷, 未失道也.

골목에서 군주를 만남은 도를 잃지 않는 것이다.

本義

本其正應, 非有邪也.

본래 올바르게 호응함이고 사특함이 있는 것은 아니다.

程傳

當睽之時, 君心未合, 賢臣在下, 竭力盡誠, 期使之信合而已. 至誠以感動之, 盡力以扶持之, 明義理以致其知, 杜蔽惑以誠其意, 如是宛轉以求其合也. 遇非枉道迎逢也, 巷非邪僻由徑也, 故夫子特云"遇主於巷, 未失道也", 未非此也, 非必謂失道也.

분열의 때에 군주의 마음과 합치하지 못하니, 현명한 신하가 아래에 있으면서 힘과 정성을 다하여 믿음으로 화합하게 되기를 바랄 뿐이다. 지성(至誠)으로 감동시키고 온 힘을 다하여 도와드리며 의리(義理)를 밝혀 그 앎에 이르도록 하고 잘못 오해하거나 미혹되지 않게 하여 그 뜻을 진실하게 하고, 이와 같이 완곡하게 행하여 합치할 수 있게 해야 한다. 만남은 도를 굽히고 영합하고 아부하는 것이 아니며, 골목은 올바르지 못하면서 편협한 지름길로 가려는 것이 아니므로 공자는 특히 "골목에서 군주를 만남은 도를 잃지 않는 것이다"라고 했다. '미(未)'란 반드시는 아니라는 뜻이니 반드시 도를 잃는 것은 아니라는 말이다.

集說

● 王氏申子曰 : "處上下睽離之時, 不得不委曲以求合, 故曰未失道, 言於正道未爲失也."[4]

왕신자(王申子)가 말했다. "위와 아래가 분열되어 흩어지는 때에 처하여 완곡하게 화합을 구하지 않을 수 없으므로 도를 잃지 않았다고 했으니, 정도(正道)에서 잃지 않았다는 말이다."

4) 왕신자(王申子), 『대역집설(大易緝說)』 권6.

見輿曳, 位不當也, 無初有終, 遇剛也.

수레가 뒤로 끌리는 것은 자리가 합당하지 않음이고, 시작은 없지만 마침은 있는 것은 굳센 사람을 만나기 때문이다.

程傳

以六居三, 非正也. 非正則不安, 又在二陽之間, 所以有如是艱厄, 由位不當也. 無初有終者, 終必與上九相遇而合, 乃遇剛也. 不正而合, 未有久而不離者也. 合以正道, 自無終睽之理, 故賢者順理而安行, 知者知幾而固守.

육(六)으로 삼(三)에 자리한 것은 올바름이 아니다. 올바르지 않으면 불안하고 또 두 양효 사이에 있어 이와 같은 어려움과 곤란이 있는 것이니 자리가 합당하지 않기 때문이다. "시작은 없지만 마침은 있다"는 말은 결국에는 반드시 상구효와 서로 만나 화합하는 것이니 굳센 사람을 만나는 것이다. 올바르지 못하면서 화합하면 오랜 시간이 지나 떠나지 않는 자가 없을 것이다. 정도(正道)로 화합하면 저절로 끝에 가서 분열될 이치가 없으므로 어진 자는 이치를 따라 편안하게 행하고 지혜로운 자는 기미를 알아 자신의 도를 굳게 지킨다.

集說

● 胡氏瑗曰 : "無初有終, 遇剛也者, 言初爲上之見疑, 然終則知己之誠而與之應，是六三所遇，得剛明之人也.”[5)]

호원(胡瑗)이 말했다. “처음은 없으나 끝이 있는 것이 굳센 사람을 만난 일이니 처음에는 상효에 의해 의심을 받았지만 결국에는 자신의 진심을 알아 그와 호응함을 말하니 육삼효가 만난 것은 굳세고 밝은 사람을 얻은 일이다.”

案

爻有兩喻，而「象傳」偏擧者，擧其重者也. 此擧見輿曳，以乘剛也，困三擧據於蒺藜，亦以乘剛也，『易』例乘剛之危最甚.

효에는 두 가지 비유가 나오는데 「상전」에서는 한편만 들었으니 중요한 것을 들었다. 여기서 수레가 뒤로 끌린다는 것은 굳셈을 탔기 때문이다. 곤(困)괘 삼효에서는 “가지나무에 앉았다”[6)]고 비유했는데 또한 굳셈을 탄 것이다. 『역』의 용례는 굳셈을 탄 것이 가장 위태롭다.

5) 호원(胡瑗), 『주역구의(周易口義)』 권7.

6) 『주역』「곤(困)괘」: “육삼효는 돌에 곤란하고 가지나무에 앉아있다. 그 집에 들어가도, 아내를 보지 못하니, 흉하다.[六三，困于石，據于蒺藜. 入于其宮，不見其妻，凶.]”라고 하였다.

交孚無咎, 志行也.

믿음을 가지고 교제하니 허물이 없어 뜻이 행해질 수 있다.

程傳

初四皆陽剛君子. 當睽乖之時, 上下以至誠相交, 協志同力, 則其志可以行, 不止無咎而已. 卦辭但言"無咎", 夫子又從而明之, 云可以行其志, 救時之睽也. 蓋以君子陽剛之才, 而至誠相輔, 何所不能濟也? 唯有君子, 則能行其志矣.

초구효와 구사효는 모두 양의 굳센 군자이다. 분열의 때에 위와 아래에서 지극히 성실함으로 서로 교제하고 뜻과 힘을 함께 하고 협력하면 그 뜻이 시행될 수 있으니 허물이 없는 것에 그칠 뿐만이 아니다. 괘사(卦辭)에서는 "허물이 없다"고만 말했는데 공자는 또 이어서 밝혀 말하기를 그 뜻을 행할 수 있다고 했으니 분열의 때를 구제할 수 있다. 군자가 양의 굳센 자질을 가지고 지극히 성실함으로 서로 보필하면 어떤 것인들 구제할 수 없겠는가? 오직 군자가 있다면 그 뜻을 시행할 수 있다.

厥宗噬膚, 往有慶也.

같은 당의 동지가 살을 깊이 깨물듯이 하는 것은 어떤 일을 해도 기쁜 일이 있다.

程傳

爻辭但言厥宗噬膚, 則可以往而無咎, 「象」復推明其義, 言人君雖己才不足, 若能信任賢輔, 使以其道深入於己, 則可以有爲, 是往而有福慶也.

효사(爻辭)에서는 같은 당파의 동지가 살을 깊이 깨물듯이 하면 어떤 일을 해도 허물이 없을 수 있다고 했고, 「상전」에서는 다시 그 의미를 추론하여 군주가 자신의 자질이 부족하더라도 현명한 사람의 도움을 믿고 모든 일을 위임하여 그 도로써 자신의 마음속에 깊이 들어오게 하면 훌륭한 정치를 시행할 수 있다고 했으니, 이는 어떤 일을 해도 기쁜 일이 있다는 뜻이다.

集說

● 項氏安世曰 : "二以五爲主, 而委曲以入之. 巷雖曲而通諸道, 遇主於巷, 將以行道, 非爲邪也. 五以二爲宗而親之, 二五以中道相應. 當睽之時, 其閒也微而易合, 如膚之柔, 噬之則入, 豈獨無咎? 又將有慶. 二五陰陽正應, 故其辭如此."[7]

항안세(項安世)가 말했다. "이효는 오효를 주인으로 여겨 완곡하게 들어간다. 골목은 구불구불하지만 여러 길이 통하니 주인을 골목에서 만남은 장차 도를 행하려는 것이지 사특함이 아니다. 오효는 이효를 당의 동지로 여겨 친애하니 이효와 오효는 중도(中道)로 서로 호응한다. 분열의 때에 그 벌어짐이 미약하여 쉽게 합치하니 마치 피부의 부드러움과 같아 깨물면 들어가니 어찌 허물만 없겠는가? 또 경사가 있다. 이효와 오효는 음과 양으로 올바르게 호응하므로 그 효사가 이와 같다."

● 何氏楷曰:"厥宗旣噬膚矣, 往則有相合之慶, 蓋決之也."

하해(何楷)가 말했다. "같은 당의 동지가 살을 깊이 깨물듯이 하는 것은 가면 서로 화합하는 경사가 있으니, 터서 나가게 한 것이다."

7) 항안세(項安世), 『주역완사(周易玩辭)』 권7.

遇雨之吉, 群疑亡也.

비를 만나면 길하다는 말은 모든 의심이 없어진 것이다.

程傳

雨者, 陰陽和也. 始睽而能終和, 故吉也. 所以能和者, 以群疑盡亡也. 其始睽也, 無所不疑, 故云群疑, 睽極而合, 則皆亡也.

비가 내리는 일은 음과 양이 화합한 것이다. 처음에는 대립하지만 결국에는 화합하므로 길하다. 화합할 수 있는 것은 모든 의심이 없어졌기 때문이다. 처음에 분열했을 때 의심하지 않는 것이 없었으므로 모든 의심이라 했고 분열이 극한에 이르러 화합하면, 모두 없어진 것이다.

集說

● 孔氏穎達曰 : "群疑亡者, 往與三合, 如雨之和, 向之見豕 · 見鬼 · 張弧之疑, 並消釋矣, 故曰群疑亡也."[8]

공영달(孔穎達)이 말했다. "여러 의심이 없어지고 가서 삼효와 합치니 비가 화합하는 듯하여 돼지를 보고 귀신을 보고 활줄을 당기

8) 공영달(孔穎達), 『주역주소(周易注疏)』 권7.

는 의심이 함께 사라지므로 여러 의심이 없어진다고 했다."

● 王氏安石曰:"上九睽極有應而疑之. 夫睽之極, 則物有似是而非者, 雖明猶疑, 疑之已甚, 則以無爲有, 無所不至, 況於不明者乎? 上九剛過中, 用明而過者也, 故其始不能無疑."

왕안석(王安石)이 말했다. "상구효는 분열의 극단에서 호응함이 있지만 의심이 있다. 분열의 극단은 사물이 옳은 듯 하면서 그른 것이니 밝더라도 의심하고 의심이 매우 심해지면 없는 것을 있다고 여겨 이르지 않음이 없으니 밝지 않은 자는 어쩌겠는가? 상구효는 강함이 가운데에서 지나치고 밝음을 씀이 지나친 자이므로 그 시작에서 의심이 없을 수 없다."

● 『朱子語類』云:"諸爻立象, 聖人必有所據, 非是自撰. 但今不可考耳. 到孔子方不說象, 如見豕負塗·載鬼一車之類, 孔子只說群疑亡也, 便見得上面許多, 皆是狐惑可疑之事而已, 到後人解說, 便多牽強."[9]

『주자어류』에서 말했다. "여러 효(爻)의 상을 세울 때 성인은 반드시 근거에 의하지 제멋대로 지은 것이 아니다. 단지 지금은 상고할 수 없을 뿐이다. 공자에 이르러 상(象)을 말하지 않았다. 예를 들어 '돼지가 진흙탕을 뒤집어 쓰고 수레에 귀신이 실려 있는 것을 보았다'는 부류는 공자가 '여러 의심이 없어졌다'라고 말하였을 뿐이니 위의 여러 가지가 모두 매우 의혹되어 의심할 만한 일일 뿐인데 후

9) 『주자어류』 75권, 18조목.

인들이 해설하면서 견강부회하는 것이 많아졌다."

● 趙氏汝楳曰 : "怪力亂神, 聖人所不語, 而此卦言之甚詳, 故聖人斷之曰疑. 蓋心疑則境見, 心明則疑亡, 知此者, 志怪之書可焚, 無鬼之論可熄."[10]

조여매(趙汝楳)[11]가 말했다. "괴력난신(怪力亂神)을 성인은 말하지 않았는데,[12] 이 괘에서 말한 것이 매우 자세하므로 성인은 단언코 의심했다고 말했다. 마음이 의심하면 경계가 드러나고 마음이 밝으면 의심이 없어지니 이것을 아는 자는 괴이한 뜻을 담은 책들을 불태울 수 있고 귀신이 없다는 논의를 없앨 수 있다."

● 王氏申子曰 : "孤生於睽, 睽生於疑, 今群疑旣亡, 則睽而合, 合而和, 所以吉也."[13]

왕신자(王申子)[14]가 말했다. "외로움은 분열에서 생겨나고 분열은

10) 조여매(趙汝楳), 『주역집문(周易輯聞)』 권4.
11) 조여매(趙汝楳) : 송(宋)대 종실(宗室)로서, 명주(明州) 은현(鄞縣 : 현 절강성 영파시〈寧波市〉)에서 살았고, 조선상(趙善湘)의 아들이다. 이종(理宗) 보경(寶慶) 2년(1226) 진사에 급제하고, 호부시랑(戶部侍郞), 강회안무제치사(江淮安撫制置使) 등을 역임했다. 천수군공(天水郡公)에 봉해졌다. 역상(易象)에 정통했다. 저서에 『주역집문(周易輯聞)』, 『역아(易雅)』, 『역서총서(易敍叢書)』, 『서종(筮宗)』 등이 있다.
12) 『논어』「술이」: "공자께서는 괴이함, 무력, 난동, 귀신 등에 관한 말씀은 하지 않으셨다.[子不語, 怪力亂神.]"라고 하였다.
13) 왕신자(王申子), 『대역집설(大易緝說)』 권6.
14) 왕신자(王申子) : 자는 손경(巽卿)이다. 원나라 공주(邛州, 사천성 공래

의심에서 생겨나니 지금 여러 의심들이 없어졌다면 분열에서 합치하고 합치하여 조화하여 길하다."

〈邛崍〉) 사람이다. 인종(仁宗) 황경(皇慶) 연간(1311~1320)에 무창로(武昌路) 남양서원(南陽書院)의 산장(山長)을 지냈다. 나중에 30여 년 동안 자리주(慈利州) 천문산(天門山)에 은거했다. 저서에 『춘추류전(春秋類傳)』, 『대역집설(大易集說)』, 『주례정의(周禮正義)』 등이 있다.

39. 건蹇☵☶괘

山上有水, 蹇, 君子以反身修德.

산 위에 물이 있는 것이 건괘의 모습이니, 군자는 이 모습을 본받아 자신을 돌이켜 덕을 수양한다.

程傳

山之峻阻, 上復有水, 坎水爲險陷之象, 上下險阻, 故爲蹇也. 君子觀蹇難之象, 而以反身修德. 君子之遇艱阻, 必反求諸己而益自修. 孟子曰 : 行有不得者, 皆反求諸己. 故遇艱蹇, 必自省於身, 有失而致之乎, 是反身也. 有所未善, 則改之, 無歉於心, 則加勉, 乃自修其德也. 君子修德以俟時而已.

산이 험준하여 막혔는데, 위로 다시 물이 있으니, 감(坎☵)괘의 물은 위험에 빠지는 모습이 되어, 위와 아래가 모두 위험하고 장애가 있으므로 고난이 된다. 군자는 고난의 모습을 관찰하여 자신을 돌이켜 덕을 수양한다. 군자가 어려움과 장애를 만나면 반드시 자신을 돌이켜 반성하여 더욱더 스스로를 수양한다. 맹자가 "행하고 얻지 못하면 모두 자신에게 그 원인을 구하라"[1]고 했다. 그러므로 고난과 위험을 만나면 반드시 스스로 자신을 반성하여 어떤 과실이 있어 이런 지경에 이르렀는가를 생각한다면 이것이 바로 자신을 돌이키는 일이다. 잘하지 못한 점이 있으면 고치고 마음에 만족하지 못하다면 더욱 힘쓰니, 이것이 곧 스스로 자신의 덕을 수양하는 일이다. 군자는 덕을 수양하면서 때를 기다릴 뿐이다.

集說

● 呂氏大臨曰 : "山上有水, 水行不利, 不得其地, 故蹇也. 水行不得其地, 猶君子之行不得於人, 不得於人, 反求諸己而已, 故愛人不親反其仁, 治人不治反其知, 禮人不答反其敬."

여대림(呂大臨)[2]이 말했다. "산 아래 물이 있는데 물의 흐름이 이

1) 『맹자』「이루상」: "사람을 사랑했는데 그 사람이 나를 친하게 여기지 않으면 자신의 인(仁)을 반성하고, 사람을 다스렸는데 다스려지지 않으면 나의 지혜를 반성하고, 사람에게 예의를 갖추었는데 보답하지 않으면, 나의 공경을 반성한다. 행하여 내가 기대한 것을 얻지 못하면, 모두 자신에게 그 원인을 구해야 하니, 자신의 몸이 바르게 되면 천하 사람들이 나에게로 돌아온다.[愛人不親, 反其仁, 治人不治, 反其智, 禮人不答, 反其敬. 行有不得者, 皆反求諸己, 其身正而天下歸之.]"라고 하였다.

2) 여대림(呂大臨, 1046~1092) : 자는 여숙(與叔)이고, 여대균(呂大鈞)의 동생이다. 북송 경조 남전(京兆藍田 : 현 섬서성 소속) 사람으로 처음에 장재(張載)에게 배웠고 나중에 정이(程頤)에게 배웠는데, 사좌량(謝良佐), 유조(游酢), 양시(楊時)와 함께 '정문사선생(程門四先生)'으로 일컬어진다. 육경(六經)에 정통했고, 특히 『예기(禮記)』에 밝았다. 문음(門蔭)으로 관직에 올라 나중에 진사 시험에 합격했다. 철종(哲宗)

롭지 않은 것은 그 땅을 얻지 못했기 때문이므로 고난이다. 물의 흐름이 그 땅을 얻지 못하는 것은 군자의 행함이 사람을 얻지 못한 것과 같고 사람을 얻지 못하면 자기에게 돌이켜 구할 뿐이다. 그러므로 '사람을 사랑했는데 그 사람이 나를 친하게 여기지 않으면 자신의 인(仁)을 반성하고, 사람을 다스렸는데 다스려지지 않으면 나의 지혜를 반성하고, 사람에게 예의를 갖추었는데 보답하지 않으면, 나의 공경을 반성한다.'[3]"

● 『朱子語類』云 : "潘謙之書曰, '蹇與困相似, 致命遂志, 反身修德亦一般.' 殊不知不然. 「象」曰'澤無水, 困', 處困之極, 事無可爲者, 故只得'致命遂志', 若蹇則猶可進步, 如山上之泉, 曲折

원우(元祐) 연간에 태학박사(太學博士)를 지냈고, 비서성정자(秘書省正字)로 옮겼다. 범조우(范祖禹)의 천거로 강관(講官)이 되었는데, 기용되기도 전에 죽었다. 예학(禮學)에 밝아 예의를 중시했으며, 정자의 예학을 계승하여 심성지학(心性之學)에 치중했다. 저서에 『역장구(易章句)』, 『대역도상(大易圖象)』, 『맹자강의(孟子講義)』, 『대학중용해(大學中庸解)』, 『노자해(老子注)』, 『서명집해(西銘集解)』 등이 있었지만 대부분 없어지고, 지금은 『고고도(考古圖)』, 『속고고도(續考古圖)』, 『석문(釋文)』이 사고전서(四庫全書)에 수록되어 있다. 문집에 『옥계집(玉溪集)』이 있다.

3) 『맹자』「이루상」 : "사람을 사랑했는데 그 사람이 나를 친하게 여기지 않으면 자신의 인(仁)을 반성하고, 사람을 다스렸는데 다스려지지 않으면 나의 지혜를 반성하고, 사람에게 예의를 갖추었는데 보답하지 않으면, 나의 공경을 반성한다. 행하여 내가 기대한 것을 얻지 못하면, 모두 자신에게 그 원인을 구해야 하니, 자신의 몸이 바르게 되면 천하 사람들이 나에게로 돌아온다.[愛人不親, 反其仁, 治人不治, 反其智, 禮人不答, 反其敬. 行有不得者, 皆反求諸己, 其身正而天下歸之.]"라고 하였다.

多艱阻, 然猶可行, 故教人以'反身修德', 只觀'澤無水, 困', 與'山上有水, 蹇'二句, 便全不同."[4]

『주자어류』에서 말했다. "반겸지(潘謙之)[5]가 편지에서 '건(蹇)괘와 곤(困)괘는 서로 비슷하다. 군자는 목숨을 다해 뜻을 이룬다[6]와 군자는 자신을 돌이켜 덕을 닦는다[7]는 같은 의미이다'라고 말했는데 그렇지 않음을 알지 못했다. 곤(困)괘의 「대상전」에서 '연못에 물이 없는 것이 곤경이다'고 했는데 이는 곤경의 지극한 곳에 처하는 것이니, 그 일에 대해 어찌할 바가 없으므로 '목숨을 다해 뜻을 이룬다'고 한 것이다. 그러나 '산 위에 물이 있는 것이 건(蹇)이다'[8]는 말은 오히려 나아갈 수 있으니, 마치 산 위의 샘이 굽어지고 꺾여 어려움이 많지만 행할 만하므로 '자신을 돌이켜 덕을 닦는다'고 사람들을 가르쳤다. 단지 '못에 물이 없는 것이 곤경이다'와 '산 위에 물이 있는 것이 고난이다'는 것만 보더라도 두 구절이 전혀 같지 않다."

● 項氏安世曰 : "反身象艮之背, 修德象坎之勞."

4) 『주자어류』 72장, 72조목.
5) 반겸지(潘謙之) : 반병(潘柄)이다. 건도(乾道) 4년(1168) 복주(福州) 회안현(懷安縣)에서 출생하였으며 자는 겸지(謙之)이고, 과산선생(瓜山先生)이라고 불렸다. 반식(潘植)의 동생이다. 『도남원위』 3권에 의하면, 반병은 형 반식과 함께 1183년 아버지의 명으로 무이(武夷)로 가서 주희를 사사했다. 저서로는 『역해(易解)』·『상서통(尙書解)』이 있다.
6) 『주역』「곤(困)괘」「상전」.
7) 『주역』「건(蹇)괘」「상전」.
8) 『주역』「건(蹇)괘」「상전」.

항안세(項安世)가 말했다. “몸을 돌이키는 모습은 간(艮)괘의 등짐[9]이고 덕을 닦는 모습은 감(坎)괘의 힘씀이다.”

9) 『주역』「간(艮)괘」: “등에서 멈추면 몸을 얻지 못하며, 뜰에 가면서도 사람을 보지 못하여, 허물이 없을 것이다.[艮其背, 不獲其身, 行其庭, 不見其人, 无咎.]”라고 하였다.

往蹇來譽, 宜待也.

가면 어렵고 오면 영예가 있는 것은 마땅히 기다려야 한다는 말이다.

程傳

方蹇之初, 進則益蹇, 時之未可進也, 故宜見幾而止, 以待時可行而後行也. 諸爻皆蹇往而善來, 然則無出蹇之義乎? 曰: 在蹇而往, 則蹇也, 蹇終則變矣, 故上已有碩義.

고난의 초기에 나아가면 더욱 위험해지니 때가 나아갈 수 없으므로, 마땅히 기미를 파악하고 멈추어 때를 기다려, 행할 만한 때가 된 후에 행해야 한다. 여러 효는 모두 가는 것은 위험하고 오는 것이 최선이라고 했으니 그렇다면 위험으로부터 벗어나는 뜻은 없다는 말인가? 답한다. 고난에 처해 나아가면 어렵고 고난이 끝나면 변하므로 상구효에서 여유있다는 뜻이 있다.

集說

● 王氏申子曰: "往而行險, 不如居易以俟之爲宜也."[10]

왕신자(王申子)가 말했다. "가서 위험을 행하는 일은 편한 곳에 자

10) 왕신자(王申子), 『대역집설(大易緝說)』 권6.

리하여 기다리는 일을 마땅함으로 여기는 것보다 못하다."

● 龔氏煥曰:"居止之初, 去險尙遠, 見險而卽止, 象傳之所謂知也."

공환(龔煥)이 말했다. "그침의 시초에 자리하여 위험과 아직 멀고, 위험을 보고 멈추니 「단전」에서 지혜롭다고 한 것이다.[11]"

11) 『주역』「건(蹇)괘」「단전」: "위험을 보고 멈추어 설 수 있으니, 지혜롭구나! [見險而能止, 知矣哉!]"라고 하였다.

王臣蹇蹇, 終無尤也.

왕의 신하가 고난 속에서 어려운 상황이면 끝내 허물이 없다.

本義

事雖不濟, 亦無可尤.

일이 비록 이루어지지 못하나 또한 허물할 것이 없다.

程傳

雖艱厄於蹇時, 然其志在濟君難, 雖未能成功, 然終無過尤也. 聖人取其志義而謂其無尤, 所以勸忠藎也.

비록 고난의 시기에 어려움을 겪지만 그 뜻은 군주의 어려움을 해결하려는 데 있으니 공을 이루지 못하더라도 끝내 과오와 허물은 없다. 성인은 그 뜻의 의리(義理)를 취하여 허물이 없다고 했으니 충성을 다하도록 권장한 것이다.

集說

● 侯氏行果曰 : "二上應於五, 五在坎中, 險而又險, 志在匡弼, 匪惜其躬, 故曰王臣蹇蹇, 匪躬之故, 輔君以此, 終無尤也."[12]

후행과(侯行果)[13]가 말했다. "이효는 위로 오효와 호응하고 오효는 위험에 있으니 위험하고 또 위험하지만 뜻은 군주를 보필하는 데 있어 그 몸을 아끼는 것이 아니다. 그러므로 왕(王)의 신하가 고난 속에서 더욱 어렵지만 자신을 아꼈기 때문이 아니므로 이것으로 군주를 보좌하면 결국에는 허물이 없다."

12) 이정조(李鼎祚), 『주역집해(周易集解)』 권8.

13) 후행과(侯行果) : 당대(唐代) 상곡(上穀) 사람으로 후과(侯果)라고도 한다. 벼슬은 국자사업(國子司業)·대황태자독(待皇太子讀)을 지냈다. 저서는 모두 전해지지 않지만, 이정조(李鼎祚)의 『주역집해(周易集解)』에서 그의 주요사상을 엿볼 수 있다. 황석(黃奭)의 『황씨일서고(黃氏逸書考)』 가운데 『후과역주(侯果易注)』 한 책이 실려 있다.

往蹇來反, 內喜之也.

가면 어렵고 오면 제자리로 돌아오는 것은 안에 있는 사람들이 기뻐하기 때문이다.

程傳

"內", 在下之陰也. 方蹇之時, 陰柔不能自立, 故皆附於九三之陽而喜愛之. 九之處三, 在蹇爲得其所也. 處蹇而得下之心, 可以求安, 故以來爲反, 猶春秋之言歸也.

'안에 있는 사람'이란 아래에 있는 두 음효이다. 고난의 때에 음의 부드러움으로는 홀로 자립할 수 없으므로 모두 양효인 구삼효에게 의지하여 기뻐하고 친애한다. 구(九)가 삼(三)의 위치에 자리한 것은 고난의 때에 그 있을 곳을 얻은 것이다. 고난에 처하여 아랫사람들의 마음을 얻어 안정을 구할 수 있으므로 오는 것을 '돌아온다'고 했으니, 『춘추』에서 돌아온다고 말하는 것과 같다.

集說

● 孔氏穎達曰: "內卦三爻, 唯九三一陽, 居二陰之上, 是內之所恃, 故云內喜之也."[14]

14) 공영달(孔穎達), 『주역주소(周易注疏)』 권7.

공영달(孔穎達)이 말했다. “내괘의 세 효에서 오직 구삼효 하나의 양이 두 음 위에 자리하였으니 안에서 의지하는 것이므로 안에서 기뻐한다고 했다.”

往蹇來連, 當位實也.

가면 어렵고 오면 연합하는 것은 당한 지위가 합당하여 성실하기 때문이다.

程傳

四當蹇之時, 居上位, 不往而來, 與下同志, 固足以得衆矣, 又以陰居陰, 爲得其實, 以誠實與下, 故能連合而下之. 二三亦各得其實, 初以陰居下, 亦其實也, 當同患之時, 相交以實其合可知, 故來而連者, 當位以實也, 處蹇難, 非誠實何以濟, 當位不曰正而曰實, 上下之交, 主於誠實, 用各有其所也.

사효가 어려운 때를 당하여 윗자리에 처했으나 가지 않고 와서 아래와 뜻을 함께 하니, 진실로 군중을 얻을 수 있다. 또 음의 자리에 있어 그 알참을 얻게 되니 성실함으로 아래와 더불어 하므로 연합하게 된다. 이효와 삼효 또한 그 알참을 얻었고 초효가 음으로 아래에 있으니 또한 그 알참이다. 근심을 함께하는 때를 당하여 서로 사귀기를 알차게 하면 합함을 알 수 있다. 그러므로 와서 연합하는 것은 자리가 합당하고 성실하기 때문이다. 어려움에 처하여 성실하지 않으면 어떻게 구제하겠는가? 자리가 합당함을 바름이라고 하지 않고 알참이라고 말하는 것은 위아래의 사귐은 성실함을 중심으로 하니 쓰임이 각각 마땅한 자리가 있기 때문이다.

集說

● 荀氏爽曰 : "處正承陽, 故曰當位實也."[15]

순상(荀爽)이 말했다. "올바름에 처하여 양을 이었으므로 지위가 합당하여 성실하다고 했다."

● 沈氏該曰 : "四當位可進, 而陰柔不能獨濟, 來而承五, 連於陽實, 則得所輔也."[16]

심해(沈該)[17]가 말했다. "사효는 지위에 합당하여 나아갈 수 있고 음의 부드러움으로 홀로 다스릴 수 없어 와서 오효를 이어 양의 알참과 연합하면 보좌할 것을 얻는다."

● 姜氏寶曰 : "以陰比於陽, 陽爲實, 故云「傳」以爲誠實之實, 未然."

강보(姜寶)가 말했다. "음으로 양에 나란히 하고 양이 알참이 되므

15) 이정조(李鼎祚), 『주역집해(周易集解)』 권8.
16) 심해(沈該), 『역소전(易小傳)』 권4하.
17) 심해(沈該) : 남송 호주(湖州) 귀안(歸安) 사람으로 자는 수약(守約)이고, 심시승(沈時升)의 아들이다. 고종(高宗) 소흥(紹興) 8년(1138) 금나라 사람이 회사(淮泗)에서 사신을 보내 화친을 청하자 글을 올렸는데, 바로 불려갔다. 16년(1146) 양절전운판관(兩浙轉運判官)으로 임안(臨安)을 다스렸다. 다음 해 권예부시랑(權禮部侍郎)이 되고, 외직으로 나가 기주지주(夔州知州)가 되었다. 불려 참지정사(參知政事)에 오르고 좌복야(左僕射)에 오른 뒤 나이가 들어 퇴직을 청했다. 『주역』에 정통했다. 저서에 문집과 『역소전(易小傳)』, 『중흥성어(中興聖語)』가 있다.

로 「상전」에서는 성실의 실(實)로 여겼으나 그렇지 않다.”

案

荀氏沈氏姜氏之說皆是，然如此，則‘當位’兩字，宜著．九五說，言當尊位者有實德也，如“敵剛也”之例．

순씨[순상]와 심씨[심해]와 강씨[강보]의 설이 모두 옳지만 이와 같으면 ‘당위(當位)’라는 두 글자는 마땅히 이어져야 한다. 구오효의 말은 존귀한 지위에 합당하여 성실한 덕이 있다고 말한 것이니 “적이 굳세다”[18]는 것이 예이다.

18) 『주역』「동인(同人)」: “병사를 숲속에 감춘 것은 적이 굳세기 때문이고, 3년 동안 흥하지 못했으니 어떻게 행하겠는가? [象曰，伏戎于莽，敵剛也，三歲不興，安行也.]”라고 하였다.

大蹇朋來, 以中節也.

큰 어려움에 처하여 동지들이 오는 것은 알맞음의 절도로 하기 때문이다.

程傳

"朋"者, 其朋類也. 五有中正之德, 而二亦中正, 雖大蹇之時, 不失其守, 蹇於蹇以相應助, 是以其中正之節也. 上下中正而弗濟者, 臣之才不足也. 自古守節秉義, 而才不足以濟者, 豈少乎, 漢李固·王允·晉周豈頁·王導之徒是也.

"붕(朋)"이란 함께 하는 부류이다. 구오효는 중정(中正)의 덕을 가지고 있고, 육이효도 중정의 덕을 이루고 있으니 큰 고난의 때이지만 지키는 것을 잃지 않고 어려움 속에서 위험에 처해 서로 호응하면서 도와주니, 이는 중정의 절도로 이루는 것이다. 윗사람과 아랫사람이 중정을 이루고 세상의 고난을 구제하지 못하는 경우는 신하의 재능이 부족하기 때문이다. 예로부터 절도를 지키고 의리(義理)를 잡고 있지만, 재능이 고난을 구제하기에 부족했던 자가 어찌 적었겠는가? 한(漢)나라 이고(李固)[19]와 왕윤(王允)[20], 진(晉)나라 주

19) 이고(李固, 94~147) : 자는 자견(子堅)이고 동한(東漢)시대 유명한 충직한 신하이다. 어릴 적부터 학문으로 유명했으나 형주자사(荊州刺史)와 태산군태수(泰山郡太守) 등을 맡으면서 그는 양기(梁冀) 일파의 부패한 세력과 투쟁했다. 147년 양기의 무고에 의해서 피살되었다.

의(周顗)[21]와 왕도(王導)[22]의 무리가 그러하다.

集說

● 孔氏穎達曰 : "得位履中, 不改其節, 則同志者自遠而來, 故曰朋來."

공영달(孔穎達)이 말했다. "지위를 얻고 중도를 실천하여 그 절개를 바꾸지 않으면 동지들이 멀리에서 오므로 함께하는 부류인 동지

---

20) 왕윤(王允, 137~192) : 중국 후한 말의 정치가이다. 자는 자사(子師)이고 병주(幷州) 태원군(太原郡) 기현(祁縣) 사람이다. 여포(呂布)를 움직여 전횡을 일삼던 동탁(董卓)을 죽였으나, 반격해온 동탁의 잔당에게 패하여 목숨을 잃었다.

21) 주의(周顗, 269~322) : 자가 백인(伯仁)으로 진(晋)나라 안성(安城) 사람이다. 형주자사(荊州刺史)를 거처 상서좌부사(尙書左仆射)에 이르렀다. 영창(永昌) 원년(元年: 322) 왕돈(王敦)이 형주에서 거병(擧兵)하여 유외(劉隗)를 죽이려 했으나, 왕도(王導)가 대(臺)에 나가 석고대죄하니, 유외가 왕씨 일가를 몰살하라고 했다. 이에 주의가 왕도를 위해 변호했으나 왕도는 이 사실을 알지 못했다. 왕돈에 의해서 주의가 피살 되었는데, 왕도는 주의가 자신을 위해 쓴 글을 보고 대성통곡을 하면서 "내가 비록 백인을 죽이지는 않았지만 나 때문에 백인이 죽었구나!"라고 했다.

22) 왕도(王導, 276~339) : 자는 무홍(茂弘)이고, 한족(漢族)으로 낭야(琅琊) 임기(臨沂) 사람이다. 동진(東晋) 시기 대신(大臣)이었다. 진나라 원제(元帝), 명제(明帝), 성제(成帝)에 걸쳐서 동진시기의 정치적 기초를 이룬 사람이다. 시호는 문헌(文獻)이고 조야(朝野)에서 중보(仲父)라고 불렀다. 그의 사촌형이자 개국공신이었던 왕돈(王敦, 266~324)이 반란을 일으키자 왕도는 정치적 위기에 몰리게 되었지만 이를 평정하여 극복했다. 처세술이 뛰어난 유연한 정치가로 평가받는다.

가 온다고 했다.”

案

蹇卦之義, 在乎進止得宜. 爻之往來, 卽進止也. 九五雖不言往來, 而「傳」明其爲“中節”, 則進止之宜不失, 可以濟難而不至於犯難矣. 裴度云, 朝延處置得宜, 有以服其心, 其“中節”之謂乎.

건(蹇)괘의 뜻은 나아가고 멈춤에 마땅함을 얻는 데 있다. 효의 가고 옴은 나아감과 멈춤이다. 구오효는 가고 옴을 말하지 않았지만 「상전」에서 그가 중도의 절개라는 점을 밝혔으니 나아감과 멈춤의 마땅함을 잃지 않아 어려움을 구제하고 어려움을 범하는 데 이르지 않을 수 있다. 배도(裴度)가 “조정에서의 처지가 마땅함을 얻고 그 마음을 복종함이 있다”고 했으니 중도의 절개를 말하는 것이 아닌가?

往蹇來碩, 志在內也. 利見大人, 以從貴也.

가면 어렵고 오면 여유로움은 뜻이 안에 있는 것이고, 대인을 봄이 이로운 것은 귀한 사람을 따른다는 뜻이다.

程傳

上六應三而從五, 志在內也. 蹇旣極而有助, 是以碩而吉也. 六以陰柔當蹇之極, 密近剛陽中正之君, 自然其志從附以來自濟, 故利見大人, 謂從九五之貴也, 所以云從貴, 恐人不知大人爲指五也.

상육효는 구삼효와 호응하지만 구오효를 따르니, 뜻이 안에 있다. 고난이 끝에 이르러 도움을 주는 사람이 있어 여유로워 길하다. 상육효는 음의 부드러움으로 고난의 끝에 처하여, 굳센 양으로 중정(中正)을 이룬 군주와 친밀하고 가깝게 관계하니 저절로 그 뜻이 그를 따라 의지하여 저절로 고난이 해결되기를 구하므로 대인을 만나면 이로우니, 구오효라는 귀한 사람을 따르는 것을 말한다. 귀한 사람을 따른다고 한 것은 대인이 구오효를 가리킨다는 점을 모를까 염려했기 때문이다.

集說

- 蘇氏軾曰 : "內與貴, 皆五之謂."[23)]

소식(蘇軾)이 말했다. "안에 있는 귀한 사람은 모두 구오효를 말한다."

23) 소식(蘇軾), 『동파역전(東坡易傳)』 권4.

40. 해解䷧괘

雷雨作, 解, 君子以赦過宥罪.

우레와 비가 일어나는 것이 해괘의 모습이니, 군자는 이것을 본받아 과실을 저지른 자를 사면하고 죄가 있는 자를 관대하게 처리한다.

程傳

天地解散而成雷雨, 故雷雨作而爲解也, 與明兩而作離語不同. 赦, 釋之, 宥, 寬之. 過失則赦之可也, 罪惡而赦之, 則非義也, 故寬之而已. 君子觀雷雨作解之象, 體其發育, 則施恩仁, 體其解散, 則行寬釋也.

하늘과 땅이 풀리고 흩어져 우레와 비를 이루므로 우레와 비가 일어나 해(解)가 된다. 이 '뇌우작해(雷雨作解)'라는 말은 이(離)괘의 「상전」에서 "밝음이 이어져 둘인 것이 이(離)괘가 된다.[明兩作離]"는 말과 다르다. '사(赦)'는 죄수를 풀어주는 일이고 '유(宥)'는 관대하게 처리하는 것이다. 과실은 사면하는 것이 옳지만 죄악을 사면하면 합당한 의리(義)가 아니므로 관대하게 처리할 뿐이다. 군자(君子)는 우레와 비가 일어나 풀려나는 모습을 관찰하여 그 발육하는 것을 체득하면 은혜와 인(仁)을 시행하고, 그 풀리고 흩어지는 것을 체득하면 관대하게 처리하고 풀어주는 것을 행한다.

集說

● 孔氏穎達曰 : "赦謂放免, 過謂誤失, 宥謂寬宥, 罪謂故犯. 過輕則赦, 罪重則宥, 皆解緩之義也."[1)]

공영달(孔穎達)이 말했다. "사(赦)는 방면하는 것이고 과(過)는 잘못과 실수이고 유(宥)는 관대함이고 죄(罪)는 고의적인 범죄이다. 과오가 가벼우면 방면하고 죄가 무거우면 관대하게 하니 모두 풀어주는 뜻이다."

● 趙氏汝楳曰 : "雷者天之威, 雨者天之澤, 威中有澤, 猶刑獄之有赦宥."[2)]

조여매(趙汝楳)가 말했다. "우레는 하늘의 위엄이고 비는 하늘의 연못이니 위엄 가운데 연못이 있으니 형벌에 사면과 관대함이 있는 것과 같다."

---

1) 공영달(孔穎達), 『주역주소(周易注疏)』 권7.
2) 조여매(趙汝楳), 『주역집문(周易輯聞)』 권4.

剛柔之際, 義無咎也.

굳셈과 부드러움이 교제하는 것이니 의리상 허물이 없다.

程傳

初四相應, 是剛柔相際接也. 剛柔相際, 爲得其宜, 艱旣解而處之剛柔得宜, 其義無咎也.

초육효와 구사효는 서로 호응하니 이것은 굳셈과 부드러움이 서로 교제하고 접촉하는 것이다. 굳셈과 부드러움이 서로 교제하는 것이 마땅함을 얻어서 고난이 해결되고 자처하는 데에 굳셈과 부드러움이 마땅함을 얻으면, 그 의리상 허물이 없다.

集說

● 蔡氏淵曰 : "柔居解初, 而承剛應剛, 得剛柔交際之宜, 難必解矣, 故曰義無咎也."

채연(蔡淵)[3]이 말했다. "부드러움이 풀어짐의 초기에 자리하여 굳

3) 채연(蔡淵, 1156~1236) : 자는 백정(伯靜)이고, 호는 절재(節齋)이다. 송대 건양(建陽 : 현 복건성 건양) 사람으로 채원정의 맏아들이다. 부친의 뜻을 이어 주경야독하여, 특히 『역』에 조예가 깊었고 그에 관한 저술이 많다. 저서는 『주역훈해(周易訓解)』, 『역상의언(易象意言)』, 『괘효사지(卦爻辭旨)』 등이 있다.

셈을 잇고 굳셈과 호응하고 있는데 굳셈과 부드러움이 교제의 마땅함을 얻었으니 고난은 반드시 해결되므로 의리상 허물이 없다고 했다."

案

初本以居最內最後得來復之義, 故無咎. 孔子恐人謂其一無所爲也, 故以從陽補其義, 在後之例, 與遯初同.

초효는 본래 가장 안쪽에 자리하고 있어 와서 회복하는 뜻을 가장 나중에 얻으므로 허물이 없다고 했다. 공자는 사람들이 하나도 하는 바가 없다고 말하는 것을 근심했으므로 양을 따른다고 하여 그 뜻을 보충했으니 나중의 사례에서 둔(遯)괘 초효[4]와 같다.

4) 『주역』「둔(遯)괘」: "초육효는 은둔하는 꼬리이므로, 위태로우니, 함부로 가지 말아야 한다.[初六, 遯尾, 厲, 勿用有攸往.]"라고 하였다.

九二貞吉, 得中道也.

구이효가 올바름을 굳게 지켜 길한 것은 중도를 얻었기 때문이다.

程傳

所謂"貞吉"者, 得其中道也. 除去邪惡, 使其中直之道得行, 乃正而吉也.

"올바르게 하여 길하다"는 것은 중도를 얻었다는 말이다. 간사하고 사악한 사람을 제거하여 알맞고 곧은 도가 행해지도록 하면, 올바르게 되어 길하다.

案

黃者中也, 矢者直也. 人臣之道, 固主乎直, 然直而不中, 則有以嫉惡去邪, 而激成禍亂者多矣. 得中道, 正釋得黃矢之義.

누런색은 알맞음을 말하고 화살은 곧음을 말한다. 신하의 도리는 당연히 곧음을 주로 해야 하지만 곧아서 알맞음을 이루지 못하면 악을 질시하고 사특함을 제거하려고 하여 재앙과 혼란을 격렬하여 이루는 경우가 많다. 중도를 얻었다고 했으니 바로 누런 화살의 뜻을 해석한 것이다.

負且乘, 亦可醜也, 自我致戎, 又誰咎也.

지고 있어야 하는데 타고 있는 것은 추한 일인데, 스스로 도적을 이르게 했으니, 또 누구를 원망할 것인가!

程傳

負荷之人, 而且乘載, 爲可醜惡也. 處非其據, 德不稱其器, 則寇戎之致, 乃己招取, 將誰咎乎? 聖人又於「繫辭」明其致寇之道, 謂作易者其知盜乎! 盜者乘釁而至, 苟無釁隙, 則盜安能犯? 負者小人之事, 乘者君子之器, 以小人而乘君子之器, 非其所能安也, 故盜乘釁而奪之. 小人而居君子之位, 非其所能堪也, 故滿假而陵慢其上, 侵暴其下, 盜則乘其過惡而伐之矣. 伐者, 聲其罪也, 盜, 橫暴而至者也, 貨財而輕慢其藏, 是教誨乎盜使取之也! 女子而夭冶其容, 是教海淫者使暴之也, 小人而乘君子之器, 是招盜使奪之也, 皆自取之之謂也.

짐을 지고 있어야 할 사람인데 수레를 타고 있으니 추악해질 수 있다. 처함이 그 자리가 아니고 덕이 그 기물에 걸맞지 않으면 도적이 이르게 되는데 이는 스스로 자초한 것이니, 누구를 원망하겠는가! 성인이 또 「계사전(繫辭傳)」에서 도적이 이르게 되는 도를 밝히면서 "역을 지은 자는 그 도적을 알 것이다!"[5]라고 했다. 도적은 틈을

5) 『주역』「계사상」: "공자(孔子)께서 말씀하였다. '역(易)을 지은 자는 도적

타고 이르니 틈이 없다면 도적이 어찌 침범할 수 있겠는가?

짐을 지는 것은 소인의 일이고, 타는 수레는 군자의 기물이다. 소인이면서도 군자의 기물을 타는 것은 마음이 편안할 수 있는 일이 아니므로 도적이 틈을 타고서 빼앗는 것이다. 소인이면서 군자의 지위에 자리하면 감당할 수 있는 일이 아니므로 다 안다고 자만하고 모든 것을 할 수 있다고 착각하면서[6] 윗사람을 능멸하고 경시하고 아랫사람을 침해하고 포학하게 대하니 도적이 그 잘못과 악행을 틈타 공격하게 된다. 공격한다는 것은 그 죄를 성토하는 일이고, '도적'이란 무례하고 포악하게 오는 자이다.

이 생기는 이유를 알았을 것이다. 역(易)에 이르기를 '질 것이면서 또 타고 있는지라 도적이 옴을 이룬다' 하였으니, 지는 것은 소인(小人)의 일이요 타는 것은 군자(君子)의 기물(器物)이니, 소인(小人)으로서 군자(君子)의 기물(器物)을 타고 있다. 이 때문에 도적이 빼앗을 것을 생각하며, 윗사람을 소홀히 하고 아랫사람을 사납게 대한다. 이 때문에 도적이 칠 것을 생각하는 것이다. 보관을 허술하게 함이 도적을 가르치며, 모양을 치장함이 간음을 가르치는 것이니, 역(易)에 '질 것이 또 타고 있는지라 도적이 옴을 이룬다' 하였으니, 도적을 불러들이는 것이다.[子曰, 作易者其知盜乎! 易曰, 負且乘, 致寇至. 負也者, 小人之事也, 乘也者, 君子之器也, 小人而乘君子之器, 盜思奪之矣, 上慢下暴, 盜思伐之矣, 慢藏, 誨盜, 冶容, 誨淫, 易曰, 負且乘致寇至, 盜之招也.]"라고 하였다.

6) 다 안다고 자만하고 모든 것을 할 수 있다고 착각하면서 : '만가(滿假)'를 해석한 것이다. 이는 스스로 자만하고 스스로 위대하다고 착각하는 것을 말한다. 『서경』「대우모(大禹謨)」: "나라에서는 부지런하고, 집안에서는 검소하며, 스스로 자만하거나 뽐내지 않았기 때문이었다.[克勤于邦, 克儉于家, 不自滿假.]"라고 하였는데, 공영달(孔穎達)이 『서경주소』에서 "자신이 알지 못하는 것이 없는 것이 스스로 자만하는 것이고, 자신이 하지 못하는 것이 없는 것이 스스로 위대하다는 것이다.[言己無所不知, 是爲自滿, 言己無所不能, 是爲自大.]"라고 하였다.

재화가 있는데 그것을 보관하는 일을 경시하고 소홀히 하면, 이는 도둑에게 가져가도 좋다고 가르치는 것이다. 여자가 그 모습을 요염하게 치장하면 이는 음탕한 자에게 폭행해도 좋다고 가르치는 것이다. 소인으로서 군자의 기물을 타면 이는 도적을 불러 빼앗아 가게 하는 것이니 모두 스스로 자초하는 일임을 말한다.

集說

● 雷氏思曰 : "負且乘, 小人自以爲榮, 而君子所恥, 故可醜, 寇小則爲盜, 大則爲戎, 任使非人, 則變解而蹇, 天下起戎矣."

뇌사(雷思)가 말했다. "지고 있어야 하는데 탄 것은 소인이 스스로 영예롭다고 여기는 것으로 군자는 부끄러워하므로 추할 수 있다. 도적이 작으면 도둑이 되고 크면 오랑캐가 되는데, 맡겨 부리는 것이 그 마땅한 사람이 아니면 풀어준 것이 바뀌어 고난이 되고 천하에 전쟁이 일어난다."

案

雷氏說, 極得此「傳」及「繫傳」之意, 此「傳」所謂致戎, 「繫傳」所謂盜斯伐之, 皆謂有國家者也.

뇌씨의 말이 이 「상전」과 「계사전」의 뜻을 지극히 했다. 이 「상전」에서 말하는 도적을 이르게 한다는 것은 「계사전」에서 말하는 "도적이 빼앗을 것을 생각한다"[7]는 뜻이니 모두 나라와 집안이 있

7) 「계사전」에는 '도사벌지(盜斯伐之)'가 아니라 '도사벌지(盜思伐之)'로 되

는 자이다.

어있다. 『주역』「계사상」: "공자(孔子)께서 말씀하였다. '역(易)을 지은 자는 도적이 생기는 이유를 알았을 것이다. 역(易)에 이르기를 '질 것이면서 또 타고 있는지라 도적이 옴을 이룬다' 하였으니, 지는 것은 소인(小人)의 일이요 타는 것은 군자(君子)의 기물(器物)이니, 소인(小人)으로서 군자(君子)의 기물(器物)을 타고 있다. 이 때문에 도적이 빼앗을 것을 생각하며, 윗사람을 소홀히 하고 아랫사람을 사납게 대한다. 이 때문에 도적이 칠 것을 생각하는 것이다. 보관을 허술하게 함이 도적을 가르치며, 모양을 치장함이 간음을 가르치는 것이니, 역(易)에 '질 것이 또 타고 있는지라 도적이 옴을 이룬다' 하였으니, 도적을 불러들이는 것이다.[子曰, 作易者其知盜乎! 易曰, 負且乘, 致寇至. 負也者, 小人之事也, 乘也者, 君子之器也, 小人而乘君子之器, 盜思奪之矣, 上慢下暴, 盜思伐之矣, 慢藏, 誨盜, 冶容, 誨淫, 易曰, 負且乘致寇至, 盜之招也.]" 라고 하였다.

解而拇, 未當位也.

엄지발가락을 풀어버리는 것은 자리에 마땅하지 않기 때문이다.

程傳

四雖陽剛, 然居陰, 於正疑不足, 若復親比小人, 則其失正必矣, 故戒必解其拇, 然後能來君子, 以其處未當位也. 解者, 本合而離之也, 必解拇而後朋孚. 蓋君子之交, 而小人容於其間, 是與君子之誠未至也.

구사효가 양의 굳셈이지만 음(陰)에 자리하여 정도(正道)에 부족한 점이 있는지를 의심하게 되니, 만일 다시 소인과 친밀하게 관계한다면 정도를 잃을 것이 틀림없다. 그러므로 반드시 그 엄지발가락을 풀어버린 뒤에야 군자를 오게 할 수가 있다고 경계한 것이니 이는 그 처신이 지위에 합당하지 못하기 때문이다.

풀어짐은 본래 합치되었다가 분리되는 것이니, 반드시 엄지발가락을 풀어버린 뒤에야 벗이 신뢰하게 된다. 왜냐하면 군자들끼리 교제하는 데 소인이 그 사이에 끼어드는 것을 허용한다면 이는 군자의 정성이 지극하지 못하기 때문이다.

集說

● 鄭氏汝諧曰 : "四之所自處者不當, 宜小人之所附麗也. 必解去之, 然後孚於其朋. 朋, 剛陽之類. 拇, 在下之陰."[8]

정여해(鄭汝諧)[9]가 말했다. "사효가 자처하는 것이 합당하지 않으니 소인이 붙는 것이 마땅하다. 반드시 그것을 풀어 버린 뒤에야 그 친구의 신뢰를 얻는다. 친구란 굳센 양의 부류이다. 엄지발가락은 아래에 있는 음이다."

案

德非中正, 而應初比三, 故曰未當位.

덕이 중정(中正)하지 않고 초효에 호응하고 삼효에 나란히 하므로 자리가 합당하지 않다고 했다.

8) 정여해(鄭汝諧), 『역익전(易翼傳)』 하경 상(下經 上).

9) 정여해(鄭汝諧, 1126~1205) : 자가 순거(舜擧)이고, 호는 동곡거사(東谷居士)이다. 청전현성(青田縣城) 사람이다. 송나라 소흥(紹興) 27년(1157)에 진사가 되어 건도(乾道) 4년(1168) 양절(兩浙) 전운판관(轉運判官)에 임명되었다. 여러 관직을 거쳐 고향으로 돌아가 석개서원(介石書院)을 세웠다. 개희(開禧) 원년(1205)에 죽었다. 『동곡역익전(東谷易翼傳)』, 『논어의원(論語意源)』, 『동곡집(東谷集)』 등이 있다.

君子有解, 小人退也.

군자가 풀어 없애버리는 일은 소인이 물러나는 것이다.

程傳

君子之所解者, 謂退去小人也, 小人去, 則君子之道行, 是以吉也.

군자가 풀어버리는 일은 소인을 물러나게 해서 없애는 것을 말한다. 소인이 제거되면 군자의 도는 행해지니 그래서 길하다.

集說

● 吳氏曰愼曰 : "君子能有解, 則小人退矣. 小人若未退, 則是君子未能解也, 以小人之退, 驗君子之解. 雖不言有孚, 而有孚之義明矣."

오왈신(吳曰愼)이 말했다. "군자가 풀어버릴 수 있다면 소인은 물러난다. 소인이 만약 물러나지 않으면 군자는 풀어버릴 수 없어 소인의 물러남이 군자의 풀어버림을 증명한다. 믿음이 있다고 말하지 않았지만 믿음이 있다는 뜻이 분명하다."

案

如鄭氏說, 則須云君子果能有解, 則雖小人亦信之, 而回心易行,不待黜抑而自退矣.

정씨[정여해]의 말과 같으니, 반드시 군자가 과감하게 풀어버릴 수 있다면 소인일지라도 또한 믿어서 마음이 바뀌고 편안하여 행하여 축출하지 않고도 스스로 물러난다는 말이다.

公用射隼, 以解悖也.

공이 새매를 쏘아 잡는 일은 혼란을 풀려는 것이다.

程傳

至解終而未解者, 悖亂之大者也. 射之所以解之也, 解則天下平矣.

풀어짐의 끝에 이르렀는데도 아직 해결되지 않은 것은 혼란이 크기 때문이다. 화살로 쏘는 것은 이를 해결하기 위함이니, 이것이 해결되면 세상은 평온하게 된다.

集說

● 吳氏曰愼曰 : "天下之難, 由小人作, 群比如拇, 邪媚如狐, 鷙害如隼. 解拇獲狐射隼而難解矣, 故解卦以去小人爲要義."

오왈신(吳曰愼)이 말했다. "천하의 어려움은 소인으로부터 일어나서 무리짓고 어울리는 것이 발가락과 같고 간사하게 아첨함은 여우와 같고 맹금의 해로움은 매와 같다. 발가락을 풀고 여우를 잡고 매를 화살로 쏘아 잡으면 어려움이 풀어지므로 괘를 해석하여 소인을 제거하는 것을 중요한 뜻으로 삼았다."

案

五以前所解者，但總名之爲小人耳，此則曰“悖”，內亂外亂之別也. 在有虞則共驩者內亂也，三苗者外亂也.

오효 이전에 풀어버리는 것은 소인으로 총괄하여 이름지었을 뿐인데, 여기서는 혼란이라고 말하여 안의 혼란과 밖의 혼란으로 구별했다. 유우(有虞)[10]에서 공환(共驩)이 안의 혼란이고 삼묘(三苗)가 밖의 혼란이다.

10) 유우(有虞) : 유우씨(有虞氏)는 고대의 부락이름이다. 순이 우에게 선양했다.

41. 손損䷨괘

山下有澤, 損, 君子以懲忿窒欲.

산 아래에 연못이 있는 것이 손괘의 모습이니, 군자는 이것을 본받아 분노를 억제하고 욕심을 막는다.

本義

君子修身所當損者, 莫切於此.

군자가 몸을 수양하는 데 마땅히 덜어야 할 것은 이보다 간절한 일이 없다.

程傳

山下有澤, 氣通上潤與深下以增高, 皆損下之象. 君子觀損之象, 以損於己, 在修己之道所當損者, 唯忿與欲, 故以懲戒其忿怒, 窒塞其意欲也.

산 아래에 연못이 있어 기운이 통하여 위로 윤택하게 하고 아래를 깊게 하여 더 높게 하니, 모두 아래를 덜어내는 모습이다. 군자는 덜어내는 모습을 관찰하여 자신에게서 덜어내니 자신을 수양하는 도리에서 덜어내야 마땅한 것은 오직 분노와 욕심이므로 분노를 징계하고 그 욕심을 막는 것이다.

集說

● 虞氏翻曰 : "兌說故懲忿, 艮止故窒欲."[1]

우번(虞翻)[2]이 말했다. "태(兌☱)괘는 기쁨이므로 분노를 징계하고 간(艮☶)괘는 멈춤이므로 욕심을 막는다."

● 孔氏穎達曰 : "懲者, 息其旣往, 窒者, 閉其將來, 懲窒互文而

1) 이정조(李鼎祚), 『주역집해(周易集解)』 권8.

2) 우번(虞翻, 164~233) : 삼국시대 오나라 회계(會稽) 여요(餘姚) 사람으로, 자는 중상(仲翔)이다. 『역(易)』에 밝은 학자이다. 벼슬은 처음에 태수(太守) 왕랑(王郎)의 공조(功曹)가 되고, 나중에 손책(孫策)을 따라 부춘장(富春長)과 기도위(騎都尉) 등을 지냈다. 여몽(呂蒙)이 관우(關羽)를 공격하려고 할 때 자청하여 수행해 임무 수행에 도움을 주었다. 금문맹씨역(今文孟氏易)을 가전(家傳)했다. 『노자』, 『논어』, 『국어(國語)』의 훈주(訓注)와 『역주(易注)』를 지었지만 모두 없어졌다. 정현(鄭玄), 순상(荀爽)과 더불어 역학삼가(易學三家)로 일컬어진다. 저서에 당나라 이정조(李鼎祚)의 『주역집해(周易集解)』에 채록된 것과 청나라 황석(黃奭)의 한학당총서(漢學堂叢書) 및 손당(孫堂)의 한위이십일가역주(漢魏二十一家易注)에 집록된 것이 있다.

相足也."[3]

공영달(孔穎達)이 말했다. "징계하는 것은 이미 간 것을 정지시키는 일이고, 막는 것은 앞으로 올 일을 막는 일이니 징계하고 막는 것은 서로 꾸미고 서로 충족시킨다."

● 楊氏時曰 : "損, 德之修也. 所當損者, 唯忿欲而已. 故九思始於視聽貌言, 終於忿思難, 見得思義者, 以此."

양시(楊時)[4]가 말했다. "덜어냄은 덕의 수양이다. 마땅히 덜어내야 할 것은 분노와 욕심일 뿐이다. 그러므로 구사(九思)[5]에서 보는

3) 공영달(孔穎達), 『주역주소(周易注疏)』 권7.
4) 양시(楊時, 1053~1135) : 자는 중립(中立)이고, 호는 구산(龜山)이며, 시호는 문정(文靖)이다. 북송 검남 장락(劍南將樂 : 현 복건성 장락현) 사람이다. 신종(神宗) 희녕(熙寧) 9년(1076)에 진사에 급제하였지만, 관직에 나가지 않고 10년 동안 칩거하다가 형주교수(荊州敎授), 우간의대부(右諫議大夫), 국자감좨주(國子監祭酒), 공부시랑(工部侍郞), 용도각직학사(龍圖閣直學士) 등을 역임하였다. 정호(程顥)·정이(程頤) 형제에게 사사(師事)했는데, 특히 형 정호의 신임을 받았다. 민학(閩學)의 창시자로서, 유초(游酢), 여대림(呂大臨), 사량좌와 함께 정문사선생(程門四先生)으로 불렸다. 그의 학문 계통에서 주희·장식(張栻)·여조겸(呂祖謙) 등 뛰어난 학자가 많이 배출되었다. 저서에 『구산집(龜山集)』, 『구산어록(龜山語錄)』, 『이정수언(二程粹言)』 등이 있다.
5) 『논어』「계씨」: "군자는 아홉 가지 생각함이 있으니, 봄에는 밝음을 생각하며, 들음에는 귀밝음을 생각하며, 얼굴빛은 온화함을 생각하며, 모양은 공손함을 생각하며, 말은 충실함을 생각하며, 일은 경건함을 생각하며, 의심스러움은 물음을 생각하며, 분함은 어려움을 생각하며, 얻는 것을 보면 의(義)를 생각한다.[孔子曰, 君子有九思, 視思明, 聽思聰, 色思

것, 듣는 것, 용모와 말에서 시작하여 분노는 어려움을 생각하고, 얻는 것을 보면 의로움을 생각한다고 끝나는 것이 이 때문이다."

● 『朱子語類』問:"何以窒欲? 伊川云思, 此莫是欲心一萌, 當思禮義以勝之否."
曰:"然."[6]

『주자어류』에서 물었다. "어떻게 욕심을 막습니까? 이천은 '생각'이라고 했다. 이는 욕심의 싹이 일어나면 마땅히 예(禮)와 의(義)를 생각하여 이겨내라는 말이 아닙니까?"
대답했다. "그렇다."

● 王氏申子曰:"和說則無忿, 知止則無欲, 故曰修德之要也."[7]

왕신자(王申子)가 말했다. "기쁨을 조화롭게하면 분노가 없고 멈춤을 알면 욕심이 없으므로 덕을 수양하는 요체라고 했다."

案

凡「大象」配兩體之德者, 皆先內後外, 故當以虞氏之說爲是, 益象亦然.

「대상전」에서 두 체(體)의 덕을 배치한 것은 모두 안을 먼저하고

溫, 貌思恭, 言思忠, 事思敬, 疑思問, 忿思難, 見得思義.]"라고 하였다.
6) 『주자어류』 97장, 57조목.
7) 왕신자(王申子), 『대역집설(大易緝說)』 권6.

밖을 나중에 했으므로 마땅히 우씨[우번]의 말이 맞으니 익(益)괘의 「상전」도 또한 마찬가지다.

已事遄往, 尙合志也.

일을 마쳤을 때 빨리 가는 것은 위와 뜻이 합하기 때문이다.

本義

尙, 上通.

상(尙)은 상(上)과 통한다.

程傳

"尙", 上也. 時之所崇用爲尙. 初之所尙者, 與上合志也. 四賴於初, 初益於四, 與上合志也.

"상(尙)"은 최상이라는 뜻이니, 어떤 때에 가장 중요하게 쓰임이 최상이다. 초구효에서 최상의 것은 윗사람과 뜻이 합치될 때이다. 육사효가 초구효에 의존하고, 초구효가 육사효를 증진시켜주는 것이 윗사람과 뜻을 합치하는 일이다.

案

『易』例, 初九與六四雖正應, 卻無往從之之義, 在下位不援上也. 唯損初爻言遄往, 而「傳」謂上合志, 蓋當損下益上之時故也.

『역』의 범례는 초구효와 육사효가 올바르게 호응함이지만 오히려 가서 따르는 뜻이 없으니 아래 자리에 있으면서 위를 따르지 않는다. 오직 손괘 초효에서 빨리 간다고 말했고 「상전」에서 위와 뜻이 합치했다고 했으니 마땅히 아래를 덜어 위에 덧붙이는 때이기 때문이다.

九二利貞, 中以爲志也.

구이효의 올바름을 지키는 것이 이로움은 중도를 뜻으로 삼아서 이다.

程傳

九居二, 非正也, 處說, 非剛也, 而得中爲善. 若守其中德, 何有不善? 豈有中而不正者? 豈有中而有過者? 二所謂利貞, 謂以中爲志也, 志存乎中, 則自正矣. 大率中重於正, 中則正矣, 正不必中也, 能守中則有益於上矣.

구(九)가 이(二)의 위치에 자리한 것은 올바름이 아니고 기쁨에 처한 것은 굳셈이 아니지만 중도를 얻었기 때문에 착함이 된다. 그 중도의 덕을 지키면 어찌 착하지 않음이 있겠는가? 어찌 중도를 지키면서 올바르지 않는 경우가 있겠는가? 어찌 중도를 지키면서 지나친 경우가 있겠는가? 구이효가 올바름을 지킴이 이롭다고 하는 것은 중도를 뜻으로 삼은 말이니, 뜻이 중도에 있으면 저절로 올바르게 된다. 대체로 중도(中道)는 올바름보다 중요하고, 중도(中道)를 지키면 올바르지만 올바르다고 해서 반드시 중도를 이룬 것은 아니다. 중도를 지킬 줄 안다면 윗사람에게 덧붙여 줄 수 있다.

集說

● 孔氏穎達曰 : “言九二所以能居而守貞, 不損益之, 良由居中.

以中爲志, 故損益得其節適也."[8]

공영달(孔穎達)이 말했다. "구이효가 자리하여 올바름을 지켜 덧붙임에 손해나지 않을 수 있는 것은 가운데 자리했기 때문이다. 중도를 뜻으로 삼았으므로 덜어내고 덧붙이는 데 그 절도와 적당함을 얻었다."

● 王氏宗傳曰:"順從爲事, 則在己者所損多矣! 以道自守, 乃所以益之, 故曰九二利貞, 中以爲志也. 中以爲志, 則在己者無失, 而益上之實, 亦無出諸此."

왕종전(王宗傳)이 말했다. "순종함을 일삼으니 자신에게서 덜어내는 것이 많다! 도리로 스스로 지키는 것이 덧붙이는 일이므로 구이효는 올바름을 지키는 것이 이로우니 중도를 뜻으로 삼는다. 중도로 뜻을 삼으면 자신에게서 잃는 것이 없으므로 위에 덧붙여 주는 실제 또한 여기서 벗어나지 않는다."

8) 공영달(孔穎達), 『주역주소(周易注疏)』 권7.

一人行, 三則疑也.

한 사람이 간다는 것은 셋이면 의심하기 때문이다.

程傳

一人行而得一人, 乃得友也. 若三人行, 則疑所與矣, 理當損去其一人, 損其餘也.

한 사람이 가면서 한 사람을 얻으면 벗을 얻는 것이다. 만약 세 사람이 간다면 함께 하는 것을 의심하게 되어, 이치상 마땅히 한 사람을 덜어내야 하니 남는 것을 덜어내는 일이다.

案

自二以上, 皆可以三概之, 不必正三人也. 季文子三思, 南容三復之類.

이효로부터 그 이상은 모두 3으로 개괄할 수 있으니 반드시 세 사람을 바로잡을 필요는 없다. 계문자(季文子)가 세 번 생각했다[9]는 것이나 남용(南容)이 시를 세 번 반복했다[10]는 부류이다.

9) 『논어』「공야장」: "계문자(季文子)가 세 번 생각한 뒤에야 행하였다. 공자가 이 말을 듣고 말했다. '두 번이면 가하다.'[季文子三思而後行, 子聞之, 曰再斯可矣.]"라고 하였다.

10) 『논어』「선진」: "남용(南容)이 백규(白圭)란 내용의 시(詩)를 세 번 반복해 외우니, 공자가 그 형님의 딸을 그에게 시집보내셨다.[南容, 三復白圭, 孔子以其兄之子, 妻之.]"라고 하였다.

損其疾, 亦可喜也.
그 병을 덜어내니, 또한 기뻐할 만하다

程傳

損其所疾, 固可喜也. 云"亦", 發語辭.

그 병을 덜어내는 것은 진실로 기뻐할 만한 일이다. '또한[亦]'이라고 말한 것은 발어사이다.

集說

● 項氏安世曰 : "能不吝其疾, 自損以受之, 使合志者得效其忠, 豈非可喜之事哉?"[11]

항안세(項安世)가 말했다. "그 병을 부끄러워하지 않을 수 있다면 스스로 덜어내 주어 뜻을 합치하는 자는 그 충심을 본받으니 어찌 기뻐할 만한 일이 아니겠는가?"

案

『易』多言有喜, 而此「傳」云"亦可喜也", 則此喜不主己身, 乃主

11) 항안세(項安世), 『주역완사(周易玩辭)』 권8.

於使遄來而益我者有喜, 故變文曰“可喜”者, 他人之辭也.

『역』에서 기쁨이 있다고 많이 말했고, 이 「상전」에서 “또한 기뻐할 만하다”고 했으니, 이 기쁨은 자기 몸을 위주로 하는 것이 아니라 오게 하여 나를 유익하게 하는 자가 기쁨이 있다는 점을 위주로 했다. 그러므로 문장을 바꾸어 “기뻐할 만하다”고 했으니 다른 사람의 말이다.

六五元吉, 自上祐也.

육오효의 크게 길함은 하늘이 도와주는 것이다.

程傳

所以得元吉者, 以其能盡衆人之見, 合天地之理, 故自上天降之福祐也.

크게 길함을 얻을 수 있는 근거는 여러 사람들의 의견을 취합하여 최선을 다할 수 있어, 천지(天地)의 이치에 부합하기 때문이므로, 상천(上天)이 복을 내려주는 것이다.

案

自上祐, 以爲正釋龜筮弗違亦可, 然觀益二言朋龜不違, 下又云"享於帝, 吉", 則帝者, 又百神之主也, 故此"上祐", 亦是言天心克享, 人神不能違也.

하늘이 도와주는 것은 거북점도 어기지 못한다는 뜻을 해석한 말로 보면 또한 좋다. 그러나 익(益)괘 육이효에서 "친구와 거북점이 어기지 않는다"[12]고 말했고, 또 아래에서 "상제(上帝)에게 제사하더

12) 『주역』「익(益)괘」: "육이효는 간혹 덧 붙여줄 일이 있으면, 열 명의 벗이 도와주는 것이다. 거북일지라도 이를 어길 수가 없으나, 오래도록 올바

라도 길하다"고 했으니, 상제는 모든 신 가운데 중심이다. 그러므로 "하늘이 도와준다"는 것 또한 하늘의 마음으로 제사하면 인신(人神)도 어길 수 없다는 말이다.

름을 굳게 지키면 길하니, 왕(王)이 상제(上帝)에게 제사하더라도, 길하다.[六二, 或益之, 十朋之. 龜弗克違, 永貞吉, 王用享于帝, 吉.]"라고 하였다.

弗損益之, 大得志也.
덜어내지 않고 보태줌은 크게 뜻을 얻는 것이다

程傳

居上不損下而反益之, 是君子大得行其志也, 君子之志, 唯在益於人而已.

위의 자리에 있으면서 아랫사람을 덜어내지 않고 오히려 보태주면 이는 군자가 그 뜻을 크게 이루는 것이다. 군자의 뜻은 오직 타인을 덧붙여 주는 것에 있을 뿐이다.

42. 익益䷩괘

風雷益, 君子以見善則遷, 有過則改.

바람과 우레가 익괘의 모습이니, 군자는 이를 본받아 좋은 것을 보면 즉시 실천하고, 허물이 있으면 바로 고친다.

本義

風雷之勢, 交相助益, 遷善改過, 益之大者, 而其相益亦猶是也.

바람과 우레의 형세가 서로 도와주고 보태주니 착함에 옮겨가고 허물을 고침은 보태줌이 큰 것이지만 서로 보태줌이 또한 이와 같다.

程傳

風烈則雷迅, 雷激則風怒, 二物相益者也. 君子觀風雷相益之象, 而求益於己. 爲益之道, 無若見善則遷, 有過則改也, 見善能遷, 則可以盡天下之善, 有過能改, 則無過矣. 益於人者, 無大於是.

바람이 맹렬하면 우레는 빠르고 우레가 격렬하면 바람은 거세지니 둘은 서로 보태주는 것이다. 군자는 바람과 우레가 서로 보태주는 모습을 관찰하여 자신을 유익하게 하는 방도를 구한다. 자신을 유익하게 하는 방도에서 착한 일을 보면 즉시 실천하고 허물이 있으면 바로 고치는 일보다 좋은 것은 없다. 착한 일을 보고 즉시 실천할 수 있다면, 세상의 착함을 다할 수 있고 허물이 있을 때 바로 고칠 수 있으면 허물이 없게 된다. 사람들에게 유익함이 이보다 큰 것은 없다.

集說

● 王氏弼曰 : "遷善改過, 益莫大焉."[1]

왕필(王弼)이 말했다. "착함으로 옮기고 허물을 고치는 일을 두고, 유익함이 이보다 큰 것은 없다."

● 胡氏炳文曰 : "雷與風自有相益之勢, 速於遷善, 則過當益寡, 決於改過, 則善當益純, 是遷善改過, 又自有相益之功也."[2]

호병문(胡炳文)[3]이 말했다. "우레와 바람은 원래 서로 보태주는 형

1) 왕필(王弼), 『주역주(周易註)』 권4.

2) 호병문(胡炳文), 『주역본의통석(周易本義通釋)』 권4.

3) 호병문(胡炳文, 1250~1333) : 원나라 휘주(徽州) 무원(婺源) 사람으로 자는 중호(仲虎)이고, 호는 운봉(雲峰)이다. 주희(朱熹)의 종손(宗孫)에게 『주역』과 『서경』을 배워 주자학에 잠심했으며, 특히 『주역』에 뛰어났다. 신주(信州) 도일서원(道一書院) 산장(山長)을 지내고, 난계주학정

세이니 착함으로 옮기는 데 신속하면 과실은 당연히 더욱 적어지고 과실을 고치는 데 신속하면 착함은 당연히 더욱 순해지니 착함으로 옮기고 과실을 고치는 것 또한 원래 서로 유익하게 하는 공이 있다."

● 蔣氏悌生曰:"風雷相益, 迅速不遲, 君子法之, 見善則卽遷, 知過必速改, 不可猶豫."

장제생(蔣悌生)[4]이 말했다. "바람과 우레는 서로 보태주어 신속하면서 지체하지 않는다. 군자는 그것을 본받아 착함을 보면 즉시 옮기고 과실을 알면 반드시 빨리 고치니 유예할 수 없다."

● 何氏楷曰:"咸言速, 心之德通於虛也. 不損不虛. 懲忿窒欲, 損之又損, 致虛以復其爲咸. 恒言久, 心之德凝於實也. 不益不實. 遷善改過, 益之又益, 充實而成其爲恒."[5]

하해(何楷)[6]가 말했다. "함(咸)괘는 속(速)이라고 말하니[7] 마음의

(蘭溪州學正)이 되었는데, 나가지 않았다. 저서에 『주역본의통석(周易本義通釋)』과 『서집해(書集解)』, 『춘추집해(春秋集解)』, 『예서찬술(禮書纂述)』, 『사서통(四書通)』, 『대학지장도(大學指掌圖)』, 『오경회의(五經會義)』, 『이아운어(爾雅韻語)』 등이 있다.

4) 장제생(蔣悌生): 명나라 복건(福建) 복녕(福寧) 사람으로 자는 인숙(仁叔)이다. 홍무(洪武) 연간에 명경(明經)으로 천거되어 복주훈도(福州訓導)를 지냈다. 저서에 『오경려측(五經蠡測)』이 있다.
5) 하해(何楷), 『고주역정고(古周易訂詁)』 권4.
6) 하해(何楷): 자는 현자(玄子)이고 호는 황여(黃如)이다. 명말청초 때 장주 진해위(漳州鎭海衛: 현 복건성 용해시〈龍海市〉) 사람이다. 천계(天

덕은 허(虛)와 통한다.[8] 덜어내지 않으면 텅 비지 않는다. 분노를 징계하고 욕심을 막는 데, 덜어내고 또 덜어내니 텅 빔에 이르러 다시 함(咸)이 된다. 항(恒)괘는 구(久)라고 하니[9] 마음의 덕은 실(實)에서 응집된다. 보태지 않으면 알차지 않는다. 착함으로 옮기고 과오를 고치는 데 보태고 또 보태니 충실하여 그 항(恒)을 이룬다."

案

雷者動陽氣者也, 故人心奮發而勇於善者如之, 風者散陰氣者也, 故人心蕩滌以消其惡者如之.

우레는 양기(陽氣)를 움직이는 것이므로 사람의 마음을 분발하여 착함에 용감한 것이 이와 같고, 바람은 음기(陰氣)를 발산하는 것이므로 사람의 마음을 쓸어 버려 악함을 해소하는 것이 이와 같다.

啓) 5년(1625)에 진사에 급제하여 벼슬은 호부주사(戶部主事), 공과급사중(工科給事中), 호부상서(戶部尙書) 등을 역임했다. 직언과 직간으로 유명했는데, 말년에 정성공(鄭成功)의 부친인 정지룡(鄭芝龍)과 뜻이 어긋나서 사직하고 귀향했다. 저서에는 『고주역정고(古周易訂詁)』, 『시경세본고의(詩經世本古義)』 등이 있다.

7) 『주역』「잡괘전」: "함은 속이다.[咸速也]"라고 하였다.

8) 『주역』「함(咸)괘」「상전」: "산 위에 연못이 있는 것이 함괘의 모습이니, 군자는 이것을 본받아 마음을 텅 비워 타인의 마음을 받아들인다.[象曰, 山上有澤, 咸, 君子以虛受人.]"라고 하였다.

9) 『주역』「잡괘전」: "항은 구이다.[恒久也]"라고 하였다.

元吉無咎, 下不厚事也.

크게 길해야 허물이 없는 것은 아래에 있는 자가 중대한 일을 할 수 없기 때문이다.

本義

下本不當任厚事, 故不如是, 不足以塞咎也.

아래에 있는 자는 본래 두텁게 해 주는 일을 맡아서는 안 되므로 이와 같지 않으면 허물을 막을 수 없다.

程傳

在下者本不當處厚事. "厚事", 重大之事也. 以爲在上所任, 所以當大事, 必能濟大事, 而致元吉, 乃爲無咎. 能致元吉, 則在上者任之爲知人, 己當之爲勝任. 不然, 則上下皆有咎也.

아래에 있는 자가 두텁게 해주는 일을 처리하는 것은 본래 합당하지 않다. '후사(厚事)'는 중대한 일이다. 윗사람에게 신임을 얻어 큰 일을 담당했으니 반드시 큰 일을 해결하여 크게 길함에 이르러야 허물이 없다. 크게 길함을 이룰 수 있다면 윗사람이 큰 일을 위임할 때 사람을 제대로 알아보고 맡긴 것이고, 자신이 그 일을 담당한 것은 그 임무를 감당할 수 있어서다. 그렇지 않다면 윗사람과 아랫사람 모두에게 허물이 있게 된다.

集說

● 鄭氏汝諧曰 : "得益者非以是而自私也, 故損之上, '利有攸往, 得臣無家', 益之初, '利用爲大作'. '爲大作'者, 當爲大益之事也. 然在下而爲大益之事, 位未崇也, 誠未孚也, 必元吉然後無咎, 以其位非厚事之地也."[10]

정여해(鄭汝諧)가 말했다. "이로움 얻은 자는 옳음으로 자신만이 사사롭지 않으므로 손(損)괘의 상구효는 '나아가면 이로우니, 신하를 얻는 데 자기 집안에만 국한되지는 않을 것이다'[11]라고 했고 익(益)괘의 초구효는 '큰 일을 일으키는 것이 이롭다'[12]라고 했다. 큰 일을 일으키는 것은 마땅히 크게 이로운 일이다. 그러나 아래에 있는 사람이 크게 이로운 일을 하는 데 지위가 높지 않고 진심이 신임을 받지 못하여 반드시 크게 길한 뒤에 허물이 없으니 그 지위가 중대한 일의 자리가 아니기 때문이다."

● 『朱子語類』云 : "利用大作, 「象」曰, '下不厚事也'. 自此推之, 則凡居下者, 不當厚事. 如子之於父, 臣之於君, 僚屬之於官長, 皆不可以踰分越職. 縱可爲, 亦須是盡善, 方能無過, 所以有元吉无咎之戒也."[13]

---

10) 정여해(鄭汝諧), 『역익전(易翼傳)』 하경 상(下經 上).

11) 『주역』「손(損)괘」: "상구효는 덜어내지 않고 보태주면, 허물이 없고, 올바름을 지켜 길하다. 나아가면 이로우니, 신하를 얻는 데 자기 집안에만 국한되지는 않을 것이다.[上九, 弗損益之, 无咎, 貞吉. 利有攸往, 得臣无家.]"라고 하였다.

12) 『주역』「익(益)괘」: "초구효는 큰 일을 일으키는 것이 이로우니, 크게 길해야, 허물이 없다.[初九, 利用爲大作, 元吉, 无咎.]"라고 하였다.

『주자어류』에서 말했다. "큰일을 일으켜야 이롭다는 말에 대해 「상전」에서는 '아래 자리에서 중대한 일을 해서는 안 된다'고 했다. 이로부터 추론해보면 아래에 자리한 자는 중대한 일에 합당하지 않다. 예를 들어 자식이 부모에게, 신하가 군주에게 부속된 하급관리가 장관에게 모두 본분과 직분을 뛰어넘을 수 없다. 설령 할 수 있어도 또한 반드시 최선을 다해야만 허물이 없을 수 있으니, 그래서 크게 길해야 허물이 없다는 경계가 있다."

13) 『주자어류』 75권, 62조목.

或益之, 自外來也.

간혹 보태준다는 말은 밖으로부터 오는 것이다.

本義

'或'者, 衆無定主之辭.

'혹(或)'이란 여러 사람이어서 정해진 주체가 없는 말이다.

程傳

旣中正虛中, 能受天下之善而固守, 則有有益之事, 衆人自外來益之矣. 或曰自外來, 豈非謂五乎? 曰如二之中正虛中, 天下孰不願益之? 五爲正應, 固在其中矣.

중정(中正)을 이루었고 마음을 비워 천하의 착함을 받아들여 굳게 지킬 수 있다면 유익하게 하는 일이 있게 되어 많은 사람들이 밖에서 와서 도움을 준다. 어떤 사람이 "밖으로부터 왔다는 것이 어찌 구오효를 말하는 것이 아니겠습니까?"라고 물었다. 답하겠다. 육이효와 같이 중정을 이루고 마음을 비운다면 세상에 어떤 사람인들 도움을 주려고 하지 않겠는가? 구오효는 올바르게 호응하는 관계이니 당연히 그런 사람들 가운데 있는 것이다.

集說

● 孔氏穎達曰 : "自外來者, 明益之者從外而來, 不召而至也."[14]

공영달(孔穎達)이 말했다. "밖으로부터 왔다는 것은 보탬을 주는 자가 밖에서 왔음을 밝힌 말이니 초대하지 않았는데 이른 것이다."

● 楊氏簡曰 : "'或益之, 自外來也', 亦猶損六五之或益之, 自上祐也, 皆言本無求益之意, 而益自至也. 曰自外來, 言非中心之所期, 自外而至也."[15]

양간(楊簡)[16]이 말했다. "'간혹 보태주는 것은 밖으로부터 오는 일이다'는 것 또한 손(損)괘 육오효의 간혹 보태준다는 것은 하늘이 도와주는 일이라고 한 것과 같으니 모두 본래 유익함을 구하려는 의도가 없는데도 유익함이 저절로 이른 것이다. 밖으로부터 왔다고 말한 것은 마음속에 기대한 것이 아닌데 밖에서 이른 것을 말한다."

14) 공영달(孔穎達), 『주역주소(周易注疏)』 권7.

15) 양간(楊簡), 『양씨역전(楊氏易傳)』 권12.

16) 양간(楊簡, 1141~1226) : 자는 경중(敬仲)이고, 호는 자호선생(慈湖先生)이며, 시호는 문원(文元)이다. 남송 명주 자계(明州慈溪 : 현 절강성 영파시〈寧波市〉) 사람으로 양정현(楊庭顯)의 아들이다. 효종(孝宗) 건도(乾道) 5년(1169)에 진사에 급제하여 부양주부(富陽主簿)에 올랐다. 이때 육구연(陸九淵)을 스승으로 섬겨 육씨심학파(陸氏心學派)의 대표적 인물이 되었다. 원섭(袁燮), 서린(舒璘), 심환(沈煥) 등과 함께 녹상사선생(甬上四先生), 사명사선생(四明四先生)으로 일컬어졌다. 육구연의 심학을 우주의 만물(萬物), 만상(萬象), 만변(萬變)이 모두 자신에게 속해 있다는 유아론(唯我論)으로 발전시켰다. 저서에 『자호시전(慈湖詩傳)』, 『양씨역전(楊氏易傳)』, 『계폐(啓蔽)』, 『선성대훈(先聖大訓)』, 『오고해(五誥解)』, 『자호유서(慈湖遺書)』 등이 있다.

益用凶事, 固有之也.

유익한 일을 흉한 일에 쓰는 것은 굳게 지키고 있었기 때문이다.

本義

益用凶事, 欲其困心衡慮而固有之也.

유익한 일을 흉한 일에 쓰는 것은 마음을 곤궁하게 하고 생각을 거슬리게 하여 견고히 간직하려는 뜻이다.

程傳

六三益之獨可用於凶事者, 以其固有之也, 謂專固自任其事也. 居下當稟承於上, 乃專任其事, 唯救民之凶災, 拯時之艱急, 則可也, 乃處急難變故之權宜, 故得無咎, 若平時則不可也.

육삼효가 유익하게 하는 일을 오직 흉한 일에 사용할 수 있는 것은 견고히 간직하기 때문이다. 이는 오로지 그 일을 자임한다는 말이다. 아래에 자리하면 마땅히 윗사람에게 물어 명령을 받들어야 하는데 일을 하면서 명령을 받지 않고 떠맡아 처리하는 것은 오직 백성의 흉한 재난을 구제하는 것과 시급한 어려움을 구원하는 일일 때만 옳다. 이것이 바로 시급한 어려움과 변고를 처리하는 권도(權道)의 마땅함이므로 허물이 없을 수 있으니, 평상시라면 옳지 않다.

集說

● 龔氏煥曰 : "益之以凶事, 雖曰災自外來, 而己乃受益, 乃其己分之所固有者, 非自外來也."

공환(龔煥)[17]이 말했다. "흉한 일로 유익하게 하는 데 '재난은 밖에서 오는 것이다'[18]라고 했지만 자신은 유익함을 받으니, 자기 몫의 고유한 영역은 밖에서 오는 것이 아니다."

17) 공환(龔煥) : 자는 유문(幼文)이고, 천봉선생(泉峯先生)이라고 불렸다. 원(元)대 임천(臨川)사람이다. 요응중(饒應中)에게 사사하여 본체를 밝히고 실천에 옮기는 데 힘썼다. 당시 아직 과거제도가 시행되지 못했는데, 시행되면 반드시 정자와 주자의 학문을 법식으로 삼아야 한다고 주장했다. 과연 뒤에 그의 말대로 시행되었다.

18) 정이천, 『역전』「복(復)괘」 상육효 : "'천재와 재앙이 있다'라는 말에서 '재(災)'는 천재(天災)로서 외부로부터 오는 것이고 '생(眚)'은 자신의 허물로서 스스로 만드는 것이다.[有災眚, 災, 天災, 自外來, 眚, 己過, 由自作.]"라고 하였다.

告公從, 以益志也.

공에게 충고하여 따르게 함은 세상을 유익하게 하려는 뜻이다.

程傳

爻辭但云, 得中行, 則告公而獲從. 「象」復明之曰, 告公而獲從者, 告之以益天下之志也. 志苟在於益天下, 上必信而從之. 事君者不患上之不從, 患其志之不誠也.

효사(爻辭)에서는 다만 중도를 행하여 얻으면 공에게 충고하여 따르게 한다고 했다. 「상전」에서는 다시 밝혀 공(公)에게 충고하여 따르게 하는 것은 천하를 유익하게 하려는 뜻을 가지고 충고했기 때문이라고 했다. 뜻이 진실로 천하를 유익하게 하려는 데 있으면 윗사람은 반드시 신뢰하여 그것을 따른다. 군주를 섬기는 자는 윗사람이 자신의 말을 따르지 않음을 걱정할 것이 아니라, 자신의 뜻이 진실한지 아닌지를 걱정해야 한다.

集說

● 龔氏煥曰 : "六四之告公, 以益民爲志, 故得見從也."

공환(龔煥)이 말했다. "육사효가 공에게 알리는 것은 백성을 유익하게 하는 일을 뜻으로 삼았으므로 따르게 한다."

有孚惠心, 勿問之矣, 惠我德, 大得志也.
마음속에 진실로 은혜를 베풀려는 마음이 있으니 물을 것이 없고, 나의 덕을 은혜롭게 여기니 뜻을 크게 이룬 것이다.

程傳

人君有至誠惠益天下之心, 其元吉不假言也, 故云勿問之矣. 天下至誠懷吾德以爲惠, 是其道大行, 人君之志得矣.

군주가 지극히 성실함으로 천하에 은혜를 주고 유익하게 하려는 마음이 있다면 크게 길할 것은 말할 필요가 없으므로, 물을 것이 없다고 했다. 천하 사람들이 지극히 성실함으로 나의 덕을 은혜롭게 여기면 이는 그 도(道)가 크게 시행되어 군주의 뜻을 얻은 것이다.

集說

● 崔氏憬曰 : "損上之時, 一以損己爲念, 雖有孚惠心及下, 終不言以彰已功, 故曰有孚惠心, 勿問. 問, 猶言也. 如是獲元吉, 且爲下所信而懷己德, 故曰有孚惠我德. 君雖不言, 人惠其德, 則我大得志也."[19]

최경(崔憬)[20]이 말했다. "위에서 덜어낼 때 한결같이 자기를 덜어

19) 이정조(李鼎祚), 『주역집해(周易集解)』 권8.

내는 것을 염두에 두고 진실로 은혜를 베풀려는 마음이 아래에 미쳤지만 결국 자신의 공이 빛났다고 말하지 않았으므로 마음속에 진실로 은혜를 베풀려는 마음이 있으니 물을 것이 없다고 했다. 묻는다는 것은 말한다는 뜻이다. 이와 같이 해서 크게 길함을 얻고 또 아래 사람들이 신임하여 자신의 덕을 마음에 품고 있으므로 진실로 나의 덕을 은혜롭게 여긴다고 말했다. 군주가 말하지 않더라도 사람들이 그 덕을 은혜롭게 여기면 내가 뜻을 크게 얻은 것이다."

● 張氏振淵曰 : "惠出於心, 又何問焉! 大得志, 非以民之惠我爲得志, 以我足以致民惠我爲得志也."

장진연(張振淵)이 말했다. "은혜는 마음에서 나오니 또 어찌 물을 것인가! 뜻을 크게 얻으니 백성이 나를 은혜롭게 여기는 일이 뜻을 얻은 것이 아니라 내가 충분하도록 백성이 나를 은혜롭게 여기게 하는 일이 뜻을 얻는 것이다."

---

20) 최경(崔憬) : 당(唐)대 역학가로서 그 생졸연대는 공영달의 뒤 이정조(李鼎祚)의 앞이다. 그의 역학은 역상(易象)과 역수(易數)를 중시하여, 왕필(王弼)의 『주역주(周易注)』를 묵수하지 않고 의리와 상수를 함께 다루었다. 순상(荀爽) · 우번(虞翻) · 마융(馬融) · 정현(鄭玄)의 역학에도 조예가 깊었다. 공영달의 『주역정의(周易正義)』가 관학으로서 학계를 지배할 때 그의 역학은 독창적으로 새로운 의의가 있다고 칭송되었으며, 특히 이정조(李鼎祚)에게 추앙받았다. 이로써 그의 역학은 한(漢)대 역학에서 송(宋)대 역학으로 옮겨가는 선구가 되었다고 평가받는다. 저작으로는 『주역탐현(周易探玄)』이 있었다고 하는데 전해지지 않고, 이정조(李鼎祚)의 『주역집해(周易集解)』에 그의 주장이 많이 보인다.

莫益之, 偏辭也, 或擊之, 自外來也.

유익하게 해주는 이가 없는 것은 편벽되었다는 말이고, 간혹 공격해 옴은 밖으로부터 오는 것이다.

本義

"莫益之"者, 猶從其求益之偏辭而言也. 若究而言之, 則又有擊之者矣.

유익하게 해주는 이가 없음은 유익함을 구하는 편벽된 말을 따라 말한 것이다. 만일 끝까지 다하여 말한다면 또 공격하는 자가 있는 것이다.

程傳

理者天下之至公, 利者衆人所同欲. 苟公其心, 不失其正理, 則與衆同利, 无侵於人, 人亦欲與之. 若切於好利, 蔽於自私, 求自益以損於人, 則人亦與之力爭, 故莫肯益之, 而有擊奪之者矣. 云莫益之者, 非有偏己之辭也. 苟不偏己, 合於公道, 則人亦益之, 何爲擊之乎? 旣求益於人, 至於甚極, 則人皆惡而欲攻之, 故擊之者自外來也. 人爲善, 則千里之外應之. 六二中正虛己, 益之者自外而至, 是也. 苟爲不善, 則千里之外違之. 上九求益之極, 擊之者自外而至, 是也.

이치[理]란 세상에서 지극히 공명정대한 것이고, 이익[利]은 모든 사람들이 동일하게 욕구하는 것이다. 만일 그 마음을 공정하게 하여 그 정리(正理)를 잃지 않으면 세상 사람들과 함께 이익을 같이 하여 남을 침해하는 일이 없으니 사람들도 함께 나누려 한다. 이익을 좋아하는 것이 간절하여 자신의 사사로움에 눈이 멀고, 자신의 이익을 구하려고 하여 타인에게 손해를 끼친다면, 사람들도 힘을 다해 경쟁할 것이므로 그런 사람에게 유익하게 해주려는 자는 없고 오히려 공격하는 자만이 있게 된다.
"유익하게 해 주는 이가 없다"고 말한 것은 자신에게 치우치게 편벽된 것을 비난하는 말이다. 만일 자신에게 치우치지 않고 공도(公道)에 부합하게 행한다면 사람들도 그를 유익하게 해줄 것이니 어찌 공격하겠는가? 남에게서 이익을 구하여, 극심한 지경에까지 이르면 사람들이 모두 미워하여 공격하려고 하므로 공격하는 것은 밖으로부터 오는 것이다.
사람이 선행을 하면 천리의 밖에서도 호응한다. 육이효가 중정(中正)의 덕을 이루고 마음을 비웠기 때문에 유익하게 해주려는 자가 밖으로부터 이르는 것이 바로 이를 말한다. 착하지 않은 행동을 하면 천리 밖일지라도 떠나간다. 상구효가 극단적으로 자신의 이익을 구하려 하여 공격하는 자가 밖으로부터 이르는 것이 바로 이를 말한다.

「繫辭」曰, "君子安其身而後動, 易其心而後語, 定其交而後求, 君子修此三者故全也. 危以動, 則民不與也, 懼以語, 則民不應也, 无交而求, 則民不與也. 莫之與, 則傷之者至矣. 『易』曰, 莫益之, 或擊之, 立心勿恒, 凶." 君子言動與求, 皆以

其道, 乃完善也, 不然, 則取傷而凶矣.

「계사전」에서 말하였다. "군자는 자신의 몸을 안정시킨 후에 움직이며 마음을 편안하게 한 후에 말하며 사람들과의 친밀한 교제를 안정시킨 후에 다른 것을 구하니, 군자는 이 세 가지를 수양하기 때문에 온전한 삶을 이룬다. 위태로우면서 행하려고 하면 백성이 함께 하지 않고 두려워하면서 말하면 백성들이 호응하지 않고 친밀한 교제를 안정시키지 않고 다른 것을 구하려고 하면 백성들은 주려고 하지 않는다. 백성들이 함께 하지 않으면 손상을 입히려는 자가 모여들 것이다. 『역』에서 말하기를 '유익하게 해주는 이가 없고, 어떤 이는 공격한다. 마음을 세우는 데 욕심을 지속시키지 말아야 하니, 흉하다'고 했다." 군자는 말하고 행하며 주고 구하는 데 모두 그 도리로 해야 완전히 착한 것이니 그렇지 않으면 손상을 입어 흉하게 된다.

集說

● 胡氏炳文曰 : "二不求益而或益之, 自外來也, 上求益而或擊之, 亦自外來也, 孰有以來之? 五之吉, 由中心之有孚, 上之凶, 由立心之勿恒, 吉凶之道, 未有不自心生者."[21]

호병문(胡炳文)이 말했다. "구이효는 유익함을 구하지 않았는데 간혹 유익한 것은 밖에서 온 것이고, 상육효는 이익을 구하려다 간혹 공격을 당한 것 또한 밖에서 온 것이니 누가 오게 했는가? 오효의

21) 호병문(胡炳文), 『주역본의통석(周易本義通釋)』 권4.

길함은 마음속에 진실함으로부터 왔고 상효의 흉함은 마음을 세움에 항상 하지 말라는 것으로부터 왔으니 길흉의 도는 마음으로부터 생겨나지 않음이 없다."

43. 쾌夬䷪괘

澤上於天, 夬, 君子以施祿及下, 居德則忌.

연못이 하늘로 올라가는 것이 쾌괘의 모습이니 군자는 이것을 본받아 봉록을 베풀어 아래에 미치게 하고 덕에 자리하여 금기사항을 제도로 만든다.

本義

澤上於天, 潰決之勢也, 施祿及下, 潰決之意也. 居德則忌未詳.

연못이 하늘로 올라가는 것은 터지는 형세이고 봉록을 베풀어 아래에 미침은 터지는 뜻이다. '거덕칙기(居德則忌)'의 뜻은 상세하지 않다.

程傳

澤, 水之聚也, 而上於天至高之處, 故爲夬象. 君子觀澤決於上而注漑於下之象, 則以施祿及下, 謂施其祿澤以及於下也.

觀其決潰之象, 則以居德則忌. 居德, 謂安處其德. 則, 約也. 忌, 防也. 謂約立防禁, 有防禁則無潰散也, 王弼作"明忌", 亦通. 不云澤在天上, 而云澤上於天, 上於天, 則意不安而有決潰之勢, 雲在天上, 乃安辭也.

연못은 물이 모인 것인데 지극히 높은 하늘에까지 올라가므로 터져 내리는 모습이다. 군자가 연못이 위에서 터져 흘러내려 아래에 물을 대주는 모습을 관찰하면 봉록을 베풀어 아래에 미치게 하니, 봉록과 은택을 베풀어 아래에 미치게 한다는 것을 말한다. 물이 터져 흘러내리는 모습을 관찰하면, 덕(德)에 자리하여 금기 사항을 제도로 만든다. 덕에 자리한다는 말은 그 덕에 편안히 처하는 것이다. '칙(則)'은 규약이고 '기(忌)'는 예방하는 것이다. 예방과 금지를 세우는 일이니 예방과 금지가 있으면 터져 흩어지는 것이 없게 된다. 왕필(王弼)은 "금기를 분명하게 밝힌다"는 의미로 해석했으니, 또한 통한다. 연못이 하늘 위에 있다고 말하지 않고, 연못이 하늘에 올라간다고 한 것은 하늘에 올라간다고 말하면 그 의미가 불안하여 터져 무너져 내리는 형세가 있지만, 하늘 위에 있다고 말하면 바로 안정되는 뜻이기 때문이다.

案

澤上於天, 所謂稽天之浸也, 必潰決無疑矣. 財聚而不散則悖出, 故"君子以施祿及下". 居身無所畏忌, 則滿而溢, 故君子之聚德也, 則常存畏忌而已. 『禮』曰, 積而能散. 『書』曰, 敬忌而罔有擇言在躬. 夫如是, 則何潰決之患之有.

연못이 하늘 위로 올라가는 것은 '하늘에까지 이른다'[1]는 홍수이니 반드시 무너져 내림이 틀림없다. 재물이 모여 흩어지지 않으면 어그러지게 나오므로 군자는 봉록을 베풀어 아래에 미친다. 몸을 두는 곳에 두려움과 금기가 없으면 오만하여 넘쳐흐르므로 군자가 덕을 모으면 항상 두려움과 금기를 보존할 뿐이다. 『예기(禮記)』에서 "쌓고서 흩어질 수 있다"[2]고 했고 『서경』에서 "공경하고 조심하여 가릴 말이 몸이 있지 않게 한다"[3]고 했다. 이와 같으면 무너져 내릴 근심이 어찌 있겠는가?

1) 『장자(莊子)』「소요유(逍遙游)」: "큰 홍수가 나서 하늘까지 잠길 지경인데도 빠지지 않는다.[大浸稽天而不溺.]"라고 하였다.

2) 『예기』「곡례상」.

3) 『서경』「주서·여형」: "옥(獄)을 맡은 자는 위엄을 부리는 권력가에게만 법을 다할 것이 아니라, 뇌물을 주는 부자(富者)에게도 다해야 하니, 공경하고 조심하여 가릴 말이 몸에 있지 않게 하고 하늘의 덕을 간직할 수 있어야 스스로 큰 명(命)을 만들어 짝하여 누려 아래에 있을 것이다. [典獄, 非訖于威, 惟訖于富, 敬忌, 罔有擇言在身, 惟克天德. 自作元命, 配享在下.]"라고 하였다.

不勝而往, 咎也.

이길 수 없는데도 가는 것이 허물이다

程傳

人之行, 必度其事可爲, 然後決之, 則無過矣. 理不能勝而且往, 其咎可知, 凡行而有咎者, 皆決之過也.

사람이 어떤 일을 행할 때 반드시 그 일이 할 만한 일인지를 헤아린 다음에 과감하게 터 나가면 허물이 없다. 그러나 이치상으로 이길 수 없는데도 나아간다면 그 허물을 알 만하다. 나아가 허물이 있는 것은 모두 터 나감이 지나쳐서이다.

集說

● 王氏申子曰 : "謂非往之爲咎, 不能度其可勝而後往之爲咎也."[4]

왕신자(王申子)가 말했다. "가는 것이 허물이 아니라 이길 수 있는 일을 헤아린 뒤에 갈 수 없는 것이 허물이 된다는 말이다."

● 谷氏家杰曰 : "夬之道, 其危乃光, 勝心不可有也, 況不勝而往乎."

4) 왕신자(王申子), 『대역집설(大易緝說)』 권7.

곡가걸(谷家杰)이 말했다. "쾌괘의 도는 그 위태로움이 마침내 크게 빛나니[5] 이기려는 마음이 없을 수 없지만 하물며 이기지 못하는데 가는 것에 있어서랴!"

5) 『주역』「쾌(夬)괘」「단전」: "믿음을 가지고 명령하여 위험이 있음을 알게 한다는 말은 그 위태로움이 마침내 크게 빛나는 것이다.[孚號有厲, 其危乃光也.]"라고 하였다.

有戎勿恤, 得中道也.

적병이 있더라도 걱정할 것이 없는 것은 중도를 얻었기 때문이다.

程傳

暮夜有兵戎, 可懼之甚也, 然可勿恤者, 以自處之善也, 旣得中道, 又知惕懼, 且有戒備, 何事之足恤也. 九居二雖得中, 然非正, 其爲至善何也? 曰, 陽決陰, 君子決小人而得中, 豈有不正也? 知時識勢, 學『易』之大方也.

늦은 밤에 적군이 있다면 매우 두려워할 만한 일이지만 걱정할 것이 없는 것은 스스로 착하게 처신했기 때문이다. 중도(中道)를 얻었고, 또 두려워할 줄을 알며 경계하고 대비한 것이 있으니 무슨 일을 근심할 필요가 있겠는가? 구(九)가 이(二)에 자리하여 중도를 얻었지만 올바름은 아닌데, 지극히 착함이 되는 것은 어째서인가? 대답했다. 양이 음을 척결하는 것은 군자가 소인을 척결하는 일인데 중도를 얻었으니, 어찌하여 바르지 않음이 있겠는가? 때를 알고 형세를 파악하는 것이 『역』을 공부하는 큰 방도이다.

集說

● 張子曰 : "能得中道, 故剛而不暴."[6]

6) 장재(張載), 『횡거역설(橫渠易說)』 권2.

장자(張子 : 張載)가 말했다. "중도를 얻을 수 있으므로 굳세지만 포악하지 않다."

● 蘇氏軾曰 : "能靜而不忘警, 能警而不用, 得中道矣. 與大壯九二貞吉同, 故皆稱其得中."[7)]

소식(蘇軾)이 말했다. "고요할 수 있으면 경계를 잊지 않고 경계할 수 있으면 쓰지 않아 중도를 얻는다. 대장(大壯)괘 구이효에서 올바름을 지켜 길하다는[8)] 말과 같으므로 모두 중도를 얻었다고 일컬었다."

案

有戎勿恤者, 謂不輕於卽戎也. 此所以爲得中道.

적병이 있더라도 걱정할 일이 없는 것은 전쟁에 나가는 것[9)]보다 가볍지 않음을 말한다. 이것이 중도를 얻은 근거이다.

---

7) 소식(蘇軾), 『동파역전(東坡易傳)』 권5.

8) 『주역』「대장(大壯)괘」: "구이효는 올바름을 굳게 지켜 길하다.[九二, 貞吉.]"라고 하였다.

9) 『주역』「쾌(夬)괘」: "자신의 읍(邑)으로부터 통고하고, 전쟁에 나아감은 이롭지 않으며, 나가는 것이 이롭다.[告自邑, 不利卽戎, 利有攸往.]"라고 하였다.

君子夬夬, 終无咎也.

군자는 척결함을 과감하게 하여 끝내 허물이 없다.

程傳

牽梏於私好, 由無決也. 君子義之與比, 決於當決, 故終不至於有咎也.

사사롭게 좋아하는 사안에 이끌려 얽매이는 것은 과감하게 결단함이 없기 때문이다. 군자는 마땅한 의리를 따를 뿐이니,[10] 마땅히 결단해야할 때 과감하게 결단하므로 결국 허물이 있는 지경에 이르지 않는다.

集說

● 黃氏淳耀曰: "終對始言之, 始雖若濡有慍, 終必決去而無咎也."

황순요(黃淳耀)가 말했다. "끝은 시작과 대비해서 말한 것이니 시작이 비록 젖는 듯하여 노여워함이 있어도 끝에는 반드시 척결하여 허물이 없다."

10) 마땅한 의리를 따를 뿐이니: '의지여비(義之與比)'를 해석한 말이다. 『논어』「이인」: "군자는 세상일에 관해서는 가까이 할 것도 없고, 멀리 할 것도 없다. 오로지 의(義)에 따를 뿐이다.[君子之於天下也, 無適也, 無莫也, 義之與比.]"라고 하였다.

其行次且, 位不當也, 聞言不信, 聰不明也.

나아감을 머뭇거리는 것은 자리가 합당하지 않은 것이고, 말을 들어도 믿지 않음은 귀가 밝지 못한 것이다.

程傳

九處陰, 位不當也, 以陽居柔, 失其剛決, 故不能強進, 其行次且. 剛然後能明, 處柔則遷, 失其正性, 豈復有明也? 故聞言而不能信者, 蓋其聰聽之不明也.

구(九)가 음에 처한 것은 자리가 합당하지 않은 것이고, 양(陽)으로 부드러움에 자리한 것은 굳센 결단을 잃은 것이므로 강하게 나아갈 수 없으니, 그 나아감을 머뭇거리는 것이다. 굳센 후에야 현명할 수 있다. 부드러움에 처하면 바꾸어서 그 올바른 본성을 잃으니, 어찌 다시 현명함이 있겠는가? 그러므로 말을 듣고도 믿지 않는 것은 총명하게 듣는 것이 밝지 못하기 때문이다.

案

四與陰尙隔, 位不當者. 借爻位以明四之未當事任, 而欲次且前進之非宜也.

사(四)는 음(陰)과 여전히 떨어져 있으니 자리가 합당하지 않은 자이다. 효의 위치를 빌려 사효가 일을 담당하기에 합당하지 않고 나아가려고 하지만 나아감이 마땅하지 않음을 밝혔다.

中行無咎, 中未光也.
알맞게 행하여 허물이 없지만 중도(中道)는 크게 빛나지 못한다.

本義

『程傳』備矣.

『정전』에 갖추었다.

程傳

卦辭言"夬夬", 則於中行爲無咎矣, 「象」復盡其義云中未光也. 夫人心正意誠, 乃能極中正之道, 而充實光輝. 五心有所比, 以義之不可而決之. 雖行於外, 不失中正之義, 可以無咎, 然於中道未得爲光大也, 蓋人心一有所欲, 則離道矣, 夫子於此, 示人之意深矣!

괘사(卦辭)에서 "과감하게 끊듯이 하면" 알맞게 행하여 허물이 없다고 했는데, 「상전」에서 다시 그 뜻을 완전하게 표현하여 "중도는 크게 빛나지 못한다"고 했다. 사람은 마음이 올바르고 뜻이 진실해야 중정(中正)의 도를 극진하게 하여 가득 차서 무르익어 겉으로 빛날 수 있다.[11] 오효의 마음속에 상육효와 친밀하게 지내려는 의도가

11) 가득 차서 무르익어 겉으로 빛날 수 있다.: '충실광휘(充實光輝)를 해석

있으니 마땅한 의리에 옳지 않아서 척결한다. 밖에서 행하는 데 중정(中正)의 뜻을 잃지 않아 허물이 없을 수 있지만, 중도(中道)에 있어서는 크게 빛나지 못하게 된다. 사람의 마음은 하나라도 욕심내는 것이 있으면 도에서 벗어나게 되니 공자가 여기에서 사람에게 보여준 뜻이 깊다.

集說

● 張子曰 : "陽近於陰, 不能無累, 故必正其行, 然後免咎."[12]

장자(張子 : 張載)가 말했다. "양이 음과 가까우면 얽매이지 않을 수 없으므로 반드시 그 행함을 바르게 한 뒤에 허물을 면한다."

● 趙氏汝楳曰 : "它卦貴於中行, 此爻乃止於無咎, 其亦體兌之說, 溺於上而致然乎. 故於中爲未光也."[13]

조여매(趙汝楳)가 말했다. "다른 괘에서는 알맞게 행함을 귀하게

한 말이다. 『맹자』「진심하」 : "바랄만한 것을 선이라 하고, 그것이 자신의 내면에 축적된 것을 신뢰라 하고, 그것이 가득 차 무르익은 것을 아름다움이라하고, 내면에 가득 차 무르익어 겉으로 빛을 내는 것을 위대하다고 하고, 위대하여 많은 사람을 변화시키는 것을 성스러움이라 하고, 성스러우면서 어떤 사람인지 알 수가 없는 것을 신묘하다고 한다.[可欲之謂善, 有諸己之謂信, 充實之謂美, 充實而有光輝之謂大, 大而化之之謂聖, 聖而不可知之之謂神.]"라고 하였다.

12) 장재(張載), 『횡거역설(橫渠易說)』 권2.

13) 조여매(趙汝楳), 『주역집문(周易輯聞)』 권5.

여기는 데 이 효는 단지 허물이 없는 데 머물렀다. 그 또한 본체가 태(兌☱)괘의 기쁨이어서 상효에 빠져 이른 것이리라. 그러므로 중도에서는 크게 빛나지 못했다."

案

張子之說極是. 蓋因中未光, 故貴於中行, 非謂雖中行而猶未光也.

장자의 말이 매우 옳다. 중도가 크게 빛나지 못했으므로 알맞음의 행함을 귀하게 여기는 것이지, 알맞음의 행함일지라도 크게 빛나지 못했음을 말하는 것이 아니기 때문이다.

無號之凶, 終不可長也.

울부짖어도 소용없는 흉함은 결국 오래 지속할 수 없다.

程傳

陽剛君子之道, 進而益盛, 小人之道, 旣已窮極, 自然消亡, 豈復能長久乎? 雖號咷無以爲也, 故云"終不可長也". 先儒以卦中有孚號·惕號, 欲以無號爲無號作去聲, 謂無用更加號令, 非也. 一卦中適有兩去聲字一平聲字何害, 而讀『易』者, 率皆疑之, 或曰, 聖人之於天下, 雖大惡未嘗必絕之也, 今直使之無號, 謂必有凶可乎. 曰, 夬者, 小人之道, 消亡之時也, 決去小人之道, 豈必盡誅之乎! 使之變革, 乃小人之道亡也, 道亡乃其凶也.

양의 굳센 군자의 도는 나아가 더욱 성대하고 소인의 도는 궁지의 극한에 몰려 저절로 사라지게 되었으니, 어찌 다시 오래 지속하겠는가? 비록 울부짖으나 어찌할 수 없으므로 "결국에는 오래 지속할 수 없다"라고 했다. 이전의 유학자들은 괘 가운데 괘사인 '믿음을 가지고 명령한다'는 뜻인 '부호(孚號)'[14]와 '두려워하고 호령한다'는 뜻인 '척호(惕號)'[15]가 있다고 하여, "울부짖어도 소용없다"는 '무호

14) 부호(孚號) : 『주역』「쾌(夬)괘」「괘사」: "결단은 왕王의 조정(朝廷)에서 드러내는 것이니, 믿음을 가지고 명령하여 위험이 있음을 알게 한다.[夬, 揚于王庭, 孚號有厲.]"라고 하였다.

(无號)'를 거성(去聲)으로 읽어, "다시 호령을 해도 소용없다"는 뜻으로 해석하니, 잘못이다. 한 괘 가운데 거성(去聲)에 해당하는 글자가 두 개 있고, 평성(平聲)의 글자가 한 개 있는 것이 어찌 문제되겠는가? 그러나 『역』을 읽는 자들이 모두 이것을 의심한다.
성인이 세상일을 처리하는 데 크나큰 악이 있을지라도, 반드시 끊어 없앤 적이 없는데, 지금은 곧바로 울부짖어도 소용없다고 하고 반드시 흉함에 있다고 한 말은 옳은 것인가? 답하겠다. 척결을 뜻하는 쾌괘는 소인의 도가 소멸되어 없어지는 때이니, 소인을 제거하는 도가 어찌 반드시 모두 주벌하여 없애는 것이겠는가? 변혁하게 하면 이는 바로 소인의 도가 없어지게 하는 것이니, 도가 없어지는 것이 바로 그들의 흉함이다.

15) 척호(惕號): 『주역』「쾌(夬)괘」: "구이효는 두려워하고 호령하는 것이니, 늦은 밤에 적군이 있더라도, 걱정할 것이 없다.[九二, 惕號, 莫夜有戎, 勿恤.]"라고 하였다.

44. 구姤☰괘

天下有風, 姤, 後以施命誥四方.

하늘 아래에 바람이 부는 것이 구괘의 모습이니, 군주는 이것을 본받아 명령을 시행하여 사방에 알린다.

程傳

風行天下, 无所不周, 爲君后者, 觀其周徧之象, 以施其命令, 周誥四方也. 風行地上, 與天下有風, 皆爲周徧庶物之象, 而行於地上, 徧觸萬物, 則爲觀, 經歷觀省之象也, 行於天下, 周徧四方, 則爲姤, 施發命令之象也. 諸「象」, 或稱先王, 或稱后, 或稱君子大人. 稱先王者, 先王所以立法制建國, 作樂省方, 勅法閉關, 育物享帝皆是也. 稱后者, 后王之所爲也, 財成天地之道, 施命誥四方是也. 君子則上下之通稱, 大人者, 王公之通稱.

바람이 하늘 아래에서 부는 데 두루 미치지 않는 곳이 없으니 군주가 된 자는 그 두루 미치는 모습을 관찰하고 그 명령을 시행하여 사방에 두루 알린다. “바람이 땅 위에서 부는 것”[1]과 “하늘 아래에서 바람이 부는 것”은 모든 사물에 두루두루 미치는 모습이지만, 땅 위에서 불어 만물을 두루 접촉하면 관(觀)괘가 되니 두루 다니면서 관찰하고 살피는 모습이고, 하늘 아래에서 불어 사방에 두루두루 미치는 것은 구(姤)괘가 되니 명령을 시행하는 모습이 된다.

「상전」에서 어떤 경우는 ‘선왕(先王)’이라 하고 어떤 경우는 ‘후(后)’라 하고 어떤 경우는 ‘군자(君子)’나 ‘대인(大人)’이라 했다. ‘선왕’이라고 한 것은 선왕은 법제(法制)를 세우고, “나라를 세우기” 때문이다.[2] 예를 들어 예(豫)괘의 “음악을 만든다”[3], 관(觀)괘의 “지방을 살핀다”[4], 서합(噬嗑)괘의 “법을 신칙한다”[5], 복(復)괘의 “관문을 닫는다”[6], 무망(無妄)괘의 “만물을 양육한다”[7], 환(渙)괘의 “상제에게 제사 드린다”[8]는 것이 모두 이 뜻이다. ‘후’라고 한 것은 후왕(后王)이 하는 것이니, 예를 들어 태(泰)괘의 “천지의 도를 마름질하여 이룬다”[9], 구(姤)괘의 “명령을 시행하고 사방에 알린다.”[10]는 것이

1) 『주역』「관(觀)괘」「상전」: “바람이 땅 위에서 부는 것이 관괘의 모습이니, 선왕은 이를 본받아 지방을 순행하여 백성을 보고 가르침을 베푼다. [風行地上, 觀, 先王以省方觀民, 設敎.]”라고 하였다.
2) 『주역』「비(比)괘」「상전」: “象曰, 地上有水, 比, 先王以建萬國, 親諸侯.”
3) 『주역』「예(豫)괘」「상전」: “象曰, 雷出地奮, 豫, 先王以作樂崇德, 殷薦之上帝, 以配祖考.”
4) 『주역』「관(觀)괘」「상전」: “象曰, 風行地上, 觀, 先王以省方觀民設敎.”
5) 『주역』「서합(噬嗑)괘」「상전」: “象曰, 雷電, 噬嗑, 先王以明罰勅法.”
6) 『주역』「복(復)괘」「상전」: “象曰, 雷在地中, 復, 先王以至日閉關, 商旅不行, 后不省方.”
7) 『주역』「무망(无妄)괘」「상전」: “象曰, 天下雷行, 物與无妄, 先王以茂對時育萬物.”
8) 『주역』「환(渙)괘」「상전」: “象曰, 風行水上, 渙, 先王以享于帝立廟.”

이 말이다. '군자'는 위와 아래를 통칭하는 것이고 '대인'은 왕공(王公)의 통칭이다.

集說

● 龔氏煥曰："天下有風, 姤, 與風行地上, 觀相似, 故在姤則曰施命誥四方, 在觀則曰省方觀民設教, 曰施曰誥, 自上而下, 天下有風之象也, 曰省曰觀, 周歷遍覽, 風行地上之象也."

공환(龔煥)이 말했다. "하늘 아래 바람이 부는 구(姤)괘와 바람이 땅 위에서 부는 관(觀)괘는 유사하므로 구괘에서는 '명령을 시행하여 사방(四方)에 알린다'고 했고 관괘에서는 '지방을 순행하여 백성을 보고 가르침을 베푼다'고 했다. 시행한다고 하고 알린다고 하는 것은 위에서 아래로 향하니 하늘 아래 바람이 부는 모습이고, 살피고 본다고 했으니 두루 다니며 널리 보니 바람이 땅 위에서 부는 모습이다.

案

巽之申命, 因有積弊而振飭之也. 姤之施命, 與巽正同. 蓋在三畫之卦爲巽者, 在六畫之卦卽爲姤也. 施命·申命, 所以消隱慝, 除積弊, 法風之吹散伏陰也.

9) 『주역』「태(泰)괘」「상전」："象曰, 天地交, 泰, 后以財成天地之道, 輔相天地之宜, 以左右民."
10) 『주역』「구(姤)괘」「상전」："象曰, 天下有風, 姤, 后以施命誥四方."

손(巽)괘의 "명령을 거듭한다"[11]는 것은 누적된 폐단이 있어 진작시키고 신칙하는 것이다. 구(姤)괘의 명령을 시행한다는 것과 손괘는 같다. 3획의 괘에서 손(巽☴)괘가 6획의 괘에서는 구(姤䷫)이기 때문이다. 명령을 시행하고 명령을 거듭함은 은닉된 것을 없애고 누적된 폐단을 없애는 일이니 바람이 잠복한 음을 불어 날리는 일을 본받은 것이다.

---

11) 『주역』「손(巽)괘」「상전」: "잇따르는 바람이 손괘의 모습이니, 군자는 이것을 본받아 명령을 거듭하고 정치적인 일을 행한다.[隨風巽, 君子以申命行事.]"라고 하였다.

繫于金柅, 柔道牽也.

쇠고동목에 매어 놓는 것은 부드러운 도가 끌고 나아가기 때문이다.

本義

牽, 進也, 以其進, 故止之.

견(牽)은 나아감이니, 나아가기 때문에 멈추게 한 것이다.

程傳

牽者, 引而進也. 陰始生而漸進, 柔道方牽也. 系之於金柅, 所以止其進也. 不使進, 則不能消正道, 乃貞吉也.

견(牽)은 끌고 나아간다는 말이다. 음이 처음에 생겨나 점차로 나아가는 것은 부드러운 도가 끌고 나아가는 것이다. 쇠고동목에 매어 놓는 것은 그 나아감을 저지하는 일이다. 나아가지 못하게 하면 정도(正道)가 소멸될 수 없으니 이는 올바름을 굳게 지키는 것이 길하다.

集說

● 孔氏穎達曰 : "柔道牽者, 陰柔之道, 必須有所牽繫也."[12]

공영달(孔穎達)이 말했다. "부드러운 도가 끌고 나가는 것은 음의 부드러운 도가 반드시 끌고 나가는 것이 있다는 뜻이다."

● 鄭氏汝諧曰 : "此羸豖也, 力雖微而其志則蹢躅, 唯信其蹢躅, 則不可不有所牽制, 故曰柔道牽也."[13]

정여해(鄭汝諧)가 말했다. "이 여린 돼지는 힘이 비록 미약하지만 그 뜻은 날뛰고 싶어 하니, 오직 날뛰고 싶어 하는 것을 믿으면 끌고 가서 제어하지 않을 수 없다. 그러므로 부드러운 도가 끌고간다고 했다."

● 趙氏汝棋曰 : "姤之初言繫言牽, 惡陰之長而止之也."[14]

조여매(趙汝棋)가 말했다. "구괘의 초효에서 묶고 끈다고 말했으니 음이 자라나는 것을 미워해서 멈추게 하였다."

12) 공영달(孔穎達), 『주역주소(周易注疏)』 권8.
13) 정여해(鄭汝諧), 『역익전(易翼傳)』 하경 상(下經 上)
14) 조여매(趙汝楳), 『주역집문(周易輯聞)』 권5.

包有魚, 義不及賓也.

꾸러미에 있는 물고기는 의리상 손님에게 미칠 수 없는 것이다

程傳

二之遇初, 不可使有二於外, 當如包苴之有魚, 包苴之魚, 義不及於賓客也.

구이효가 초육효를 만나는 데 밖에 두 마음이 있게 해서는 안 되니 마치 꾸러미에 물고기를 잡아놓는 것처럼 해야만 하고, 꾸러미에 잡은 물고기는 의리상 손님에게 미칠 수가 없는 것이다.

集說

● 吳氏曰愼曰: "九二旣包有魚, 則當盡其防制之責, 以義言之, 不可使遇於賓也, 若不制而使遇於賓, 則失其義矣."

오왈신(吳曰愼)이 말했다. "구이효는 꾸러미에 있는 물고기이니 마땅히 그 방비하고 제어하는 책무를 다해야 하지만 의리로 말하면 손님을 만나게 할 수는 없다. 만약 제어하지 않고 손님을 만나게 하면 그 마땅함을 잃는다."

其行次且, 行未牽也.

나아감을 머뭇거리는 일은 나아감을 재촉하지 않는 것이다.

程傳

其始志在求遇於初, 故其行遲遲. 未牽, 不促其行也, 旣知危而改之, 故未至於大咎也.

그 처음에는 뜻이 초육효를 만나기를 구했으므로 그 나아감이 더딘 것이다. '미견(未牽)'은 나아감을 재촉하지 않는 것이니 위태로움을 알고 고쳤기 때문에 큰 허물에 이르지 않는다.

集說

● 郭氏雍曰 : "無膚·次且之厲, 蓋未嘗牽勉, 而妄行焉, 是以至此."[15)]

곽옹(郭雍)이 말했다. "살이 없고 머뭇거리는 위태로움은 억지로 이끌려 망령되이 행하지 않은 적이 없어 여기에 이른다."

案

『易』中言牽者, 自小畜至此, 皆當爲牽制之義.

15) 곽옹(郭雍), 『곽씨전가역설(郭氏傳家易說)』 권5.

『역』 가운데 끌린다고 말한 것은 소축(小畜)괘에서 이 괘에 이르기까지 모두 마땅히 이끌어 제지한다는 뜻이다.

無魚之凶, 遠民也.
물고기가 없는 것의 흉함은 백성이 멀리하기 때문이다

本義

民之去己, 猶己遠之.

백성이 자기를 떠나감은 자기가 멀리한 것과 같다.

程傳

下之離, 由己致之. 遠民者, 己遠之也, 爲上者有以使之離也.

아랫사람이 떠나가는 것은 자신 때문에 자초한 일이다. 백성이 멀리한다는 것은 자신이 멀리했기 때문이니, 윗사람이 백성을 떠가가도록 만들었다.

集說

● 余氏本曰 : "言其使民失道, 無以結民之心, 致民之去己, 由己之遠乎民也."

여본(余本)[16]이 말했다. "백성이 도를 잃게 하여 백성의 마음을 묶지 못하고 백성이 자신을 떠나게 하는 것은 자신이 백성을 멀리했기 때문이다."

案

九四因與陰相應, 故惡而欲遠之, 正如夬三壯於頄之意, 徒欲遠之而不能容之制之. 此所以包無魚也. 君子之於小人也, 唯其能容之, 是以能制之, 不能容之, 則彼自絶矣. 欲以力制, 不亦難乎? 『書』曰民可近, 不可下, 此之謂也.

구사효는 음효와 서로 호응하므로 미워하여 멀리하려고 하니, 마치 쾌(夬)괘의 광대뼈에서 강건하다는[17] 뜻과 같아 멀리하려고 하지만 포용하고 제지할 수 없는 것과 같다. 이것이 꾸러미에 물고기가 없는 것이다.
군자는 소인에 대해 오직 포용할 수 있으니, 그래서 제지할 수 있어 포용할 수 없다면 저들은 저절로 끊어진다. 힘으로 제어하려고 하면 또한 어렵지 않은가? 『서경』에서 "백성은 가까이 할지언정 얕잡아보아서는 안 된다"[18]고 했으니 이것을 말한다.

---

16) 여본(余本) : 여자화(余子華)이다.

17) 『주역』「쾌(夬)괘」: "구삼효는 광대뼈에서 강건하여 흉함이 있다. 군자는 제거함을 과감하게 하고, 홀로 가서 비를 만나니, 젖는 듯해서, 노여워함이 있으면, 허물이 없다.[九三, 壯于頄, 有凶, 君子夬夬, 獨行遇雨, 若濡, 有慍, 无咎.]"라고 하였다.

18) 『서경』「하서·오자지가」: "그 첫 번째는 다음과 같다. '황조(皇祖)께서 교훈을 남기시니, 「백성은 가까이 할지언정 얕잡아보아서는 안 된다. 백성은 나라의 근본이니, 근본이 견고하여야 나라가 튼튼하다.」 하셨다.[其一曰, 皇祖有訓, 民可近, 不可下. 民惟邦本, 本固, 邦寧.]"라고 하였다.

九五含章, 中正也, 有隕自天, 志不舍命也.

구오효가 아름다운 빛깔을 머금은 것은 중정의 덕을 말하고, 떨어짐이 하늘로부터 있는 것은 뜻이 천명(天命)을 버리지 않았기 때문이다.

程傳

所謂含章, 謂其含蘊中正之德也. 德充實, 則成章而有輝光. 命, 天理也. 舍, 違也. 至誠中正, 屈己求賢, 存志合於天理. 所以有隕自天, 必得之矣.

이른바 '함장(含章)'은 중정(中正)의 덕을 마음속에 품고 있는 것을 말한다. 그 덕이 마음속에 가득 차서 진실하면 빛깔을 이루어 밝게 빛난다. '명(命)'은 천리(天理)이다. "버린다"고 한 '사(舍)'는 어기는 것이다. 지극히 성실하고 중정(中正)으로 스스로를 굽혀 현자를 구하여 그 뜻을 보존하되 천리에 부합한다. 그래서 하늘로부터 복이 떨어지니, 반드시 얻을 것이다.

集說

● 蘇氏軾曰 : "陰長而消陽, 天之命也, 有以勝之, 人之志也, 君子不以命廢志, 故九五之志堅, 則必有自天而隕者, 言人之至者, 天不能勝也."[19]

---

19) 소식(蘇軾), 『동파역전(東坡易傳)』 권5.

소식(蘇軾)이 말했다. "음이 자라나고 양이 소멸되는 것이 하늘의 명령이지만 그것을 이길 수 있는 것은 사람의 뜻이다. 군자는 명령으로 뜻을 없애지 않으므로 구오효의 뜻이 견고하면 반드시 하늘로부터 복이 떨어진다는 것은 사람이 지극하면 하늘이 이길 수 없다는 말이다."

● 楊氏啟新曰: "陰陽迭勝, 天運自然, 而心心念念, 不舍天命, 以靜制之, 此所以挽回造化也."

양계신(楊啟新)이 말했다. "음양이 번갈아 우세한 것은 하늘의 운행에서 자연스러움이지만, 마음은 천명을 버리지 않고 고요함으로 제지하니 이것이 조화(造化)를 만회하는 일이다."

案

『詩』云"桑之落矣, 其黃而隕", 故有隕自天, 謂天時旣至而瓜隕也. 雖天命之必然, 亦由君子積誠修德, 與之符會, 故曰"志不舍命".

『시경』에서 "뽕잎이 떨어지니 누렇게 되어 떨어지도다"[20]라고 했으

20) 『시경』「국풍·위(衛)·맹(氓)」: "뽕잎이 떨어지니 누렇게 되어 떨어지도다. 내 그대의 집에 시집간 뒤로 삼년 동안 가난하게 살았노라. 기수(淇水)가 넘실넘실 흐르니 수레의 휘장을 적시도다. 여자가 잘못한 것이 아니라 남자가 행실을 이랬다 저랬다 해서이니라. 남자가 기준이 없으니 그 마음을 이랬다 저랬다 하도다.[桑之落矣, 其黃而隕. 自我徂爾, 三歲食貧. 淇水湯湯, 漸車帷裳. 女也不爽, 士貳其行. 士也罔極, 二三其德.]"라고 하였다.

므로 떨어짐이 하늘로부터 온다는 말은 천시(天時)가 이르러 오이가 떨어진다는 말이다. 천명의 필연일지라도 또한 군자가 정성을 쌓고 덕을 닦아 그것과 맞아떨어지므로 "뜻은 천명을 버리지 않았다"고 했다.

姤其角, 上窮吝也.

그 뿔에서 만남은 위에서 궁지에 몰려 유감이 있는 것이다.

程傳

旣處窮上, 剛亦極亦, 是上窮而致吝也. 以剛極居高而求遇, 不亦難乎.

끝의 윗자리에 처했고 굳셈 또한 극한에 이르렀으니, 이는 위에서 궁지에 몰려 유감이 있게 된 것이다. 지극히 강한 태도로 높은 위치에 자리하면서 만남을 구하니, 또한 어렵지 않겠는가?

案

不與陰遇雖無咎, 然君子終以不能濟時爲可羞, 爲其身在事外, 所處之窮故爾.

음과 만나지 않아 허물이 없더라도 군자는 결국 그 때를 구제할 수 없는 데 대해 부끄러워하니 그 몸이 일 밖에 있어 처지가 곤궁하기 때문이다.

45. 췌萃䷬괘

澤上於地, 萃, 君子以除戎器, 戒不虞.

연못이 땅 위에 올라가 있는 것이 췌괘의 모습이니, 군자는 이 모습을 본받아 병기를 수리하여, 예측하지 못하는 일들을 경계한다.

本義

除者, 修而聚之之謂.

제(除)는 수리하여 모은다는 말이다.

程傳

澤上於地, 爲萃聚之象, 君子觀萃象, 以除治戎器, 用戒備於不虞. 凡物之萃, 則有不虞度之事, 故衆聚則有爭, 物聚則有奪. 大率旣聚則多故矣, 故觀萃象而戒也. 除, 謂簡治也, 去弊惡也. 除而聚之, 所以戒不虞也.

연못이 땅 위에 올라가 있는 것이 모이는 모습이니, 군자는 모이는 모습을 관찰하여, 병기를 수리하고 예측하지 못할 일들을 대비한다. 사물들이 모이면 예측하지 못하는 일들이 있게 마련이므로 많은 사람들이 모이면 다툼이 있고 재물이 모이면 빼앗으려고 한다. 대체로 모이면 사고가 많으므로 췌괘의 모습을 관찰하여 경계하는 것이다.
'제(除)'는 점검하고 수리하는 일이니, 폐단과 나쁜 것을 제거하는 것이다. 병기를 수리하여 모으는 것은 예측하지 못하는 일들을 경계하기 위해서이다.

集說

● 王氏弼曰 : "聚而無防, 則衆生心."[1)]

왕필(王弼)이 말했다. "모이는 데도 방비가 없으면 여러 마음이 생긴다."

● 『朱子語類』云 : "大凡物聚衆盛處, 必有爭, 故當豫爲之備. 又澤本當在地中, 今卻上於地上, 是水盛有潰決奔突之憂, 故取象如此."[2)]

『주자어류』에서 말했다. "대개 만물이 모여 그 무리가 성대해진 곳은 반드시 다툼이 있으므로 마땅히 미리 대비해야 한다. 또 연못은

1) 왕필(王弼), 『주역주(周易註)』 권5.
2) 『주자어류』 72권, 126조목.

본래 땅 속에 있는 것인데 지금 도리어 땅에서 위로 올라가면 물이 불어나고 터져 넘치는 근심이 있게 되므로, 이와 같이 상(象)을 취한 것이다.

● 王氏申子曰："澤上有地, 臨, 則聚澤者地岸也, 澤上於地, 萃, 則聚澤者隄防也. 以地岸而聚澤, 則無隄防之勞, 以隄防而聚澤, 則有潰決之憂, 故君子觀此象爲治世之防, 除治其戎器, 以爲不虞之戒. 若以治安而忘戰守之備, 則是以舊防爲無用而壞之也, 其可乎?"[3]

왕신자(王申子)가 말했다. "연못 위에 땅이 있는 것이 임(臨)괘이니 연못을 모은 것은 땅 언덕이고 연못이 땅 위에 올라가 있는 것이 췌(萃)괘이니 연못을 모은 것은 제방이다. 땅 언덕으로 연못을 모으면 제방의 노고가 없고 제방으로 연못을 모으면 무너져 내릴 근심이 있으므로 군자는 이러한 상을 보고 세상을 다스리는 방비로 삼아 병기를 수리하여 예상치 못한 경계로 삼는다. 다스림이 편안하다고 하여 전쟁과 방어하는 대비를 잊으니, 옛 방비가 쓸모없다고 하여 없애는 일이 옳겠는가?"

3) 왕신자(王申子), 『대역집설(大易緝說)』 권7.

乃亂乃萃, 其志亂也.

마음이 혼란스럽고 모이는 것은 그 뜻이 혼란스럽기 때문이다.

程傳

其心志爲同類所惑亂, 故乃萃於群陰也. 不能固其守, 則爲小人所惑亂而失其正矣.

마음의 뜻이 같은 부류의 사람들에 의해 미혹되고 혼란스럽게 되었기 때문에, 여러 음효가 모인 것이다. 그 믿음을 굳게 지킬 수 없다면, 소인들에 의해 미혹되고 혼란스럽게 되어 그 올바름을 잃을 것이다.

集說

● 李氏簡曰 : "非其志惑亂, 必無舍應亂萃之理."[4]

이간(李簡)이 말했다. "그 뜻이 혼란스럽지 않으면 반드시 호응함을 버리고 모임을 혼란스럽게 할 이치는 없다."

4) 이간(李簡), 『학역기(學易記)』 권5.

引吉無咎, 中未變也.

끌어당기면 길하여 허물이 없는 것은 마음이 변하지 않았기 때문이다.

程傳

萃之時以得聚爲吉, 故九四爲得上下之萃. 二與五雖正應, 然異處有閒, 乃當萃而未合者也, 故能相引而萃, 則吉而无咎. 以其有中正之德, 未遽至改變也, 變則不相引矣. 或曰, 二旣有中正之德, 而「象」云未變, 辭若不足何也? 曰, 群陰比處, 乃其類聚. 方萃之時, 居其閒, 能自守不變, 遠須正應, 剛立者能之. 二陰柔之才, 以其有中正之德, 可覬其未至於變耳, 故「象」含其意以存戒也.

췌(萃)의 때에는 모이는 것을 길하게 여기므로 구사효가 위와 아래의 모임을 이룬 사람이다. 육이효와 구오효는 올바르게 호응하지만 다른 곳에 있어 틈이 있으니, 모여야 하는데 합치하지 못하는 자들이므로 서로 이끌어 함께 모이면 길하여 허물이 없다. 이는 그들이 중정(中正)의 덕이 있어 성급하게 마음을 고치고 변하지 않았기 때문이니 변하면 서로 이끌지 않았을 것이다.

어떤 사람은 "육이효는 중정의 덕이 있는데 「상전」에서는 변하지 않았다라고 하니, 그 말에서 뭔가 부족한 듯한 것은 무엇 때문입니까?"라고 한다. 답한다. 여러 음효가 가까이 처해 있는 것은 그 부류끼리 모인 것이다. 췌(萃)의 때에 부류들 틈에 자리하면서 스스로 지켜 변하지 않을 수 있고 멀리 올바르게 호응함을 기다리니 굳셈을 세운 자만이 가능하다. 육이효는 음의 부드러운 자질을 가졌지만 중정(中正)의 덕이 있으니 마음이 변하지 않는 것을 기대할 수 있으므로, 「상전」에서 그 뜻을 내포하여 경계하였다.

集說

● 楊氏萬里曰 : "中未變者, 蓋六二所守之中道, 不以爲上所引而有所變也."[5]

양만리(楊萬里)가 말했다. "마음이 변하지 않은 것은 육이효가 지키고 있는 중도이니 위에서 이끈 것에 의해 변하지 않았다."

案

此中未變, 與比二"不自失"之意同, 中庸所謂"不變塞焉", 孟子所謂"達不離道者"是也.

여기서 마음이 변하지 않았다는 것은 비(比)괘 육이효의 "스스로 잃지 않은 것이다"[6]의 뜻과 같고 『중용』에서 "궁할 때 의지를 변하지 않는다"[7]고 했으며, 맹자가 "영달하여도 도(道)를 떠나지 않는

5) 『주역절중』에서는 양만리(楊萬里)의 말로 기록되었지만 『사고전서』에는 이간(李簡)의 『학역기(學易記)에 나온 말이다.

6) 『주역』「비(比)괘」「상전」: "친밀한 협력을 스스로 선택한 것은 스스로 잃지 않은 것이다.[象曰, 比之自內, 不自失也.]"라고 하였다.

7) 『중용』 10장 : "그러므로 군자(君子)는 화(和)하되 흐르지 않으니, 강하다, 꿋꿋함이여! 중립(中立)하여 치우치지 않으니, 강하다, 꿋꿋함이여!

것이다"[8]라고 한 말이 이것이다.

나라에 도(道)가 있을 때는 궁할 때 의지를 변치 않으니, 강하다, 꿋꿋함이여! 나라에 도(道)가 없을 때는 죽음에 이르러도 지조(志操)를 변치 않으니, 강하다, 꿋꿋함이여! [故君子, 和而不流, 强哉矯. 中立而不倚, 强哉矯. 國有道, 不變塞焉, 强哉矯. 國無道, 至死不變, 强哉矯.]"라고 하였다.

8) 『맹자』「진심상」: "그러므로 선비는 궁하여도 의(義)를 잃지 않으며, 영달하여도 도(道)를 떠나지 않는 것이다. 궁하여도 의(義)를 잃지 않기 때문에 선비가 자신의 지조를 지키며, 영달하여도 도(道)를 떠나지 않기 때문에 백성들이 실망하지 않는 것이다.[故士, 窮不失義, 達不離道. 窮不失義, 故士得己焉, 達不離道, 故民不失望焉.]"라고 하였다.

往無咎, 上巽也.

가면 허물이 없는 것은 윗사람이 공손하기 때문이다.

程傳

上居柔說之極, 三往而無咎者, 上六巽順而受之也.

윗사람이 부드러우면서 기뻐하는 극한에 자리하니, 육삼효가 가면 허물이 없는 것은 상육효가 공손하게 따르면서 받아주기 때문이다.

集說

● 虞氏翻曰 : “動之四, 故上巽.”[9]

우번(虞翻)[10]이 말했다. “움직이는 사효이므로 윗사람이 공손하다.”

● 鄭氏汝諧曰 : “下二陰皆萃於陽矣, 三獨無附, 故咨嗟怨歎而無攸利. 雖然, 當萃之時, 下欲萃於上, 上亦欲下之萃於我, 三不以無應之故, 能往歸於上, 雖小吝而亦可以無咎, 上非上六, 謂

9) 이정조(李鼎祚), 『주역집해(周易集解)』 권9.

10) 우번(虞翻, 164~233) : 중국 후한 말기에서 삼국시대의 인물로, 자는 중상(仲翔)이며 양주(楊州) 회계군(會稽郡) 여요현(餘姚縣) 출신이다. 『역경(易經)』에 밝은 학자이다.

在上之陽也."[11]

정여해(鄭汝諧)가 말했다. "아래 두 효가 모두 양에서 모이고 삼효만 홀로 붙는 곳이 없으므로 탄식하고 원망하지만 이로운 바가 없다. 비록 그러하지만 모임의 때에 아래는 위에서 모이려 하고 위 또한 아래가 자신에게 모이기를 원하니 삼효는 호응이 없지 않기 때문에 가서 위로 돌아갈 수 있으면 비록 작은 후회가 있으나 또한 허물이 없을 수 있다. 위는 상효가 아니라 위에 있는 양을 말한다."

11) 정여해(鄭汝諧), 『역익전(易翼傳)』 하경 상(下經 上).

大吉無咎, 位不當也.

크게 길해야 허물이 없는 것은 자리가 합당하지 않기 때문이다

程傳

以其位之不當, 疑其所爲未能盡善, 故云必得大吉, 然後爲無咎也. 非盡善, 安得爲大吉乎?

자리가 합당하지 않아 그가 하는 행위가 최선을 다하지 못할까를 의심했기 때문에 반드시 크게 길한 뒤라야 허물이 없다고 말한 것이다. 최선을 다하지 않는다면, 어떻게 크게 길함을 이룰 수 있겠는가?

集說

● 蘇氏軾曰 : "非其位而有聚物之權, 非大吉, 則有咎矣."[12]

소식(蘇軾)이 말했다. "그 자리가 아닌데 사물을 모으는 권한이 있으니 크게 길하지 않으면 허물이 있다."

● 郭氏雍曰 : "四得上下之聚而非君位, 故言不當也."[13]

12) 소식(蘇軾), 『동파역전(東坡易傳)』 권5.

곽옹(郭雍)이 말했다. "사효는 상하의 모임을 얻었으니 군주의 지위가 아니므로 합당하지 않다고 했다."

● 鄭氏汝諧曰 : "其位近, 其德同, 其爲下之所歸亦同, 自非所爲至善, 則其君病之, 烏能無咎? 戒之也. 凡言位不當, 其義不一, 此所謂不當者, 爲其以剛陽迫近其君也."[14]

정여해(鄭汝諧)가 말했다. 그 지위가 가깝고 그 덕이 가깝고 아래에서 모여드는 것 역시 같으니 스스로 지극히 착하지 않으면 군주가 싫어하니 어찌 허물이 없을 수 있겠는가? 경계했다. 자리가 합당하지 않다고 말하는 것은 그 의미가 일정하지 않으니 이 합당하지 않다고 함은 굳센 양이 군주를 가까운 데서 압박한 것이다."

● 熊氏良輔曰 : "九四九五, 皆萃之主, 九五, 在上之萃也, 九四, 在下之萃也. 故九五曰萃有位, 而四「象」曰位不當. 大吉無咎者, 上比於君, 以臣而有君萃之象, 疑於有咎故也."[15]

웅량보(熊良輔)[16]가 말했다. "구사효와 구오효는 모두 모임의 주체

13) 곽옹(郭雍), 『곽씨전가역설(郭氏傳家易說)』 권5.
14) 정여해(鄭汝諧), 『역익전(易翼傳)』 하경 상(下經 上).
15) 웅량보(熊良輔), 『주역본의집성(周易本義集成)』 권2.
16) 웅량보(熊良輔, 1310~1380) : 자는 임중(任重)이고, 호는 매변(梅邊)이다. 원(元)대 남창(南昌) 사람이다. 웅개(熊凱)에게 학문을 배웠는데, 특히 『역』에 정통했다. 저서에 주희(朱熹)의 학설을 주로 하고 자기의 논의를 가미한 『주역본의집성(周易本義集成)』과 『풍아유음(風雅遺音)』, 『소학입문(小學入門)』 등이 있다.

인데 구오효는 위의 모임에 있고 구사효는 아래의 모임에 있다. 그러므로 구오효는 모임에 지위가 있다고 했고 사효는 「상전」에서 지위가 합당하지 않다고 했다. 크게 길해야 허물이 없다는 말은 위로 군주와 나란히 하고 신하로써 군주가 모이는 상이 있으므로 허물이 있을 것이라고 의심했기 때문이다."

案

鄭氏謂凡言位不當, 其義不一者是已. 然須知是借爻位之當不當, 以發明其德與時位之當不當.

정씨가 자리가 합당하지 않다고 하는 구절에 그 뜻이 일정하지 않다고 말한 것은 옳다. 그러나 반드시 효의 자리가 합당한가 합당하지 않은가를 빌려 그 덕과 때와 지위가 합당한가 합당하지 않는가를 밝혔다.

萃有位, 志未光也.
모임에 지위가 있는 것은 뜻이 빛나지 못했기 때문이다.

本義

未光, 謂匪孚.

빛나지 못한 것은 믿지 않음을 이른다.

程傳

「象」擧爻上句. 王者之志, 必欲誠信著於天下, 有感必通, 含生之類, 莫不懷歸, 若尙有匪孚, 是其志之未光大也.

「상전」은 효사(爻辭)의 첫 구절만 들어서 말했다. 왕의 뜻이 반드시 그의 진실과 믿음을 천하에 드러나려고 했다면 감동하게 되어 반드시 통하여 생명을 가진 부류들이 모두 돌아오지 않는 이가 없으니 믿지 않는 자가 여전히 있다면, 그 뜻이 크게 빛나지 못한 것이다.

集說

● 龔氏煥曰 : "五有其位者也, 徒有其位, 故人或匪孚, 此志之所以未光也."

공환(龔煥)이 말했다. “오효는 그 지위를 가진 자인데 도리어 그 지위에 걸맞지 않으므로 사람들이 간혹 믿지 않으니 이는 뜻이 빛나지 못한 것이다.”

● 胡氏炳文曰 : “四必大吉而後無咎, 位不當也. 五有位矣, 而匪孚, 志猶未光也. 然則欲當天下之萃者, 不可無其位, 有其位, 又不可無其德.”[17]

호병문(胡炳文)이 말했다. “사효는 반드시 크게 길한 뒤에야 허물이 없는데 지위가 합당하지 않다. 오효는 지위가 있지만 믿지 않으니 뜻이 아직 빛나지 못했다. 그러므로 천하의 모임을 얻으려고 하면 지위가 없어서는 안 되고 지위가 있어도 또 그 덕이 없어서도 안 된다.”

17) 호병문(胡炳文), 『주역본의통석(周易本義通釋)』 권4.

齎咨涕洟, 未安上也.

한탄하고 눈물콧물을 흘림은 윗자리에서 편안하지 못한 것이다.

程傳

小人所處, 常失其宜, 旣貪而從欲, 不能自擇安地, 至於困窮, 則顚沛不知所爲, 六之涕洟, 蓋不安於處上也. 君子愼其所處, 非義不居, 不幸而有危困, 則泰然自安, 不以累其心. 小人居不擇安, 常履非據, 及其窮迫, 則隕獲躁撓, 甚至涕洟, 爲可羞也. 未者, 非遽之辭, 猶俗云未便也. 未便能安於上也, 陰而居上, 孤處無與, 旣非其據, 豈能安乎?

소인이 처하는 것은 항상 그 마땅함을 잃으니 탐욕을 부리고 욕심을 따라 스스로 편안한 곳을 택할 수가 없어, 곤궁한 지경에 이르면 엎어지고 자빠져 어찌할 바를 모른다. 상육효가 눈물콧물을 흘림은 위에 처한 것이 편안하지 못하기 때문이다. 군자는 처하는 바를 신중하게 하여 마땅하지 않으면 자리하지 않고 불행하게도 위험과 곤궁이 있게 되면 태연하게 스스로 안정을 이루어 마음에 얽매이지 않도록 한다.

소인은 처하는 데 편안한 곳을 택하지 않고, 항상 있어야할 자리가 아닌 데를 차지하고서 곤궁하고 절박하게 되면 뜻을 상실하고 불안해하며 조급해 하고 뜻을 꺾고, 심지어는 눈물콧물을 흘리는 지경에까지 이르니, 수치스러운 일이다.

‘미(未)’는 곧바로 하지 않는다는 말이니, 세속의 ‘미변(未便)’이란 말과 같다. 바로 위에서 곧바로 편안할 수가 없다는 것이다. 부드러우면서 위에 자리하여 외롭게 처하고 함께 하는 사람이 없으니, 있어야할 자리가 아닌데 어찌 편안하겠는가?

集說

● 趙氏光大曰 : “言危懼而不敢自安於上, 操心危, 慮患深, 安得晏然而已乎.”

조광대(趙光大)가 말했다. “위태롭고 두려운데 감히 위에서 스스로 편안하지 못하니 마음을 잡음이 위태롭고 근심을 염려함이 깊어 어찌 편안할 수 있겠는가?”

案

上, 猶外也. 雖在外而不敢自安, 如舜之耕歷山, 周公之處東國, 必號泣嘵嘵, 求萃於君父而後已也.

위란 밖과 같다. 밖에 있으면서 스스로 편안하지 못하니 순(舜)임금이 역산(歷山)에서 농사짓고 주공(周公)이 동쪽 나라에 처하여 반드시 두려워 울부짖으니[18] 군보(君父)에게 모임을 구한 뒤에 그친다.

18) 『시경』「빈풍(豳風) · 치효(鴟鴞)」 : “내 깃이 모지라지며 내 꼬리가 망가졌는데도 내 둥지가 위태롭고 위태롭거늘 비바람이 뒤흔드는지라 내 울부짖는 소리를 급히 하노라.[予室翹翹, 風雨所漂搖, 予維音嘵嘵.]”라고 하였다.

46. 승升䷭괘

> 地中生木, 升, 君子以順德, 積小以高大.
> 땅 가운데 나무가 자라는 것이 승괘의 모습이니, 군자가 이것을 본받아 덕을 따라서 작은 것을 쌓아 높고 크게 한다.

本義

王肅本順作愼, 今案他書引此, 亦多作愼, 意尤明白., 蓋古字通用也. 說見上篇蒙卦.

왕숙본(王肅本)에는 '순(順)'이 '신(愼)'으로 되어 있으며 지금 다른 책을 살펴보면 이 글을 인용할 때 또한 '신(愼)'으로 되어 있는 것이 많으니 뜻이 더욱 명백하다. 옛날 글자에는 통용되었다. 해설이 상편 몽(蒙)괘에 보인다.

程傳

木生地中, 長而上升, 爲升之象. 君子觀升之象, 以順修其德,積累微小以至高大也, 順則可進, 逆乃退也. 萬物之進, 皆以順道也, 善不積不足以成名, 學業之充實, 道德之崇高, 皆由積累而至, 積小所以成高大, 升之義也.

나무가 땅 속에서 생겨 자라나 위로 올라가는 것이 승괘의 모습이다. 군자는 이 올라감의 모습을 관찰하여 그 덕에 순종하며 수양하고 작은 것을 쌓아 높고 큰 데 이른다. 순종하면 나아갈 수 있고 거스르면 물러나게 된다. 만물의 나아감은 모두 순종하는 방도로 이룬다. 착함을 쌓지 않으면 명예를 이룰 수 없고, 학업의 충실함과 도덕의 숭고함이 모두 축적하는 것을 통해 이루어진다. 작은 것을 쌓는 일이 높고 큰 것을 이룰 수 있는 근거이니, 이것이 올라감의 뜻이다.

集說

● 胡氏炳文曰:"木之生也, 一日不長則枯, 德之進也, 一息不愼則退, 必念念謹審, 事事謹審, 其德積小高大, 當如木之升矣."[1]

호병문(胡炳文)이 말했다. "나무의 생명은 하루라도 자라지 않으면 마르고 덕의 나아감은 한 순간이라도 신중하지 않으면 물러나니, 반드시 생각마다 조심스럽게 살피고 일마다 신중하게 살펴 그 덕이 작은 것을 쌓아 높고 크게 되는 것이 마치 나무가 올라가는 것과 같아야만 한다."

1) 호병문(胡炳文), 『주역본의통석(周易本義通釋)』 권4.

允升大吉, 上合志也.

믿고 따라서 상승하여 크게 길한 것은 위와 뜻이 통한 것이다.

程傳

與在上者合志同升也. 上, 謂九二, 從二而升, 乃與二同志也, 能信從剛中之賢, 所以大吉.

윗자리에 있는 자와 뜻이 합하여 함께 올라간다. 위는 구이효를 말한다. 구이효를 따라 올라가면 그것이 곧 구이효와 뜻을 함께 하는 것이다. 굳세고 알맞음의 현명함을 믿고 따를 수 있기 때문에 크게 길한 것이다.

集說

● 呂氏大臨曰 : "初六以柔居下, 當升之時, 柔進而上, 雖處至下, 志與三陰同升, 衆之所允, 無所不利, 故曰允升大吉."

여대림(呂大臨)[2]이 말했다. "초육효는 부드러움으로 아래에 자리하

2) 여대림(呂大臨, 1046~1092) : 자는 여숙(與叔)이고, 여대균(呂大鈞)의 동생이다. 북송 경조 남전(京兆藍田 : 현 섬서성 소속) 사람으로 처음에 장재(張載)에게 배웠고 나중에 정이(程頤)에게 배웠는데, 사좌량(謝良佐), 유조(游酢), 양시(楊時)와 함께 '정문사선생(程門四先生)'으로 일컬어진다. 육경(六經)에 정통했고, 특히 『예기(禮記)』에 밝았다. 문

고 올라감의 때에 유함으로 나아가 올라가니 비록 가장 아래에 처했어도 뜻이 세 음과 함께 올라가 여러 사람이 믿어 이롭지 않음이 없다. 그러므로 믿고 따라서 상승하는 것이니 크게 길하다고 했다."

案

呂氏以上爲上體三陰者是.

여씨는 위를 상체(上體)의 세 음효로 여겼으니 옳다.

음(門蔭)으로 관직에 올라 나중에 진사 시험에 합격했다. 철종(哲宗) 원우(元祐) 연간에 태학박사(太學博士)를 지냈고, 비서성정자(秘書省正字)로 옮겼다. 범조우(范祖禹)의 천거로 강관(講官)이 되었는데, 기용되기도 전에 죽었다. 예학(禮學)에 밝아 예의를 중시했으며, 정자의 예학을 계승하여 심성지학(心性之學)에 치중했다. 저서에 『역장구(易章句)』, 『대역도상(大易圖象)』, 『맹자강의(孟子講義)』, 『대학중용해(大學中庸解)』, 『노자해(老子注)』, 『서명집해(西銘集解)』 등이 있었지만 대부분 없어지고, 지금은 『고고도(考古圖)』, 『속고고도(續考古圖)』, 『석문(釋文)』이 사고전서(四庫全書)에 수록되어 있다. 문집에 『옥계집(玉溪集)』이 있다.

九二之孚, 有喜也.

구이효의 진실한 믿음은 기쁨이 있는 것이다.

程傳

二能以孚誠事上, 則不唯爲臣之道無咎而已, 可以行剛中之道, 澤及天下, 是有喜也. 凡「象」言有慶者, 如是則有福慶及於物也, 言有喜者, 事旣善而又有可喜也, 如大畜童牛之梏元吉, 「象」云有喜, 蓋梏於童則易, 又免強制之難, 是有可喜也.

구이효가 진실한 믿음으로 윗사람을 섬기면 신하된 도리로 허물이 없을 뿐 아니라 굳세고 알맞은 도를 행하여 천하에 그 혜택을 미치게 할 수 있으니, 이것이 기쁨이 있다는 뜻이다. 「상전」에서 "경사가 있다"고 한 것은 이와 같이 한다면 복과 경사가 사람들에게 미친다는 말이고, 여기서 "기쁨이 있다"고 한 것은 행한 일이 착하고 또 기뻐할 만한 일이 있다는 말이다. 예를 들어 대축(大畜)괘 육사효의 "어린 송아지에게 우리를 쳐두는 것이니, 크게 길하다"는 말에 대해 「상전」에서 "기쁨이 있다"[3]라고 했으니, 어릴 때 우리를 쳐두는 것이 쉽고 또 억지로 힘들게 제지하는 어려움을 면할 수 있으니, 이것이 기뻐할 만한 일이 있다는 말이다.

3) 『주역』「대축(大畜)괘」「상전」: "육사효의 크게 길함은 기쁨이 있는 것이다.[六四元吉, 有喜也.]"라고 하였다.

升虛邑, 無所疑也.

빈 고을에 올라감은 의심할 바가 없는 것이다.

程傳

入無人之邑, 其進無疑阻也.

사람이 없는 고을에 들어가니, 그 나아감을 아무도 의심하거나 막지 않는다.

集說

● 蘇氏軾曰 : "九二以陽用陽, 其升也果矣, 故曰升虛邑, 無所疑也. 不言吉者, 其爲禍福未可知也, 存乎其人而已."[4]

소식(蘇軾)이 말했다. "구이효는 양으로 양을 쓰니 그 나아감이 과감하므로 빈 고을에 올라가는 것은 의심할 바가 없다고 했다. 길함을 말하지 않은 것은 그것이 화가 될지 복이 될지 아직 모르고 그 사람에게 달려 있을 뿐이기 때문이다."

案

乾四曰或之者疑之也, 故無咎. 果於進而無所疑, 可乎! 蘇氏之

4) 소식(蘇軾), 『동파역전(東坡易傳)』 권5.

說善矣.

건(乾)괘 사효에서 혹(或)이라고 말한 것은[5] 의심하는 것이므로 허물이 없다. 나아감에 과감한데 의심하는 바가 없으니 옳겠는가! 소씨[소식]의 말이 좋다.

5) 『주역』「건(乾)괘」: "구사효는 뛰어오르거나 혹은 연못에 있으면 허물이 없다.[九四, 或躍在淵, 无咎.]"라고 하였다.

王用亨於岐山, 順事也.

왕이 기산에서 형통하듯이 한다는 것은 순종하는 일이다.

本義

以順而升, 登祭於山之象.

순종함으로써 올라감은 산에 올라가 제사하는 모습이다.

程傳

四居近君之位而當升時, 得吉而無咎者, 以其有順德也, 以柔居坤, 順之至也, 文王之亨於岐山, 亦以順時而已. 上順於上, 下順乎下, 己順處其義, 故云順事也.

구사효가 군주와 가까운 위치에 자리하고 올라가는 때에 길하고 허물이 없는 것은 그가 순종의 덕을 지녔기 때문이다. 부드러움으로 곤(坤)에 있는 것은 순종의 지극함이다. 문왕이 기산에서 형통했던 것 또한 때에 순응했기 때문일 뿐이다. 위로 윗사람에게 순종하고 아래로 아랫사람에게 순종하고 마땅한 의리에 순종하여 처신했기 때문에 순종하는 일이라고 했다.

案

用'賢'以享於神明, 是順神明之心而事之者也.

'현(賢)'자를 써서 신명에 제사 드리니 신명의 마음에 순종하여 섬기는 자이다.

貞吉升階, 大得志也.

올바름을 지켜야 길하여 계단을 오르는 듯하다는 말은 뜻을 크게 얻는 것이다.

程傳

倚任賢才而能貞固, 如是而升, 可以致天下之大治, 其志可大得也, 君道之升, 患無賢才之助爾, 有助, 則猶自階而升也.

현자들의 재능에 의지하여 책임을 맡기고 올바름을 지킬 수 있으니 이렇게 올라가면 천하의 큰 다스림을 이루고 이는 그 뜻을 크게 얻을 수 있는 것이다. 군주의 도가 올라가는 데 현자의 재능으로 도움이 없는 것을 근심할 뿐이니 도와주는 자가 있다면 계단을 통해 올라가는 것과 같다.

集說

● 何氏楷曰 : "卽象所謂有慶志行者也."

하해(何楷)가 말했다. "괘사에서 경사가 있고 뜻이 행한다는 말이다."

案

自初而升, 至此而升極矣, 故初曰上合志, 此曰大得志.

초효로부터 올라가 여기에 이르러 올라감의 극한이 되므로 초효에서는 위와 뜻이 합했다고 했고 여기서는 크게 뜻을 얻었다고 했다.

冥升在上, 消不富也.

올라감에 어두우면서 위에 있으니 소멸되어 부유하게 되지 못한다.

程傳

昏冥於升極, 上而不知已, 唯有消亡, 豈復有加益也? 不富, 無復增益也, 升旣極, 則有退而無進也.

올라감이 극한인데 어두워 올라가면서도 멈출 줄 모르므로 오직 소멸되어 없어질 뿐이니, 어떻게 다시 더 이롭게 할 수 있겠는가? 부유하게 되지 못한다는 말은 이로움을 더할 수 없다는 말이다. 올라감이 극한에 이르면 물러남이 있고 나아감은 없다.

集說

● 胡氏瑗曰 : "上六旣不達存亡之幾, 以至於上位, 固當消虛自損, 不爲尊大, 以自至於富盛也."[6)]

호원(胡瑗)이 말했다. "상육효는 존망(存亡)의 기미에 통달하지 못해 상효의 위치에 이르러 분명하게 소멸되고 저절로 덜어내며, 존귀하고 크게 되지 못하고 저절로 부귀에 이르지도 못한다."

6) 호원(胡瑗), 『주역구의(周易口義)』 권8.

案

胡氏之說善矣, 然不曰不息之貞, 消不富也, 而曰冥升在上者, 以在上明其位勢之滿盛, 故當以自消損爲貞也.

호씨[호원]의 말이 좋지만 자라나지 못하는 올바름은 소멸되어 부유하지 못한다고 말하지 않고 올라감에 어두우면서 위에 있으니 소멸되어 부유하게 되지 못한다고 한 것은, 위에 있어서 그 자리의 형세가 가득 찬 것을 밝혔으므로 마땅히 저절로 소멸되고 덜어냄을 올바름으로 여긴다.

47. 곤困䷮괘

澤無水, 困, 君子以致命遂志.

연못에 물이 없는 것이 곤괘의 모습이니, 군자는 이것을 본받아 천명을 다하여 뜻을 행한다.

本義

水下漏, 則澤上枯, 故日澤無水. '致命', 猶言授命, 言持以與人而不之有也. 能如是則雖困而亨矣.

물이 아래로 새면 못 위가 마르므로 못에 물이 없다고 했다. '치명(致命)'은 목숨을 바친다는 말과 같으니, 가져다 남에게 주고 갖지 않음을 말한다. 이와 같이 하면 비록 곤궁하더라도 형통할 것이다.

程傳

澤無水, 困乏之象也. 君子當困窮之時, 旣盡其防慮之道而不得免, 則命也, 當推致其命以遂其志. 知命之當然也. 則窮塞禍患, 不以動其心, 行吾義而已. 苟不知命, 則恐懼於險難, 隕穫於窮厄, 所守亡矣, 安能遂其爲善之志乎!

연못에 물이 없는 것이 곤궁하고 궁핍한 모습이다. 군자가 곤궁할 때를 당하여 방비하고 염려하는 방도를 다했는데도 면할 수 없다면 천명(天命)이니 마땅히 명을 다 헤아려 보고 그 뜻을 행해야 한다. 천명의 당연함을 알았다면 궁핍과 장애와 재앙과 근심 때문에 마음이 동요하지 않고 나에게 마땅한 의리를 행할 뿐이다. 그 천명을 알지 못하면 위험과 어려움에 처하는 것을 두려워하고 곤궁과 궁핍에 뜻을 상실하고 기가 꺾여 지키는 바를 잃을 것이니, 어떻게 착한 일을 행하려는 뜻을 이룰 수 있겠는가!

集說

● 王氏弼曰 : "澤無水, 則水在澤下. 水在澤下, 困之象也. 處困而屈其志者小人也, 君子固窮, 道可忘乎?"[1]

왕필(王弼)이 말했다. "연못에 물이 없으니 물은 연못 아래에 있다. 물이 연못 아래에 있는 것이 곤궁의 모습이다. 곤궁에 처하여 그 뜻을 굽히는 것은 소인이다. 군자는 본래 곤궁하니[2] 도를 잊을 수 있겠는가?"

1) 왕필(王弼), 『주역주(周易註)』 권5.
2) 『논어』「위령공」: "진(陳)나라에 있을 때 양식이 떨어지니, 따르던 사람들이 병들어 일어나지 못하였다. 자로가 성난 얼굴로 뵙고, "군자도 궁핍할 때가 있습니까?" 하고 묻자, 공자가 말했다. "군자는 진실로 궁핍한 것이니, 소인은 궁핍하면 넘친다.[在陳絶糧, 從者病, 莫能興. 子路慍見曰, 君子亦有窮乎? 子曰, 君子固窮, 小人, 窮斯濫矣.]"라고 하였다.

● 鄭氏汝諧曰："知其不可求而聽其自至焉，致命也．在命者不可求，在志者則可遂，所謂從吾所好也."[3]

정여해(鄭汝諧)가 말했다. "구할 수 없음을 알고 그것이 저절로 이른 것을 받아들이면 명이 다한 것이다. 명에서는 구할 수 없지만 뜻에서는 수행할 수 있으니 내가 좋아하는 것을 따르겠다[4]는 말이다.

● 馮氏當可曰："君子之處困也，命在天而致之，志在我則遂之．困而安於困者，命之致也，困而有不困者，志之遂也．若小人處之，則凡可以求幸免者，無不爲也，而卒不得免焉，則亦徒喪其所守而已矣！體坎險以致命，體兌說而遂志."

풍당가(馮當可)[5]가 말했다. "군자가 곤궁에 처함은 명이 하늘에 있으니 이르렀고 뜻이 나에게 있으니 행한 것이다. 곤궁하면서도 곤

3) 정여해(鄭汝諧), 『역익전(易翼傳)』 하경 상(下經 上)
4) 『논어』「술이」: "공자가 말했다. '부(富)를 만일 구해서 될 수 있다면, 내 말채찍을 잡는 자의 짓이라도 내 또한 그것을 하겠다. 그러나 만일 구하여 될 수 없는 것이라면, 내가 좋아하는 바를 따르겠다.'[子曰富而可求也，雖執鞭之士，吾亦爲之，如不可求，從吾所好.]"라고 하였다.
5) 풍당가(馮當可): 풍시행(馮時行, 1100~1163)이다. 자는 당가(當可)이고, 호는 진운(縉雲)이다. 송대 공주(恭州) 벽산(壁山) 사람으로 휘종 6년(1124)에 진사에 장원급제하여, 벼슬은 봉절위(奉節尉), 강원승(江原丞), 단릉지현(丹陵知縣), 만주지주(萬州知州), 성도부로제형(成都府路提刑) 등을 역임했다. 소대(召對)하여 화의(和議)는 믿을 수 없음을 강력하게 주장해 진회(秦檜)의 미움을 샀다. 얼마 뒤 탄핵을 받아 파직되고, 이후 18년 동안 칩거했다. 저서에 『진운문집(縉云文集)』, 『역론(易論)』 등이 있다.

궁에 편안할 수 있는 것은 명이 이르러서이고 곤궁하면서 곤궁하지 않음이 있는 것은 뜻이 수행되어서이다. 만약 소인이 처했다면 구하여 요행으로 면할 수 있는 것을 하지 않음이 없다. 그러나 결국에는 면하지 못하니 또한 지키는 것을 잃을 뿐이다! 괘의 본체가 감(坎☵)이니 위험하여 명에 이르고 괘의 본체가 태(兌☱)이니 기뻐하면서 뜻을 행한다."

● 何氏楷曰:"致, 猶委也. 人不信其命, 則死生禍福, 營爲百端, 居貞之志, 何以自遂. 今一委之命, 則不以命貳志者, 夫且能以志立命."[6]

하해(何楷)가 말했다. "이른다는 따른다는 말과 같다. 사람이 그 명을 믿지 못하면 생사(生死)와 화복(禍福)을 백방으로 힘쓰면서 올바름에 자리한 뜻을 어찌 스스로 행하겠는가? 지금 하나로 따른 명이라면 명으로 뜻을 둘로 하지 않으니 또한 뜻으로 명을 세울 수 있다."

---

6) 하해(何楷), 『고주역정고(古周易訂詁)』 권5.

入於幽谷, 幽不明也.

어두운 골짜기로 들어감은 어두워서 밝지 못한 것이다.

程傳

幽不明也, 謂益入昏暗, 自陷於深困也. 明則不至於陷矣.

어둡다는 현명하지 못한 것이니 어리석고 혼란한 곳에 더욱 들어가 스스로 깊은 곤경에 빠지는 것을 말한다. 현명하다면 어리석은 지경에 빠지지는 않을 것이다.

困於酒食, 中有慶也.
술과 밥에 곤란함은 중도를 지켜 좋은 일이 있다.

程傳

雖困於所欲, 未能施惠於人, 然守其剛中之德, 必能致亨而有福慶也. 雖使時未亨通, 守其中德, 亦君子之道亨, 乃有慶也.

바라는 것에 곤란을 겪어 남에게 은택을 베풀지 못하지만, 굳세고 알맞은 덕을 지키니 반드시 형통할 수 있어 복과 경사가 있다. 때가 형통하지 못할지라도 그 중도의 덕을 지키면 또한 군자의 도는 형통할 수 있으니 이에 경사가 있는 것이다.

案

二有中德, 故能以酒食享祀而有福慶.

이효는 중도의 덕이 있으므로 술과 음식으로 제사를 흠향하여 복과 경사가 있다.

據於蒺藜, 乘剛也, 入於其宮, 不見其妻, 不祥也.

가지나무에 앉아있는 것은 굳셈을 탔기 때문이고 그 집에 들어가도 아내를 보지 못하는 것은 상서롭지 못하다.

程傳

據於蒺藜, 謂乘九二之剛, 不安, 猶藉刺也. 不祥者, 不善之徵, 失其所安者, 不善之效, 故云不見其妻, 不祥也.

가시나무에 앉아있는 것은 구이효의 굳셈을 올라탔다는 말이고, 불안하다는 말은 가시를 깔고 앉아 있는 것과 같다. 상서롭지 못한 것은 착하지 않은 징조이니, 그 안정된 바를 잃는 것이 착하지 않음의 효과이므로, 아내를 보지 못하는 것이 상서롭지 못하다고 했다.

集說

● 鄭氏汝諧曰 : "進阨於四, 故困於石, 退乘二之剛, 故據於蒺藜. 上其宮也, 其宮可入, 而以柔遇柔, 非其配也, 以此處困, 不祥莫甚焉."[7)]

정여해(鄭汝諧)가 말했다. "나아가면 사효에서 어려움에 빠지므로

7) 정여해(鄭汝諧), 『역익전(易翼傳)』 하경 상(下經 上).

돌에서 곤란을 겪고, 물러나면 이효의 굳셈을 올라타므로 가지나무에 앉아있다. 그 집에 올라가니 집에 들어갈 수는 있지만 부드러움으로 부드러움을 만났고 그 짝이 아니다. 이것으로 곤궁함에 처하게 되니 상서롭지 못함이 이보다 심한 것이 없다."

案

爻有衆喩, 而「傳」偏擧一者, 擧其重者也. 『易』乘剛之義最重, 故睽三見輿曳, 此爻據於蒺藜, 皆以其乘剛言之.

효에는 여러 가지 비유가 있는데 「상전」에서는 하나만을 거론했으니 중요한 것을 들었다. 『역』에서 굳셈을 탄 것이 가장 중요하므로 규(睽)괘 삼효에서 "수레가 뒤로 끌린다"[8]는 것과 이 효의 가시나무에 앉아있는 것은 모두 굳셈을 탄 것으로 말했다.

8) 『주역』「규(睽)괘」: "육삼효는 수레가 뒤로 끌리고, 소가 앞이 가로막히며, 그 사람이 머리를 깎고 코를 베니, 시작은 없지만 마침은 있다.[六三, 見輿曳, 其牛掣, 其人天且劓, 无初有終.]"라고 하였다.

來徐徐, 志在下也, 雖不當位, 有與也.

오기를 천천히 함은 뜻이 아래에 있으니, 지위가 합당하지 않지만 함께 하는 사람이 있다.

程傳

四應於初而隔於二, 志在下求, 故徐徐而來, 雖居不當位爲未善, 然其正應相與, 故有終也.

구사효는 초육효와 호응하지만 구이효에게 막혀 뜻이 아래를 구하는 데 있으므로, 천천히 오는 것이니 지위가 합당하지 않아 최선은 못 되지만, 그 올바르게 호응함이 서로 함께 하기 때문에 결말이 있다.

集說

● 蘇氏濬曰 : "四與五同爲上六所掩, 進而見掩, 豈君子直遂之時耶? 唯沈潛以養其晦, 從容以俟其幾, 故五曰'乃徐', 四曰'徐徐'. 志在下矣. 四位雖上而心則下也. 然四五合德, 天下之事, 終以舒徐濟之, 故曰有與, 又曰有終."

소준(蘇濬)[9]이 말했다. "사효와 오효는 모두 상육효에 의해 가려져

9) 소준(蘇浚, 1542~1599) : 명나라 유명한 안찰사이다. 자는 군우(君禹)이

있어 나아가면 가려지니 어찌 군자가 바로 수행할 때인가? 오직 침잠하여 그 어둠을 기르고 조용히 기미를 기다리므로 오효에서는 '서서히' 라고 했고 사효에서는 '천천히' 라고 했으니 뜻은 아래에 있다. 사효의 자리는 위에 있으나 마음은 아래에 있다. 그러나 사효와 오효가 덕을 합하니 천하의 일들이 결국에는 천천히 해결되므로 함께 하는 사람이 있다고 했고 또 결말이 있다고 했다."

● 何氏楷曰 : "五爲近比, 則四之所與者."[10]

하해(何楷)가 말했다. "오효는 가까이 나란히 하고 있으니 사효가 함께 하는 자이다."

고 호는 자계(紫溪)이다. 진(晋)땅 강소(江蘇) 사람이다. 남경의 형부주사, 협서성 참의, 광서성 안찰사와 광서성 참정을 지냈다. 광서성에 있을 때 『광서통지(廣西通志)』를 편찬하였는데 병에 걸로 귀주(貴州)로 돌아가 연구에 매진했다. 『역경인설(易經儿說)』, 『사서인설(四書儿說)』 등이 있다.

10) 하해(何楷), 『고주역정고(古周易訂詁)』 권5.

劓刖, 志未得也, 乃徐有說, 以中直也, 利用祭祀, 受福也.

코를 베이고 발을 베이는 형벌은 뜻을 얻지 못한 것이고, 서서히 기쁨이 있는 것은 알맞고 곧기 때문이며, 제사를 드리는 것이 이로운 것은 복을 받아서이다.

程傳

始爲陰掩, 無上下之與, 方困未得志之時也. 徐而有說, 以中直之道, 得在下之賢, 共濟於困也. 不曰中正與二合者, 云直乃宜也, 直比正意差緩. 盡其誠意, 如祭祀然, 以求天下之賢, 則能亨天下之困, 而亨受其福慶也.

처음에 음(陰)에 가려져 위와 아래에 함께 하는 사람이 없으니 곤경에 빠져 뜻을 얻지 못한 때이다. 서서히 기쁨이 있는 것은 알맞고 곧은 방도로 아래의 현자를 얻어 곤경을 함께 해결해서이다. 중정(中正)이라 말하지 않았으니 구이효와 함께 화합한 것은 직(直)이라고 하는 것이 마땅하니, 직(直)은 정(正)에 비하여 뜻이 완만하다. 진실한 뜻을 다하기를 마치 제사를 드리듯이 하여 천하의 현자를 구하면, 세상의 곤경이 형통하게 되어 복과 경사를 누릴 수 있다.

集說

● 陸氏希聲曰: "困窮而通, 德辨而明, 中正道行, 志則大遂, 故乃徐有說也."

육희성(陸希聲)[11]이 말했다. "곤궁한데도 통하고 덕이 분별되어 밝으며 중정(中正)한 도가 행해지고 뜻이 크게 행해지므로 서서히 기쁨이 있다."

11) 육희성(陸希聲, ?~905) : 자는 홍경(鴻磬)이고, 호는 군양둔수(君陽遁叟) 혹은 군양도인(君陽道人)이며, 당나라 소주(蘇州) 오현(吳縣) 사람이다. 의흥(義興)에 은거했다가 천거되어 벼슬은 우습유(右拾遺), 합주자사(歙州刺史), 급사중(給事中), 호부시랑(戶部侍郎), 동중서문하평장사(同中書門下平章事) 등을 역임했다. 『역(易)』, 『춘추(春秋)』, 『도덕경(道德經)』에 정통했고, 문장을 잘 지었다. 저서에 『춘추통례(春秋通例)』, 『도덕경전(道德經傳)』이 있다.

困於葛藟, 未當也, 動悔有悔吉, 行也.

칡덩굴에서 곤란을 겪는 것은 합당하지 않고, 움직일 때마다 후회가 있어 길함은 행하는 것이다.

程傳

爲困所纏而不能變, 未得其道也, 是處之未當也. 知動則得悔, 遂有悔而去之, 可出於困, 是其行而吉也.

곤경에 속박당하여 변할 수 없는 것은 그 도를 얻지 못했기 때문이니, 이는 처신이 합당하지 못한 것이다. 행동하면 후회가 있음을 알고 뉘우치는 마음을 가지고 떠나면 곤경에서 벗어날 수 있으니, 이는 행하여 길한 것이다.

集說

● 陸氏希聲曰 : "行而獲吉, 故曰變乃通也."

육희성(陸希聲)이 말했다. "행하여 길함을 얻었으므로 변하여 통했다고 했다."

● 田氏疇曰 : "諸家皆以吉行也三字爲一句, 非也. 蓋'動悔有悔吉'是句, '行也'是句. 動悔有悔之所以吉者, 以能行而得之也.

'行也'二字, 乃是解征吉之義."

전주(田疇)가 말했다. "여러 학자들이 모두 '길행야(吉行也)' 세 글자를 한 구절을 여겼지만 잘못이다. '움직일 때마다 후회가 있어 길한다.'가 한 구절이고, '행하는 것이다.'가 한 구절이다. 움직여 후회가 있어 후회하는 것이 길한 까닭이니 행할 수 있다면 얻는다. '행야(行也)' 두 글자는 '가면 길하다'[12]는 뜻을 해석하였다.

12) 『주역』「곤(困)괘」: "상육효은 칡덩굴과 위태로운 곳에서 곤란을 겪으니, 움직일 때마다 후회가 있을 것이라 하면서 뉘우치는 마음이 있으면, 가면 길하다.[上六, 困于葛藟, 于臲卼, 曰動悔有悔, 征吉.]"라고 하였다.

48. 정井☵☴괘

木上有水, 井, 君於以勞民勸相.

나무 위에 물이 있는 것이 정괘의 모습이니, 군자는 이것을 본받아 백성을 위로하고 서로 돕도록 권한다.

本義

木上有水, 津潤上行, 井之象也. 勞民者以君養民, 勸相者使民相養, 皆取井養之義.

나무 위에 물이 있으니, 윤택한 것이 위로 행함은 우물의 상(象)이다. 백성을 위로함은 군주(君主)가 백성을 기르는 일이고, 서로 돕는 방법으로 권면함은 백성에게 서로 기르게 하는 일이니, 이는 모두 우물이 기르는 뜻을 취한 것이다.

程傳

木承水而上之, 乃器汲水而出井之象. 君子觀井之象, 法井之德, 以勞徠其民, 而勸勉以相助之道也. 勞徠其民, 法井之用也, 勸民使相助, 法井之施也.

두레박이 물을 길어 올리는 것은 그릇으로 물을 길어 우물 밖으로 올리는 모습이다. 군자는 우물의 모습을 관찰하여 우물의 덕을 본받아 백성을 위로하며 서로 돕는 도리를 권면한다. 백성을 위로하는 일이 우물의 작용을 본받는 것이고, 백성에게 서로 돕도록 권면하는 일은 우물의 베풂을 본받는 것이다.

集說

● 張子曰 : "養而不窮, 莫若勞民而勸相也."[1]

장자(張子 : 張載)가 말했다. "길러서 궁색하지 않는 것은 백성을 위로하여 서로 권면함보다 못하다."

● 楊氏繪曰 : "水性潤下, 能上潤於物者, 井之用也."

양회(楊繪)가 말했다. "물의 성질은 촉촉하게 적시어 내려가니 올라가 사물을 윤택하게 만들 수 있는 것은 우물의 쓰임이다."

● 『朱子語類』云 : "木上有水, 井, 說者以爲木是汲器, 則後面卻有瓶, 瓶自是瓦器. 只是說水之津潤上行, 至那木之杪, 這便是井水上行之象."[2]

1) 장재(張載), 『횡거역설(橫渠易說)』 권2.

『주자어류』에서 말했다. "나무 위에 물이 있는 것이 정괘인데 학자들은 나무를 물을 길어올리는 기구로 여겼으니, 나중에는 그 기구를 오히려 항아리라 했는데 항아리는 원래 질그릇이다. 물이 젖어 들어 올라가 나무 끝에 이른 것이 바로 우물물이 위로 올라간 모습이다."

● 又云:"草木之生, 津潤皆上行, 直至樹末, 便是木上有水之義. 如菖蒲葉, 每晨葉尾皆有水如珠顆, 雖藏之密室亦然, 非露水也."
問:"如此, 則井之義與木上有水何預?"
曰:"木上有水, 便如水本在井底, 卻能汲上來給人之食, 故取象如此."[3]

또 말했다. "초목의 생장에서 물이 젖어 들면 모두 위로 올라가 바로 나무 끝에 이르는데 이것이 나무 위에 물이 있다는 뜻이다. 예를 들어 창포 잎은 매일 아침에 잎 꼬리에 물이 구슬처럼 맺혀있는데 밀실에 넣어두더라도 또한 그러하니 이슬이 아니다."
물었다. "이와 같다면 우물의 뜻과 나무 위에 물이 있다는 것은 어떻게 연관됩니까?"
대답했다. "나무 위에 물이 있다고 했으니 물이란 본래 우물 바닥에 있는데 길어 올려 사람에게 주어 먹는 것이므로 이런 모습을 취했다."

2) 『주자어류』 73권, 14조목.
3) 『주자어류』 73권, 15조목.

● 李氏心傳曰："勸相, 卽相友相助相扶持之意."[4]

이심전(李心傳)이 말했다. "서로 권면했다고 하니 서로 벗하고 서로 돕고 서로 붙잡아 주는 뜻이다."

案

「大象」木上有水, 須以朱子之說爲長, 「彖傳」巽乎水而上水, 則鄭氏桔槔之說, 不妨並存也. 勞民者, 如巽風之布號令, 勸相者, 如坎水之相灌輸.

「대상전」에서 나무 위에 물이 있다고 했으니 반드시 주자의 말이 가장 좋다. 「단전」에서 "물속에 들어가 물을 퍼 올린다"[5]고 했으니 정씨[정강성]가 두레박이라고 한 말[6]과 병존하는 데 방해되지 않는다. 백성을 위로한다는 것은 손(巽)괘의 바람처럼 호령을 선포하는 뜻이고 서로 권면하는 것은 감(坎)괘의 물처럼 서로 물을 대는 일이다.

4) 이심전(李心傳), 『병자학역편(丙子學易編)』
5) 『주역』「정(井)괘」「단전」: "물속에 들어가 물을 퍼 올리는 것이 우물이다. 우물은 아무리 사람들을 길러주어도 다 고갈되지 않는다. 고을은 바꾸어도 우물은 바꿀 수 없다는 것은 굳센 알맞음으로 하기 때문이다.[彖曰, 巽乎水而上水井, 井. 養而不窮也. 改邑不改井, 乃以剛中也.]"라고 하였다.
6) 『주역절중』「단하전」: "鄭氏康成曰, 坎, 水也. 巽木, 桔槔也. 桔槔引瓶下人泉口, 汲水而出, 井之象也."

井泥不食, 下也, 舊井無禽, 時舍也.

진흙이 있는 우물물이니 아무도 먹지 않는 것은 아래에 있기 때문이고, 옛 우물에 짐승들도 찾아오지 않는 것은 시대가 버려서이다.

本義

言爲時所棄.

때에 버려진 것이 됨을 말한다.

程傳

以陰而居井之下, 泥之象也. 無水而泥, 人所不食也, 人不食, 則水不上, 無以及禽鳥, 禽鳥亦不至矣. 見其不能濟物, 爲時所舍置不用也. 若能及離鳥, 是亦有所濟也. '舍', 上聲, 與乾之'時舍'音不同.

음(陰)으로 우물의 아래에 자리하니 진흙의 모습이다. 물이 없고 진흙이 있으면 사람들이 먹지 않는다. 사람들이 먹지 않으면 물이 올라오지 않아 짐승과 새들에게 미치지 못하니 짐승과 새들도 오지 않는다. 사물을 구제할 수 없어 때에 버려져 쓰이지 못하는 것을 드러낸 것이다. 만약 짐승과 새들에게 미칠 수 있다면 또한 도움을 주는 것이 있다. '사(舍)'는 상성(上聲)이니, 건(乾)괘의 '시사(時舍)'[7]와는 음(音)이 같지 않다.

集說

● 孔氏穎達曰："下也者，以其最在井下，故爲井泥也．時舍也者，人旣不食，禽亦不向，是一時其棄舍也."[8]

공영달(孔穎達)이 말했다. "아래에 있는 것은 우물에서 가장 아래에 있으므로 우물의 진흙이다. 때가 버렸다는 것은 사람이 먹지 않고 동물도 향하지 않으니 한 시대가 버린 것이다."

7) 『주역』「건괘」「문언전」: "드러난 용이 밭에 있는 것은 때에 따라 멈춘다.[見龍在田，時舍也]"라고 했는데, 정이천은 "때에 따라서 멈춘다.[隨時而止也.]"라고 설명하였다.

8) 공영달(孔穎達), 『주역주소(周易注疏)』 권8.

井穀射鮒, 無與也.

골짜기와 같은 우물로 미물들에게만 흐르는 것은 함께 하는 사람이 없기 때문이다.

程傳

井以上出爲功. 二陽剛之才, 本可濟用, 以在下而上無應援, 是以下比而射鮒. 若上有與之者, 則當汲引而上; 成井之功矣.

우물물은 위로 올라와야 공을 이룬다. 구이효는 양의 굳센 자질로 본래 구제하는 일에 쓰일 수 있는데 아래에 있고 위로 호응하는 사람이 없다. 그래서 아래로 내려가 친밀하게 지내면서 작은 고기에게 물을 대준다. 만약 위에서 함께 하는 자가 있다면 응당 물을 길어 올려 우물의 공을 이룰 것이다.

集說

● 谷氏家杰曰 : "謂有泉而無與, 與無泉而時棄者, 自不可同也."

곡가걸(谷家杰)이 말했다. "원천은 있는데 함께 하는 사람이 없고 원천이 없어 때가 버린 것은 원래 같을 수 없음을 말한다."

井渫不食, 行惻也. 求王明, 受福也.

우물이 깨끗한데도 사람들이 먹지 않음은 길을 걷는 사람이 슬퍼해서이고 왕의 현명함을 구하는 것은 복을 받기 위해서이다.

本義

行惻者, 行道之人, 皆以爲惻.

'행측(行惻)'은 길을 걷는 사람이 모두 서글프게 여기는 것이다.

程傳

井渫治而不見食, 乃人有才知而不見用, 以不得行爲憂惻也. 旣以不得行爲惻, 則豈免有求也? 故求王明而受福, 志切於行也.

우물이 깨끗이 치워졌는데도 먹지 않는 것은 재능과 지혜가 있는데도 쓰이지 못한 것이니 행하지 못하는 것을 근심하고 슬퍼하는 일이다. 행하지 못한 것을 슬퍼하면 어찌 구하지 않겠는가? 그러므로 왕의 현명함을 구하여 복을 받는 것이니, 뜻이 행하기를 간절하게 원한다.

集說

● 趙氏汝楳曰："井不以不食爲憂，賢者不以不遇而惻．心惻者，行人也，行汲之人，爲之求王者之明也．求王之明，豈朋比以干祿？爲其見知於上，則福被生民，猶井汲而出，然後利及於人也．"9)

조여매(趙汝楳)가 말했다. "우물은 먹지 않는 것이 근심이고 현자는 때를 만나지 못하여 슬퍼한다. 마음이 슬퍼하는 것은 길가는 사람이고 물을 긷는 사람은 그것을 위해 왕을 구하는 현명함이다. 왕을 구하는 현명함이 어찌 아부하여 녹봉을 구하려는 것이겠는가? 위에서 인정을 받으면 복이 백성에게 미치니 마치 우물물을 길어올린 뒤에 이득이 사람에게 미치는 것과 같다."

● 王氏申子曰："井渫而不爲人所食，縱不自惻，行道之人，亦爲之惻然矣．縱不求人之我用，人亦爲之求之，以並受其福矣．"10)

왕신자(王申子)가 말했다. "우물이 깨끗이 치워졌으나 사람들이 먹지 않고 스스로 슬퍼하지도 않지만, 길을 가는 사람들이 또한 그를 위해 측은해 한다. 사람들이 나를 등용할 것을 구하지 않지만 사람들이 또한 그를 위해 구하니 모두 그 복을 받는다."

9) 조여매(趙汝楳), 『주역집문(周易輯聞)』 권5.
10) 왕신자(王申子), 『대역집설(大易緝說)』 권7.

井甃無咎, 修井也.

우물에 벽돌을 쌓으면 허물이 없다는 것은 우물을 수리하기 때문이다.

程傳

'甃'者, 修治於井也. 雖不能大其濟物之功, 亦能修治不廢也, 故無咎, 僅能免咎而已. 若在剛陽, 自不至如是, 如是則可咎矣.

'추(甃)'는 우물을 수리하는 일이다. 사물을 구제하는 공을 크게 할 수는 없지만 또한 수리하여 폐하지 않을 수 있으므로 허물이 없는 것이니, 겨우 허물을 면할 수 있을 뿐이다. 만약 굳센 양이라면 이와 같이 스스로 우물을 수리하는 데 이르지는 않을 것이니, 이와 같이 하면 허물이 될 수 있다.

集說

● 虞氏翻曰 : "修, 治也. 以瓦甓壘井稱甃."[11]

우번(虞翻)이 말했다. "수(修)란 수리하는 일이다. 기와와 벽돌로 우물을 쌓아 꾸미는 것이다.

11) 이정조(李鼎祚), 『주역집해(周易集解)』 권10.

● 蘇氏軾曰 : "修, 潔也. 陽爲動爲實, 陰爲靜爲虛, 泉者所以爲井也, 動也實也, 井者泉之所寄也, 靜也虛也. 初六最下, 故曰泥, 上六最上, 故曰收. 六四居其間而不失正, 故曰甃. 甃之於井, 所以禦惡而潔井也, 井待是而潔, 故無咎."[12)]

소식(蘇軾)이 말했다. "수리하는 일은 깨끗이 하는 것이다. 양(陽)은 움직임이고 알찬 것이며 음(陰)은 고요함이고 텅 빔이니 샘물이 우물이 되는 것은 움직임이고 알찬이고, 우물은 샘물이 의지하는 것이니 고요함이고 텅 빔이다. 초육효는 가장 아래에 있어 진흙이라 했고 상육효는 가장 위에 있으므로 길어올린다고 했다. 육사효는 그 가운데 자리하여 올바름을 잃지 않았으므로 벽돌을 쌓는다고 했다. 우물에서 벽돌을 쌓으면 악을 막고 우물을 깨끗하게 하니 우물은 이것에 의해 깨끗해지므로 허물이 없다."

12) 소식(蘇軾), 『동파역전(東坡易傳)』 권5.

寒泉之食, 中正也.

시원한 샘물을 먹는 것은 중정(中正)하기 때문이다.

程傳

寒泉而可食, 井道之至善者也. 九五中正之德, 爲至善之義.

시원한 샘물을 먹을 수 있는 것은 우물의 도에서 가장 좋은 일이다. 구오효가 지닌 중정(中正)의 덕이 가장 좋다는 뜻이다.

案

『詩』云"泉之竭矣, 不云自中," 蓋不中則源不常裕而不寒也. 又云"冽彼下泉, 浸彼苞蕭," 蓋不正則流不逮下而不食也.

『시경』에서 "샘물이 마름을 가운데로부터 한다 말하지 않는구나"[13] 라고 했으니 알맞지 않으면 원천이 여유롭지 못하여 차갑지 않다. 또 "차가운 저 하천(下泉)이여 우북히 자라는 쑥을 잠기게 하도다"[14]라고 했으니 올바르지 않으면 흐름이 아래로 이르지 않아 먹

13) 『시경』「대아·탕지십·소민(召旻)」: "못이 마름을 물가로부터 한다 말하지 않으며, 샘물이 마름을 가운데로부터 한다 말하지 않는구나. 이 해가 큰지라 이 때문에 창황함을 크게 하나니 재앙이 내 몸에 미치지 않을까. [池之竭矣, 不云自頻, 泉之竭矣, 不云自中. 溥斯害矣, 職兄斯弘, 不我躬.]"라고 하였다.

지 못한다.

14) 『시경』「국풍·조(曹)·하천(下泉)」: “차가운 저 하천(下泉)이여 우북히 자라는 쑥을 잠기게 하도다. 개연(愾然)히 내 잠깨어 탄식하여 저 주(周)나라 서울을 생각하노라.[冽彼下泉, 浸彼苞蕭. 愾我寤嘆, 念彼京周.]” 라고 하였다.

元吉在上, 大成也.

크게 길함으로 가장 위에 있는 것이 크게 이룬다.

程傳

以大善之吉在卦之上, 井道之大成也. 井以上爲成功.

크게 좋은 길함으로 괘에서 가장 위에 있으니, 우물의 도를 크게 완성한 것이다. 우물은 위로 올라와 쓰일 때 공을 이룬다.

49. 혁革䷰괘

澤中有火, 革, 君子以治曆明時.

연못 가운데 불이 있는 것이 혁괘의 모습이니, 군자는 이것을 본받아 달력을 만들어 때를 밝힌다.

本義

四時之變, 革之大者.

사계절의 변화는 변혁의 큰 것이다.

程傳

水火相息爲革, 革, 變也. 君子觀變革之象, 推日月星辰之遷易, 以治曆數, 明四時之序也. 夫變易之道, 事之至大, 理之至明, 跡之至著, 莫如四時. 觀四時而順變革, 則與天地合其序矣.

물과 불이 서로 다투어 변하는 것이 혁(革)이니, 혁이란 변혁이다.

군자는 이 변혁의 모습을 관찰하여 해와 달과 별과 별자리의 변천과 바뀜을 추리하여, 역수(曆數)[1]를 다스려 사계절의 차례를 밝힌다. 변혁의 도에서 지극히 큰 일이고 지극히 분명한 이치이고 매우 뚜렷하게 드러나는 흔적은 바로 사계절만한 것이 없으니, 사계절을 관찰하여 변혁에 순응하면 천지와 그 차례를 합치한다.

集說

● 虞氏翻曰 : "曆象, 謂日月星辰也. 天地革而四時成, 故君子以治曆明時也."[2]

우번(虞翻)이 말했다. "역상(曆象)은 해와 달과 별과 별자리이다. 천지가 변혁하여 사계절을 이루므로 군자는 달력을 만들어 때를 밝힌다."

● 『朱子語類』云 : "治曆明時, 非謂曆當改革. 蓋四時變革中, 便有個治曆明時的道理."[3]

『주자어류』에서 말했다. "역법을 만들어 때를 밝히지만, 역법을 마땅히 개혁해야 함을 말하는 것이 아니다. 사계절이 변혁하는 가운데 역법을 만들어 때를 밝히는 도리가 있기 때문이다."

1) 역수(曆數) : '역수'란 달력을 말한다. 즉 역법(曆法)이다. 천문현상을 관찰하여 연도와 계절 및 절기를 계산하는 방법을 말한다. 그래서 역(易)은 역(曆)과 긴밀하게 관련된다.

2) 이정조(李鼎祚), 『주역집해(周易集解)』 권10.

3) 『주자어류』 73장, 23조목.

鞏用黃牛, 不可以有爲也.

황소 가죽을 써서 묶는 것은 어떤 일도 도모할 수 없기 때문이다.

程傳

以初九時位才皆不可以有爲, 故當以中順自固也.

초구효의 때와 지위와 자질이 모두 어떤 일도 도모할 수 없으므로 당연히 알맞게 따름으로 자신을 굳게 지켜야 한다.

集說

● 胡氏瑗曰 : "凡革之道, 必須巳日, 然後可以革之也. 民固卽日而未孚. 可遽革之乎? 故但可固守中順, 未可大有所爲."[4)]

호원(胡瑗)이 말했다. "변혁의 도는 반드시 날이 지난 뒤에 변혁할 수 있다. 백성은 당일에는 믿지 않으니, 성급하게 변혁할 수 있겠는가? 그러므로 단지 알맞게 따르는 도리를 굳게 지켜 크게 일을 도모하지 못하는 것이다."

● 鄭氏汝諧曰 : "居位之下, 革之而人未必從. 當革之始, 遽革

4) 호원(胡瑗), 『주역구의(周易口義)』 권8.

而人未必信，固執中順之道，循理而變通可也．自我有爲不可也．於革之初言之，欲其謹於始也．"[5]

정여해(鄭汝諧)가 말했다. "아래 자리에 있으면서 변혁하니 사람들이 반드시 좇지 않는다. 변혁의 시작에서 성급하게 변혁하여 사람들이 반드시 믿지 못하니 알맞게 따르는 도리를 굳게 지켜 이치를 따라 변통하면 좋다. 나로부터 일을 하면 옳지 않다. 변혁의 초기 단계에서 말했으므로 시작에서 삼가게 하려는 것이다."

5) 정여해(鄭汝諧), 『역익전(易翼傳)』 하경 하(下經 下).

已日革之, 行有嘉也.
하루가 지나서 변혁할 수 있는 것은 행함에 아름다운 일이 있다.

程傳

已日而革之, 征則吉而無咎者, 行則有嘉慶也. 謂可以革天下之弊, 新天下之事, 處而不行, 是無救弊濟世之心, 失時而有咎也.

하루가 지나서 변혁해 나가면 길하여 허물이 없는 것은 행하면 길하여 기쁜 일이 있다는 말이다. 이는 세상의 폐단을 변혁하고 세상의 일들을 혁신할 수 있지만, 처하여 행하지 않으면 폐단을 해결하고 세상을 구제하려는 마음이 없는 것이니, 때를 놓치고 허물이 있게 된다.

集說

● 俞氏琰曰:"未當革而遽往, 適以滋弊耳, 何嘉之有? 必往於巳日當革之時, 則其行有嘉美之功. 行釋征字, 嘉釋吉無咎."

유염(俞琰)이 말했다. "변혁에 합당하지 않는데 성급하게 가면 오히려 폐단을 늘릴 뿐이니 어찌 기쁜 일이 있는가? 반드시 마땅히 변혁해야 할 때에 가면 그 행함에 아름다운 공이 있다. 행함은 간다[征]는 글자를 해석한 것이고 기쁨은 길하여 허물이 없다는 것을 해석하였다.

革言三就, 又何之矣.

변혁해야 한다는 공론이 세 번 합치했으니, 또 어디로 가겠는가?

本義

言已審.

이미 자세히 살폈음을 말했다.

程傳

稽之衆論, 至於三就, 事至當也, 又何之矣, 乃俗語更何往也. 如是而行, 乃順理時行, 非己之私意所欲爲也, 必得其宜矣.

고찰한 중론(衆論)이 세 번 합치하는 데 이르면 그 일은 지당한 것이다. 또 어디로 가겠는가?라는 말은 속담에 다시 어디로 가겠는가? 라는 말과 같다. 이렇게 해서 행하면 이치에 순종하고 때에 마땅하게 행하는 것이며 자신의 사사로운 의도로 하려고 하는 것이 아니니, 반드시 그 마땅함을 얻을 것이다.

集說

● 徐氏幾曰: "初未可革, 二乃革之, 三則變革之事成矣. 凡事詳審, 至再至, 三則止矣, 又何往焉."

서기(徐幾)가 말했다. "초효는 변혁할 수 없고 이효는 곧 변혁하고 삼효는 변혁의 일을 이루었다. 모든 일을 상세하게 살펴서 이르고 다시 이르러 삼효에서 멈추었으니 또 어디로 가겠는가?"

改命之吉, 信志也.

명을 고쳐서 길한 것은 그 뜻을 모두 신뢰하기 때문이다.

程傳

改命而吉, 以上下信其志也. 誠旣至, 則上下信矣. 革之道, 以上下之信爲本, 不當不孚則不信, 當而不信, 猶不可行也, 況不當乎?

명을 고쳐서 길한 것은 위와 아래가 그 뜻을 신뢰하기 때문이다. 정성이 지극하면, 위와 아래가 믿는다. 변혁의 도에서는 위와 아래의 신뢰를 근본으로 하니 합당하지 못하고 믿지 않는다면 아무도 신뢰하지 않는다. 합당하더라도 신뢰하지 않으면 실행할 수 없는데, 하물며 합당하지 않는 것은 어떠하겠는가?

集說

● 龔氏煥曰:"信志, 卽有孚之謂. 革以有孚爲本, 信足以孚乎人心, 則可以改命而得吉矣."

공환(龔煥)[6]이 말했다. "뜻을 신뢰하니 믿음이 있는 것을 말한다.

6) 공환(龔煥) : 자는 유문(幼文)이고, 천봉선생(泉峯先生)이라고 불렸다. 원(元)대 임천(臨川)사람이다. 요응중(饒應中)에게 사사하여 본체를 밝

변혁은 믿음이 있는 것을 근본으로 하니 신뢰가 사람의 마음에 믿기 충분하면 명을 개혁하여 길함을 얻는다."

히고 실천에 옮기는 데 힘썼다. 당시 아직 과거제도가 시행되지 못했는데, 시행되면 반드시 정자와 주자의 학문을 법식으로 삼아야 한다고 주장했다. 과연 뒤에 그의 말대로 시행되었다.

大人虎變, 其文炳也.

대인이 호랑이로 변함은 그 문양이 빛나는 것이다.

程傳

事理明著, 若虎文之炳煥明盛也, 天下有不孚乎.

일의 이치가 밝게 드러나, 호랑이 무늬가 밝게 빛나고 성대한 것과 같으니, 세상 사람들 가운데 믿지 않을 사람이 있겠는가?

集說

● 俞氏琰曰 : "虎之斑文大而疏朗. 革道已成, 事理簡明, 如虎文之炳然也."[7]

유염(俞琰)이 말했다. "호랑이의 무늬는 크고 빛난다. 변혁의 도가 완성되면 일의 이치가 간단하고 밝은 것이 호랑이 무늬가 빛나는 것과 같다."

7) 유염(俞琰), 『주역집설(周易集說)』 권24.

君子豹變, 其文蔚也. 小人革面, 順以從君也.

군자가 표범으로 변함은 그 무늬가 아름다운 것이고, 소인이 얼굴만 고침은 복종하여 군주를 따르는 것이다.

程傳

君子從化遷善, 成文彬蔚, 章見於外也. 中人以上, 莫不變革, 雖不移之小人, 則亦不敢肆其惡, 革易其外, 以順從君上之教令, 是革面也, 至此革道成矣. 小人勉而假善, 君子所容也, 更往而治之, 則凶矣.

군자는 교화를 따라 착함으로 옮겨 무늬를 아름답게 완성하여 아름다운 무늬를 밖으로 드러낸다. 중인(中人) 이상은 변혁하지 않는 사람이 없고 고칠 수 없는 소인일지라도 감히 악행을 저지르지 못하고 겉으로 드러난 모습을 변혁하여, 군주의 가르침과 명령에 순종하고 복종하니, 이것이 얼굴을 고치는 일이다. 이에 이르면 변혁의 도는 완성된다. 소인을 억지로라도 착함에 이르게 하려고, 군자가 용납하며 거기서 다시 나아가 다스려 고치려고 하면 흉하다.

集說

● 張子曰: "以柔爲德, 不及九五剛中炳明, 故但文章蔚縟, 能使小人改觀而從也."8)

장자(張子 : 張載)가 말했다. "부드러움으로 덕을 삼아 구오효의 굳세고 알맞으며 밝은 것에는 미치지 못하므로 단지 무늬가 빛나서 소인이 본래의 모습을 고쳐 따르게 할 수 있다."

● 呂氏大臨曰 : "上六與九五, 皆革道已成之時. 虎之文修大而有理, 豹之文密茂而成斑, 其文炳然, 如火之照而易辨也, 其文蔚然, 如草之暢茂而叢聚也."

여대림(呂大臨)[9]이 말했다. "상구효와 구오효는 모두 변혁의 도를 이미 완성한 때이다. 호랑이 무늬는 크고 조리가 있고 표범의 문양은 조밀하여 무늬를 이루어 그 문양이 밝아 마치 불이 비추듯이 쉽게 분별하고 그 문양이 성대하여 마치 풀이 무성하여 모여있는 듯하다."

● 俞氏琰曰 : "小人居革之終, 幡然向道, 以順從君, 無不心悅而誠服. 或者乃謂面革而心不革, 非也."[10]

8) 장재(張載), 『횡거역설(橫渠易說)』 권2.

9) 여대림(呂大臨, 1040~1092) : 자는 여숙(與叔)이고, 당시 예각선생(藝閣先生)으로 불리었다. 송대 남전(藍田 : 현 섬서성 소속) 사람으로 『여씨향약(呂氏鄕約)』을 쓴 여대균(呂大鈞)의 동생이다. 장재(張載)가 처음으로 관중(關中)에 와서 강학할 때 형들과 함께 장재를 스승으로 모셨으나, 장재가 죽은 뒤 이정(二程)에게 배워 사량좌(謝良佐)·유초(游酢)·양시(楊時)와 함께 '정문4선생(程門四先生)'이라 일컫는다. 태학박사(太學博士)·비서성정자(秘書省正字)를 역임하였다. 저서는 『예기전(禮記傳)』, 『고고도(考古圖)』 등이 있다.

10) 유염(俞琰), 『주역집설(周易集說)』 권24.

유염(俞琰)이 말했다. "소인이 변혁의 끝에 자리하여 판연하게 도를 향하여 군주에게 순종하니 마음이 기뻐하고 진실로 복종하지 않음이 없다. 어떤 사람은 얼굴만 바꾸었지 마음은 변혁하지 않았다고 하는데 그렇지 않다."

50. 정鼎䷱괘

木上有火, 鼎, 君子以正位凝命.

나무 위에 불이 있는 것이 정괘의 모습이니, 군자는 이것을 본받아, 그 지위를 바르게 하여 명령을 엄중하게 한다.

本義

'鼎', 重器也, 故有正位凝命之意. '凝', 猶至道不凝之凝. 「傳」所謂'協于上下以承天休者'也.

'정(鼎)'은 귀중한 기물이므로 자리를 바르게 하여 명령을 엄중하게 한다는 뜻이 있다. '응(凝)'은 지극한 도가 응집하지 않는다는 응(凝)과 같으니, 「전(傳)」에 이른바 '상하(上下)에 화합하여 하늘의 아름다움을 받든다'는 뜻이다.

程傳

木上有火, 以木巽火也, 烹飪之象, 故爲鼎. 君子觀鼎之象,以正位凝命. 鼎者, 法象之器, 其形端正, 其體安重. 取其端正之象, 則以正其位, 謂正其所居之位. 君子所處必正, 其小至於席不正不坐, 毋跛毋倚. 取其安重之象, 則凝其命令, 安重其命令也. 凝, 聚止之義謂安重也, 今世俗有凝然之語, 以命令而言耳. 凡動爲皆當安重也.

나무 위에 불이 있음은 나무가 불에 타들어가는 것이니 삶아서 음식을 만드는 모습이므로 가마솥이다. 군자는 정괘의 모습을 관찰하여 지위를 바르게 하여 명령을 엄중하게 내린다. 가마솥은 모습을 본받은 기구로서 그 형체가 단정하고 바르며 몸집이 안정되고 중후하다. 그 단정하고 바른 모습을 취하여 그 지위를 바르게 함이니 자리하고 있는 지위를 바르게 하는 것을 말한다.
군자는 처하는 것을 바르게 하니 작게는 자리가 바르지 않으면 앉지 않고, 짝다리를 짚고 서거나 기대어 서지 않는다. 안정되고 중후한 모습을 취하여 명령을 엄중하게 내리니, 그 명령을 안정되고 엄중하게 하는 것이다. '응(凝)'은 모여서 그친다는 뜻이니 안정되고 중후함을 말한다. 지금 응연(凝然)이란 말이 있으니 명령하는 일로 말한 것일 뿐이다. 그러나 움직임은 모두 안정되고 엄중하게 해야만 한다.

集說

● 房氏喬曰 : "鼎者神器, 至大至重, 正位凝命, 法其重大, 不可遷移也."

방교(房喬)[1]가 말했다. "가마솥은 신비한 기물이니 지극히 크고 지극히 무거워 지위를 바르게 하고 명령을 엄중히 하는 것은 그 무겁고 큰 것을 본받아 바꿀 수 없다."

● 李氏元量曰:"木上有火, 非鼎也, 鼎之用也, 猶之木上有水, 非井也, 井之功也."

이원량(李元量)이 말했다. "나무 위에 불이 있는 것이 가마솥이 아니라 가마솥의 작용이니, 나무 위에 물이 있는 것이 우물이 아니라 우물의 공인 것과 같다."

● 鄭氏汝諧曰:"革以改命, 鼎以定命, 知革而不知鼎, 則天下之亂滋矣."[2]

정여해(鄭汝諧)가 말했다. "변혁으로 명을 개혁하고 가마솥으로 명을 안정시키니 변혁만을 알고 가마솥을 모르면 천하의 혼란은 깊어진다."

---

1) 방교(房喬, 579~648) : 제주(齊州) 임치(臨淄) 사람으로 자는 현령(玄齡)이다. 당(唐)나라 대신(大臣) 방언겸(房彦謙)의 아들이다. 18세에 진사(進士)가 되었고, 벼슬은 우기위(羽騎尉)가 되었다. 뒤에 이세민(李世民)에게 투항하여 참모가 되었다. 그는 이세민의 현무문(玄武門) 변란을 두여회(杜如晦), 장손무기(長孫無忌), 위지경덕(尉遲敬德), 후군집(侯君集) 등과 주도적으로 추진하여 일등공신이 되었다. 이세민이 황제가 된 후에 중서령(中書令), 상서좌부야(尙書左仆射)가 되었고, 양국공(梁國公)으로 봉해졌다. 그 뒤에 사공(司空)이 되어 조정의 정사를 총괄하였다. 시호는 문소(文昭)이다.

2) 정여해(鄭汝諧), 『역익전(易翼傳)』 하경 하(下經 下).

● 項氏安世曰 : "存神息氣, 人所以凝壽命, 中心無爲, 以守至正, 君所以凝天命."[3]

항안세(項安世)가 말했다. "신(神)을 보존하고 기(氣)를 숨쉬는 것이 인간의 수명을 안정시키는 일이고, 가운데 마음이 무위하여 지극히 올바름을 지키는 것이 군주가 천명을 안정시키는 일이다."

● 王氏申子曰 : "鼎, 形端而正, 體鎭而重, 君子取其端正之象, 以正其所居之位, 使之愈久而愈安, 取其鎭重之象, 以凝其所受之命, 使之愈久而愈固."[4]

왕신자(王申子)가 말했다. "가마솥은 형체가 단정하고 바르며 몸체가 진중하고 무거우니 군자가 그 단정한 모습을 취하여 그가 자리한 지위를 바르게 하여 오래되면 될수록 더욱 안정되고, 진중하고 무거운 모습을 취하여 그가 받은 명을 엄중하게 하여 오래되면 될수록 더욱 견고하다."

● 胡氏炳文曰 : "鼎之器正, 然後可凝其所受之實, 君之位正, 然後可凝其所受之命."[5]

호병문(胡炳文)이 말했다. "가마솥의 기물이 바르게 된 뒤에 그 받은 실제를 안정되게 할 수 있고, 군자의 지위를 바르게 한 뒤에 그가 받은 명을 엄중하게 할 수 있다."

3) 항안세(項安世), 『주역완사(周易玩辭)』 권10.
4) 왕신자(王申子), 『대역집설(大易緝說)』 권7.
5) 호병문(胡炳文), 『주역본의통석(周易本義通釋)』 권4.

鼎顚趾, 未悖也. 利出否, 以從貴也.

솥의 발이 뒤집어졌으나 이치에 어긋나는 것은 아니다. 나쁜 것을 쏟아내는 일이 이로움은 귀함을 따르기 때문이다.

本義

鼎而顚趾, 悖道也, 而因可出否以從貴, 則未爲悖也. 從貴, 謂應四, 亦爲取新之意.

솥의 발이 뒤집어진 것은 어그러진 도(道)이나 나쁜 것을 꺼내고 귀함을 따를 수 있기 때문에 어그러진 도가 되지 않는다. 귀함을 따름은 사(四)에 호응하는 것을 말하니 또한 새로움을 취하는 뜻이 된다.

程傳

鼎, 覆而趾顚, 悖道也. 然非必爲悖者, 蓋有傾出否惡之時也. 去故而納新, 瀉惡而受美, 從貴之義也. 應於四, 上從於貴者也.

가마솥이 엎어져 발이 뒤집어진 것은 어그러진 도이지만, 반드시 어그러진 일만은 아닌 것이 부패한 것과 나쁜 것을 기울여 쏟아내야만 하는 때가 있기 때문이다. 옛것을 버리고 새것을 넣으며 나쁜 것을 쏟아내고 아름다운 것을 수용하는 것이 귀함을 따르는 뜻이다. 사효에 호응하는 것이 위로 귀함을 따르는 일이다.

集說

● 陸氏希聲曰 : "趾當承鼎, 顚而覆之, 悖也. 於是出其惡, 故雖覆未悖, 猶妾至賤不當貴, 以其子故得貴焉. 春秋之義, 母以子貴是也."

육희성(陸希聲)[6]이 말했다. "발은 가마솥을 감당하는 것인데 엎어져 뒤집어졌으니 어그러졌다. 이에 나쁜 것이 나왔으므로 뒤집어졌더라도 어그러진 것은 아니니, 마치 첩이 지극히 천하여 귀함에 해당되지는 않지만 그 자식 때문에 귀함을 얻는 것과 같다. 『춘추』의 뜻에 어머니가 자식으로 귀해진다[7]는 말이 이것이다."

● 鄭氏汝諧曰 : "初居下, 乃鼎之趾, 必顚趾者乃出否也. 猶之妾也, 其可從上, 以子也, 子貴則母貴也. 凡取新之義, 必舍惡而取善, 舍賤而取貴. 期合於義, 初之應乎四, 顚趾也, 從貴也. 柔而應於上, 必有此義乃可."[8]

정여해(鄭汝諧)가 말했다. "초효는 아래에 자리하니 가마솥의 발가락이다. 반드시 발가락이 뒤집어져야 부패한 것이 나온다. 첩과 같

6) 육희성(陸希聲, ?~905) : 자는 홍경(鴻磬)이고, 호는 군양둔수(君陽遁叟) 혹은 단양도인(君陽道人)이며, 당나라 소주(蘇州) 오현(吳縣) 사람이다. 의흥(義興)에 은거했다가 천거되어 벼슬은 우습유(右拾遺), 합주자사(歙州刺史), 급사중(給事中), 호부시랑(戶部侍郞), 동중서문하평장사(同中書門下平章事) 등을 역임했다. 『역(易)』, 『춘추(春秋)』, 『도덕경(道德經)』에 정통했고, 문장을 잘 지었다. 저서에 『춘추통례(春秋通例)』, 『도덕경전(道德經傳)』이 있다.

7) 『춘추좌씨전(春秋左氏傳)』 은공원년(隱公元年).

8) 정여해(鄭汝諧), 『역익전(易翼傳)』 하경 하(下經 下).

은 것은 위를 따를 수가 있으니 자식 때문이다. 자식이 귀하면 어머니가 귀하다. 새로운 것을 취하는 뜻은 반드시 나쁜 것을 버리고 착한 것을 취하며 천함을 버리고 귀함을 취하는 것이다. 의로움에 합치되기를 기대하니 초효가 사효에 호응하는 것이 발가락이 뒤집혀지는 일이고 귀함을 따르는 일이다. 부드러움이 위와 호응하니 반드시 이 의로움이 있어야 가능하다."

案

「傳」於得妾之辭不釋. 但以從貴之意包之, 聖言之簡而盡如此.

「상전」에서는 첩을 얻는다는 말을 해석하지 않았다. 단지 귀함을 따른다는 뜻으로 포괄했으니 성인의 말의 간략함이 이와 같이 다한다.

鼎有實, 愼所之也. 我仇有疾, 終無尤也.

솥에 꽉 찬 내용물이 있지만, 나갈 바를 신중하게 삼가야 한다. 나의 상대가 병이 있는 것은 끝내 허물이 없어진다.

本義

有實而不謹其所往, 則爲仇所卽而陷於惡矣.

담긴 내용물이 있지만 갈 바를 삼가지 않으면 원수에게 나아가는 것이 되어 악함에 빠진다.

程傳

鼎之有實, 乃人之有才業也. 當愼所趨向, 不愼所往, 則亦陷於非義. 二能不昵於初, 而上從六五之正應, 乃是愼所之也. 我仇有疾, 擧上文也. 我仇對己者, 謂初也. 初比己而非正, 是有疾也. 旣自守以正, 則彼不能卽我, 所以終無過尤也.

솥에 내용물이 있는 것은 사람에게 재능과 학업을 가진 것과 같다. 마땅히 향할 바를 신중히 고려해야만 하니 나아갈 바를 신중하게 고려하지 않는다면 또한 의롭지 못한 곳에 빠진다. 구이효가 초육효와 친밀하게 관계하지 않고 위로 올바른 호응인 육오효를 따를 수 있다면 이것이 바로 나아갈 바를 신중하게 고려하는 것이다. "나의 상대가 병이 있다"는 말은 위의 글을 거론한 것이다. 나의 상대란 자신과 짝이 되는 자이니 초육효를 말한다. 초육효는 자신과 나란히 가까이 있지만 올바르게 호응함이 아니니 이것이 병이 있는 것이다. 스스로 정도를 지키면 상대는 나에게 올 수 없으니 결국에는 허물이 없게 된다.

集說

● 張子曰 : "以陽居中故有實, 實而與物競, 則所喪多矣, 故所之不可不愼也."[9]

장자(張子 : 張載)가 말했다. "양으로 가운데 자리하므로 내용물이 있다. 내용물이 있어 사물과 경쟁하면 많은 것을 잃으므로 가는 바를 신중하게 고려하지 않을 수 없다."

案

尤者, 己之過尤也, 人之怨尤也. 能愼其所行, 則雖我仇有疾害之心, 无過尤之可指, 而怨尤之念, 亦消矣.

허물은 자신의 과오이고 사람들의 원망이다. 그 행함을 신중하게 할 수 있다면 자신의 적이 해치려는 마음이 있더라도 지적할 만한 과오가 없고 원망하려는 생각도 사라진다.

---

9) 장재(張載), 『횡거역설(橫渠易說)』 권2.

鼎而革, 失其義也.

솥의 귀가 마음을 바꾸는 것은 그 의리를 잃었기 때문이다.

程傳

始與鼎耳革異者, 失其相求之義也. 與五非應, 失求合之道也, 不中, 非同志之象也. 是以其行塞而不通. 然上明而下才, 終必和合, 故方雨而吉也.

처음에 솥의 귀가 마음을 바꿔 달리함은 서로 구하는 의리를 잃은 것이다. 구오효와 호응이 아니니 구하여 화합하는 방도를 잃었고 중도를 이루지 못했으니 뜻을 함께 하는 모습이 아니다. 그래서 그 나아감이 막혀 통하지 못한 것이다. 그러나 윗사람이 현명하고 아랫사람이 재능이 있어 결국에는 반드시 화합할 것이므로, 비가 내려서 길하다.

案

「象傳」凡言義者, 謂卦義也, 此失其義, 非謂己之所行失義, 蓋謂爻象無相應之義爾.

「상전」에서 의로움을 말한 것은 괘의 의로움이니 여기서 그 의로움을 잃은 것은 자신의 행함이 의로움을 잃었다는 뜻이 아니라 효상(爻象)이 서로 호응하는 의로움이 없음을 말할 뿐이다.

覆公餗, 信如何也?

공에게 바칠 음식을 엎었으니 그 신뢰는 어떻겠는가?

本義

言失信也.

신뢰를 잃었음을 말한다.

程傳

大臣當天下之任, 必能成天下之治安, 則不誤君上之所倚, 下民之所望, 與己致身任道之志, 不失所期, 乃所謂信也, 不然, 則失其職, 誤上之委任, 得爲信乎? 故曰信如何也.

대신이 천하의 임무를 맡고 반드시 천하의 다스림과 안정을 이룰 수 있다면, 군주가 의지하여 맡긴 것과 백성들의 소망 그리고 몸을 바쳐 도를 자임하는 자신의 뜻을 그르치지 않아서 기대한 바를 잃지 않으니, 신뢰할 만하다. 그렇지 않으면 그 직분을 잃어 윗사람이 위임해준 것을 그르치니, 어찌 신뢰할 만하다고 할 수 있겠는가? 그래서 "그 신뢰는 어떻겠는가?"라고 했다.

集說

● 楊氏簡曰 : "居大臣之位, 是許國以大臣之事業也, 而實則不稱, 折足覆餗, 失許國之信矣."[10]

양간(楊簡)[11]이 말했다. "대신의 지위에 자리한 것은 대신의 업무를 하도록 나라가 허락한 것이니, 가득 차면 걸맞지 못하여 다리가 부러져 음식을 엎으니 나라에서 허락한 신임을 잃은 것이다."

10) 양간(楊簡), 『양씨역전(楊氏易傳)』 권16.

11) 양간(楊簡, 1141~1226) : 자는 경중(敬仲)이고, 호는 자호선생(慈湖先生)이며, 시호는 문원(文元)이다. 남송 명주 자계(明州慈溪 : 현 절강성 영파시〈寧波市〉) 사람으로 양정현(楊庭顯)의 아들이다. 효종(孝宗) 건도(乾道) 5년(1169)에 진사에 급제하여 부양주부(富陽主簿)에 올랐다. 이때 육구연(陸九淵)을 스승으로 섬겨 육씨심학파(陸氏心學派)의 대표적 인물이 되었다. 원섭(袁燮), 서린(舒璘), 심환(沈煥) 등과 함께 녹상사선생(甬上四先生), 사명사선생(四明四先生)으로 일컬어졌다. 육구연의 심학을 우주의 만물(萬物), 만상(萬象), 만변(萬變)이 모두 자신에게 속해 있다는 유아론(唯我論)으로 발전시켰다. 저서에 『자호시전(慈湖詩傳)』, 『양씨역전(楊氏易傳)』, 『계폐(啓蔽)』, 『선성대훈(先聖大訓)』, 『오고해(五誥解)』, 『자호유서(慈湖遺書)』 등이 있다.

鼎黃耳, 中以爲實也.

솥이 누런 귀인 것은 중도로 알찬 것이다.

程傳

六五以得中爲善, 足以中爲實德也. 五之所以聰明應剛, 爲鼎之主, 得鼎之道, 皆由得中也.

육오효는 중도를 얻음을 최선으로 여기니 이것이 중도로 알찬 것이다. 육오효가 총명하여 굳셈과 호응하여 솥의 주인이 되고 솥의 도리를 얻은 것은 모두 중도를 얻었기 때문이다.

集說

● 陸氏績曰 : "得中承陽, 故曰中以爲實."[12]

육적(陸績)[13]이 말했다. "알맞음을 얻어 양을 이으므로 중도로 알

12) 요사린(姚士粦), 『육씨역해(陸氏易解)』.

13) 육적(陸績, 188~219) : 자는 공기(公紀)이다. 삼국 시대 오(吳)나라 오군 오현(吳郡吳縣 : 현 강소성 소주〈蘇州〉) 사람으로 한말(漢末) 여강태수(廬江太守) 육강(陸康)의 아들이다. 어려서 '육적회귤(陸績懷橘)'이라는 고사성어의 주인공이 될 정도로 효심(孝心)으로 이름이 났고, 천문과 역산(曆算) 등 다방면으로 박학다식했다. 벼슬은 손권(孫權)이 강동(江東)을 장악했을 때 주조연(奏曹掾 : 상소를 의론하는 직책)이 되어 직언(直

찬 것이다.

● 郭氏雍曰 : "中以爲實者, 六五明虛, 以黃中之德爲實也. 猶坤之六五美在其中之道也."[14]

곽옹(郭雍)이 말했다. "중도로 알차다는 것은 육오효가 밝고 비어서 황중(黃中)의 덕으로 알차다는 것이다. 곤(坤)괘 육오효 '아름다움이 그 마음에 있는 도'[15]와 같다."

言)을 잘 했으며, 울림태수(鬱林太守), 편장군(偏將軍) 등을 역임하였다. 저서에는 『혼천도(渾天圖)』, 『주역주(周易注)』, 『태현경주(太玄經注)』 등이 있다.

14) 곽옹(郭雍), 『곽씨전가역설(郭氏傳家易說)』 권5.

15) 『주역』「곤(坤)괘」「문언전」: "군자는 노란 문채가 중(中)에 있고 이치에 통하여, 올바른 지위에서 자신의 체통에 자리하고 아름다움이 그 마음에 있고 온몸에 펼쳐 있으며 모든 일에 드러나니, 아름다움의 극치다.[君子, 黃中通理, 正位居體, 美在其中, 而暢於四支, 發於事業, 美之至也.]"라고 하였다.

玉鉉在上, 剛柔節也.

옥의 고리가 위에 있는 것은 굳셈과 부드러움이 절제하기 때문이다.

程傳

剛而溫, 乃有節也. 上居成功致用之地, 而剛柔中節, 所以大吉無不利也. 井·鼎皆以上出爲成功, 而鼎不云元吉何也? 曰井之功用皆在上出, 又有博施有常之德, 是以元吉. 鼎以烹飪爲功, 居上爲成德與井異, 以剛柔節, 故得大吉也.

굳세면서도 온화한 것은 절도가 있다. 상구효가 공을 이루어 쓰이게 되는 자리에 있어 굳셈과 부드러움이 적절하게 절제하니 그래서 크게 길하여 이롭지 않음이 없다. 정(井)괘와 정(鼎)괘는 모두 속에 있는 것이 위로 나오는 것을 공을 이루었다고 생각하는데, 정(鼎)괘에서는 크게 길하다고 말하지 않는 것은 무슨 까닭인가? 답한다. 우물의 기능은 모두 위로 물을 퍼 올리는 것에 있고, 또 세상에 널리 베풀되 오래도록 지속하는 덕이 있으니, 그래서 크게 길하다. 솥은 삶아 음식을 만드는 것을 공으로 여기니, 상(上)의 자리에 있으면서 덕을 이룬 것은 우물과는 다르니 굳셈과 부드러움이 절제되므로 크게 길함을 얻었다.

集說

● 熊氏良輔曰 : "上以剛居柔, 故曰剛柔節, 而比德於玉也."

웅량보(熊良輔)가 말했다. "상육효가 굳셈으로 부드러움에 자리하므로 굳셈과 부드러움이 절제되었다고 했으니 덕을 옥에 비유했다."

51. 진震☳괘

洊雷震, 君子以恐懼修省.

거듭된 우레가 진괘의 모습이니, 군자는 이것을 본받아 놀라고 두려워하여 수양하고 반성한다.

程傳

'洊', 重襲也, 上下皆震, 故爲洊雷, 雷重仍則威益盛. 君子觀洊雷威震之象, 以恐懼自修飭循省也. 君子畏天之威, 則修正其身, 思省其過咎而改之. 不唯雷震, 凡遇驚懼之事, 皆當如是.

'천(洊)'은 거듭된 것이니, 위와 아래가 모두 우레이므로 거듭된 우레이다. 우레가 거듭되어 있으면 위엄이 더욱 성대하다. 군자는 거듭된 우레가 위엄스럽게 진동하는 모습을 관찰하여 두려워하면서 스스로 신중하게 신칙하고[1] 스스로를 성찰한다. 군자가 하늘의 위

1) 신중하게 신칙하고 : 수칙(修飭)을 해석한 것이다. 신하가 삼가 신중하게 신칙하여 예의를 어기지 않는 것을 말한다. 『순자』「군도(君道)」: "신중

엄을 두려워하면 자신의 몸을 수양하고 바르게 하며, 자신의 과실과 허물을 사려하고 고친다. 우레의 진동만이 아니라 놀라고 두려운 일을 만났을 때는 모두 이와 같이 해야만 한다.

集說

● 項氏安世曰:"恐懼修省, 所謂洊也, 人能恐懼, 則旣震矣, 又修省焉, 洊在其中矣."[2)]

항안세(項安世)가 말했다. "두려워하고 근심하며 수양하고 반성하는 것이 거듭된 것을 말한다. 사람이 두려워하고 근심하면 이미 진동했고 또 수양하고 반성하면 거듭됨이 그 안에 있다."

● 胡氏炳文曰:"恐懼作於心, 修省見於事. 修, 克治之功, 省, 審察之力."[3)]

호병문(胡炳文)이 말했다. "두려움과 근심은 마음에서 일어나고 수양과 반성은 일에서 드러난다. 수양은 극복하는 노력이고 반성은 살피는 힘이다.

하게 신칙하여 꾸밈을 단정하게 하며, 법을 준수하고 분수를 공경스럽게 해서 남이 하는 대로 따라하는 마음이 없다.[修飭端正. 尊法敬分而無傾側之心.]"라고 하였고, 『사기』「진시황본기(秦始皇本紀)」: "황제가 지위에 임하여 제도를 만들고 법을 밝히니, 신하는 신중하게 신칙한다.[皇帝臨位, 作制明法, 臣下修飭.]"라고 하였다.

2) 항안세(項安世), 『주역완사(周易玩辭)』 권10.

3) 호병문(胡炳文), 『주역본의통석(周易本義通釋)』 권4.

案

恐懼脩省者, 君子之洊雷也. 非遇雷震而恐懼也, 須從項氏.

두려워하고 근심하여 수양하고 반성하는 것은 군자의 거듭된 우레이다. 단지 우레의 진동을 만나서 두려워하고 근심하는 것이 아니니 반드시 항씨[항안세]의 말을 따라야 한다.

震來虩虩, 恐致福也. 笑言啞啞, 後有則也.

우레의 진동이 일어날 때 돌아보고 두려워함은 두려워하여 복을 이르게 함이고, 웃고 말함이 즐거운 것은 나중에 법도가 있다.

程傳

震來而能恐懼周顧, 則無患矣, 是能因恐懼而反致福也. 因恐懼而自修省, 不敢違於法度, 是由震而後有法則, 故能保其安吉, 而笑言啞啞也.

우레의 진동이 올 때 두려워하면서 두루 살펴볼 수 있다면 근심이 없어질 것이니, 이는 두려워함으로 인해 도리어 복을 받는 일이다. 두려워하고 근심함으로써 스스로 수양하고 살펴 법도를 어기지 않는 것이니, 이는 우레의 진동으로 말미암아 나중에 법칙이 있는 것이므로 안정과 길함을 보존하여 웃고 말하는 일이 즐겁게 된다.

集說

● 范氏仲淹曰 : "君子之懼於心也, 思慮必愼其始, 則百志弗違於道, 懼於身也, 進退不履於危, 則百行弗罹於禍, 故初九震來而致福, 愼於始也."[4]

4) 범중엄(范仲淹), 『점문정집(范文正集)』 권5, 「의(義) · 역의(易義)」.

범중엄(范仲淹)이 말했다. "군자가 마음에서 두려워하면 사려가 반드시 그 시작부터 신중하니 온갖 뜻이 도에서 어긋나지 않고 몸에서 두려워하면 진퇴(進退)가 위태로움을 밟지 않으니, 온갖 행함이 재앙에 빠지지 않으므로 초구효는 우레가 오지만 복을 얻은 것은 시작부터 신중했기 때문이다."

震來厲, 乘剛也.

우레가 맹렬하게 오는 것은 굳셈을 탔기 때문이다.

程傳

當震而乘剛, 是以彼厲而己危. 震剛之來, 其可禦乎?

우레의 진동이 일어나는 데 굳셈을 타고 있으니, 그래서 저쪽은 맹렬하고 자신은 위태롭다. 굳센 우레의 진동이 오는 것을 막을 수 있겠는가?

集說

● 胡氏炳文曰 : "屯六二, 豫六五, 噬嗑六二, 困六三, 震六二, 皆言乘剛, 唯困六三乘坎之中爻, 其餘皆乘震之初也."[5]

호병문(胡炳文)이 말했다. "준(屯)괘 육이효[6], 예(豫)괘 육오효[7],

5) 호병문(胡炳文), 『주역본의통석(周易本義通釋)』 권4.

6) 『주역』「준(屯)괘」「상전」: "육이효의 고난은 강함을 타고 있기 때문이다. 10년 만에 아이를 잉태했다는 것은 상도(常道)로 돌아갔다는 것이다.[六二之難, 乘剛也. 十年乃字, 反常也.]"라고 하였다.

7) 『주역』「예(豫)괘」「상전」: "육오효는 올바르되 병이 있는 것은 강함을 탔기 때문이고, 항상 앓지만 죽지는 않는 것은 중(中)을 아직 잃지 않았기 때문이다.[六五貞疾, 乘剛也, 恒不死, 中未亡也.]"라고 하였다.

서합(噬嗑)괘 육이효[8], 곤(困)괘 육삼효[9], 진(震)괘 육이효는 모두 굳셈을 탔다고 말한다. 오직 곤(困)괘 육삼효만이 감(坎☵)괘의 가운데 효를 탔고 그 나머지는 모두 진(震☳)괘의 초효를 탔다."

8) 『주역』「서합(噬嗑)괘」「상전」: "피부를 깨물되, 자신의 코가 푹 빠질 정도인 것은 강한 자를 탔기 때문이다.[噬膚滅鼻, 乘剛也.]"라고 하였다.
9) 『주역』「곤(困)괘」「상전」: "가시나무에 앉아있는 것은 강함을 탔기 때문이고, 그 집에 들어가도 아내를 보지 못하는 것은 상서롭지 못한 것이다.[據于蒺藜, 乘剛也, 入于其宮不見其妻, 不祥也.]"라고 하였다.

震蘇蘇, 位不當也.

우레가 진동하여 망연자실한 것은 자리가 합당하지 않기 때문이다.

程傳

其恐懼自失蘇蘇然, 由其所處不當故也. 不中不正, 其能安乎?

두려워하면서 망연자실함은 처한 것이 합당하지 않기 때문이다. 가운데[中]을 이루지도 못했고 바름[正]을 이루지도 못했으니, 편안할 수 있겠는가?

案

震當虩虩, 不當蘇蘇. 六三當重震之間, 正奮厲以有爲之時也, 而以陰不中正處之, 至於蘇蘇緩散, 故曰位不當.

우레는 마땅히 두려워하고 근심해야지 망연자실해서는 안 된다. 육삼효는 거듭된 우레 사이에서 분발하여 일을 해야할 때인데 음으로 중정(中正)하지 못한 자리에 처하여 망연자실하여 정신빠진 상태에 이르므로 지위가 합당하지 않다.

震遂泥, 未光也.
우레가 진동하여 빠져버린 것은 빛나지 못한다.

程傳

陽者剛物, 震者動義. 以剛處動, 本有光亨之道, 乃失其剛正而陷於重陰, 以致遂泥, 豈能光也! 云未光, 見陽剛本能震也, 以失德故泥耳.

양(陽)은 굳센 사물이고, 진(震)은 진동한다는 뜻이다. 굳셈으로 진동하는 때에 처하면 본래 빛나고 형통하는 길이 있지만 그 굳센 올바름을 잃고 거듭된 음 사이에 빠져 진흙에 빠져버렸으니 어찌 빛날 수 있겠는가! 빛나지 못한다고 말한 것은 양의 굳셈은 본래 진동하는 것인데 그 덕을 잃었기 때문에 진흙에 빠져버렸을 뿐임을 나타낸다.

案

四有剛德, 非失德者, 此言未光. 蓋志氣未能自遂, 行拂亂其所爲耳! 與噬嗑九四之未光同, 皆謂所處者未能遂其所志, 非兌上未光之比.

사효에는 굳센 덕이 있는데 덕을 잃지 않은 것이니, 이것이 빛나지 못함을 말했다. 뜻의 기운이 스스로 수행하지 못하고 행함이 그 도모함을 혼란하게 할 뿐이다. 서합(噬嗑)괘 구사효의 빛나지 못한 다[10]는 뜻과 동일하니 모두 처한 것이 그 뜻한 바를 수행하지 못하였지 태(兌)괘 상육효의 빛나지 못한 것[11]과 비할 일은 아니다.

10) 『주역』「서합(噬嗑)괘」「상전」: "어렵게 생각해서 올바르게 행동해야 이로우니, 길한 것은 아직 빛나지 못한 것이다.[利艱貞吉, 未光也.]"라고 하였다.

11) 『주역』「태(兌)괘」「상전」: "상육효의 이끌어 기뻐하게 하는 것은 반드시 빛날 수 있는 것은 아니다.[上六引兌, 未光也.]"라고 하였다.

震往來厲, 危行也, 其事在中, 大無喪也.

진동하는 데 위로 가거나 아래로 내려가는 것 모두 위태로운 것은 위험한 행함이고, 하는 일이 중도에 달려 있으니 크게 잃는 것이 없다.

程傳

往來皆厲, 行則有危也. 動皆有危, 唯在無喪其事而已. 其事, 謂中也. 能不失其中, 則可自守也. 大無喪, 以無喪爲大也.

위로 가거나 아래로 내려가는 것 모두 위태롭다는 말은 행하면 위태롭게 된다는 뜻이다. 움직이는 것은 모두 위태로우니 오직 그 일을 잃지 않을 뿐이다. 그 일이란 중도(中道)를 말한다. 그 중도를 잃지 않을 수 있다면 스스로를 지킬 수 있다. 크게 잃는 것이 없다는 말은 잃는 것이 없음을 위대하게 여긴다.

集說

● 張子曰 : "無喪有事, 猶云不失其所有也. 以其乘剛故危, 以其在中故無喪, 禍至與不至皆懼, 則無喪有事."[12]

장자(張子 : 張載)가 말했다. "그 일을 잃지 말아야 한다는 것은 그

12) 장재(張載), 『횡거역설(橫渠易說)』 권2.

가진 바를 잃지 않는다고 말하는 것과 같다. 굳셈을 타고 있기 때문에 위태로우니 마음에 있으므로 잃지 않아서 재앙이 이르건 이르지 않건 모두 두려워하면 그 일을 잃지 않는다."

● 郭氏雍曰:"二以來厲而喪貝, 則五之往來皆厲, 宜其大有喪也, 六五位雖不正而用中焉, 其事旣不失中道, 雖涉危行, 可以大無喪矣."[13]

곽옹(郭雍)이 말했다. "이효는 와서 위태로워 자원을 잃고 오효의 가고 옴은 모두 위태로워 마땅히 가진 것을 크게 잃는다. 육오효의 지위가 바르지 못하지만 알맞음을 쓰니 그 일에 중도를 잃지 않고 위태로운 행함이지만 크게 잃지 않을 수 있다."

13) 곽옹(郭雍), 『곽씨전가역설(郭氏傳家易說)』 권5.

震索索, 中未得也, 雖凶無咎, 畏鄰戒也.

우레가 진동하여 기운이 소진한 것은 중도를 얻지 못했기 때문이고, 흉하지만 허물이 없는 것은 이웃을 두려워하여 경계하기 때문이다.

本義

中, 謂中心.

중(中)은 중심(中心)을 말한다.

程傳

所以恐懼自失如此, 以未得於中道也, 謂過中也. 使之得中, 則不至於索索矣. 極而復征則凶也. 若能見鄰戒而知懼, 變於未極之前, 則無咎也. 上六動之極, 震極則有變義也.

두려워하여 이렇게 망연자실하게 되는 것은 중도(中道)를 얻지 못했기 때문이니 알맞음을 지나쳤다는 말이다. 중도를 얻게 하려면 기운이 소진되는 지경에 이르지 않아야 한다. 극한에 이르렀는데도 다시 더 행하려고 하면 흉하다. 만약 이웃의 경계를 알고 두려워할 수 있다면 극한에 이르기 전에 변화하여 허물이 없다. 상육효는 움직임의 극한이니 진동의 극한에 이르면 변화해야 하는 뜻이 있다.

集說

● 吳氏澄曰："畏鄰戒, 謂因鄰之戒而知畏也."[14]

오징(吳澄)[15]이 말했다. "이웃의 경계를 두려워한다는 것은 이웃의 경계로 인하여 두려움을 안다는 말이다."

● 龔氏煥曰："中未得者, 處震之極, 志氣消索, 中無所主也."

공환(龔煥)이 말했다. "중도를 얻지 못한 것은 진동의 극한에 처하여 뜻의 기운이 소실되어 주도하는 바가 없기 때문이다."

14) 오징(吳澄), 『역찬언(易纂言)』 권6.

15) 오징(吳澄, 1249~1333) : 자는 유청(幼淸)이고, 세칭 초려선생(草廬先生)이라 한다. 송원(宋元)교체기 숭인(崇仁 : 현 강서성 소속) 사람으로 국자감사업(國子監司業)·한림학사(翰林學士)를 역임하였다. 시호는 문정(文正)이다. 그의 학문은 주로 주희와 육구연의 사상을 절충하는 경향이 있으며, 특히 주희 이래의 도통(道統)을 은연중에 자임하고 있다. 저서는 『학기(學基)』, 『학통(學統)』, 『서·역·춘추·예기찬언(書·易·春秋·禮記纂言)』, 『오문정공집(吳文正公集)』, 『효경장구(孝經章句)』 등이 있고, 『황극경세서(皇極經世書)』, 『노자(老子)』, 『장자(莊子)』, 『태현경(太玄經)』, 『팔진도(八陣圖)』, 『곽박장서(郭璞葬書)』를 교정했다.

52. 간艮☶괘

兼山, 艮, 君子以, 思不出其位.

겹친 산이 간이니, 군자가 그것을 본받아 생각을 그 자리에서 벗어나게 하지 않는다.

程傳

上下皆山, 故爲'兼山'. 此而幷彼, 爲兼, 謂重復也, 重艮之象也. 君子觀艮止之象, 而思安所止, 不出其位也. '位'者, 所處之分也. 萬事, 各有其所, 得其所, 則止而安. 若當行而止, 當速而久, 或過或不及, 皆出其位也. 況踰分非據乎.

위아래가 모두 산이기 때문에 '겹친 산'이다. 이것에서 저것을 합친 것이 '겹침'이고 '중복됨'을 말하니 간괘가 거듭된 상(象)이다. 군자가 간(艮☶)괘에서 그침의 상을 보고 머물러야 할 곳에 편안할 것을 생각하니 그 자리에서 벗어나지 않는다. '자리'는 처신하는 분수[직분]이다. 모든 일은 각기 그 있을 곳이 있으니 그것을 얻으면 머물러 안정된다. 가야 하는데 머물러 있고, 서둘러 가야 하는데 오래 머물면서 지나치거나 미치지 못하면, 모두 그 자리를 벗어나는 것이다. 하물며 분수를 넘어 있어야 할 곳이 아님에야 말해 무엇 하겠는가?

集說

● 董氏曰 : "兩雷兩風兩火兩水兩澤, 皆有相往來之理, 唯兩山並立, 不相往來, 此止之象也."

동씨가 말하였다. "우레가 둘(䷲), 바람이 둘(䷸), 불이 둘(䷝), 물이 둘(䷜), 못이 둘(䷹)에서는 모두 서로 왕래하는 이치가 있는데, 오직 두 산이 함께 서 있는 것에서는 서로 왕래하지 않으니, 이것이 머물러 있는 상이다."

● 邱氏富國曰 : "凡人所爲, 所以易至於出位者, 以其不能思也. 思則心有所悟, 知其所當止而得所止矣."

구부국이 말했다. "사람들이 하는 일에서 쉽게 자리를 벗어나게 되는 것은 생각할 수 없었기 때문이다. 생각하면 마음에 깨닫는 것이 있어 마땅히 머물러야 할 바를 알고 머물 바를 얻는다."

案

● '思不出位', 諸家皆作'思欲不出其位', '思'字不甚重. 今觀咸卦云, "貞吉悔亡, 憧憧往來, 朋從爾思", 而夫子以"何思何慮"明之, 則此"思"字蓋不可略. 雜擾之思, 動於欲者也, 通微之思, 濬於理者也. 『大學』云"安而後能慮", 蓋'思不出位'之說也.

'생각을 그 자리에서 벗어나게 하지 않는다'는 것에 대해 여러 학자들은 모두 '생각을 그 자리에서 벗어나지 않게 하려고 한다'로 했는데, '생각을 한다'는 말로는 너무 무겁지 않다. 이제 함(咸䷞)괘를 보면 "곧으면 길하여 후회가 없을 것이니, 자주 가고 오면 벗들만 네 생각을 따른다"[1]라고 했고, 공자는 "천하가 무엇을 생각하며 무엇을 염려하겠는가"[2]로 밝혔으니, 여기에서의 '생각을 한다'는 말을 대수롭지 않게 여겨서는 안 된다. 잡다하게 어지러운 생각은 욕심에서 움직이는 것이고, 미묘함을 꿰뚫는 생각은 이치에 심오한 것이다. 『대학』(1장)에서 "편안하게 된 다음에 생각할 수 있다"고 했으니, '생각을 그 자리에서 벗어나게 하지 않는다'는 것에 대한 설명이다.

---

1) 『주역』「함괘(咸卦)」: "九四, 貞, 吉, 悔亡, 憧憧往來, 朋從爾思.[구사는 곧으면 길하여 후회가 없을 것이니, 자주 가고 오면 벗들만 네 생각을 따를 것이다.]"라고 하였다.

2) 『주역』「계사전」: "子曰, 天下何思何慮, 天下同歸而殊塗, 一致而百慮, 天下何思何慮.[공자가 말하였다. 천하가 무엇을 생각하며 무엇을 염려하겠는가! 천하가 돌아감이 같아도 길은 다르며, 이룸이 하나여도 걱정은 갖가지니, 천하가 무엇을 생각하며 무엇을 염려하겠는가!]"라고 하였다.

艮其趾, 未失正也.

발꿈치에 그침은 바름을 잃지 않은 것이다.

程傳

當止而行, 非正也. 止之於初, 故未至失正. 事止於始, 則易, 而未至於失也.

머물러 있어야 하는데 다니는 것은 바른 일이 아니다. 처음에 머물러 있기 때문에 바름을 잃게 되지 않는다. 일이 시작에 머물러 있는 경우에는 쉬워서 잃게 되지 않는다.

集說

● 虞氏翻曰 : "動而得正, 故未失正也".

우번이 말하였다. "움직이면서도 바름을 얻기 때문에 바름을 잃지 않는 것이다."

● 郭氏雍曰 : "'趾', 初象也, 動莫先於趾. 止於動之先則易, 而止於旣動之後則難, 「傳」言'未失正'者, 止於動之先, 未有失正之事也."

곽옹이 말하였다. "'발꿈치'는 초효의 상으로 움직임에 발꿈치보다 앞서는 것은 없다. 움직이기 전에 멈춰 있기는 쉽지만 이미 움직인 다음에 멈춰 있기는 어려우니, 「상전」에서 '바름을 잃지 않는 것이다'라고 말한 것은 움직이기 전에 멈추어 바름을 잃는 일이 없다는 뜻이다."

不拯其隨, 未退聽也.

그 따름을 건지지 못함은 물러나 듣지 않는 것이다.

本義

三止乎上, 亦不肯退而聽乎二也.

삼효가 위에서 머물러 또한 물러나 이효를 따르려고 하지 않는 것이다.

程傳

所以不拯之而唯隨者, 在上者, 未能下從也. '退聽', 下從也.
건져주지 못하고 따르고만 있는 것은 위에 있는 사람이 낮추어 따르지 않기 때문이다. '물러나 들음'은 낮추어 따르는 것이다.

艮其限, 危薰心也.

그 허리에 머물러 있음은 위태로움이 마음을 태우는 것이다.

程傳

謂其固止, 不能進退, 危懼之慮, 常薰爍其中心也.

굳게 머물러 있어 나아가고 물러날 수 없기에 위태롭고 두렵다는 염려가 언제나 그 마음을 태우는 것을 말한다.

集說

● 鄭氏汝諧曰 : "三雖止而不與物交, 而其危則實薰心也".

정여해가 말하였다. "삼효가 머무르고 있을지라도 사물과 사귀지 않아 그 위태로움이 실로 마음을 태우는 것이다."

● 何氏楷曰 : "以強制, 故危薰心, 艮限者, 強制之謂也."

하해가 말하였다. "억지로 제재하기 때문에 위태로움이 마음을 태운다. 허리에 머물러 있음은 억지로 제재하는 것을 말한다."

艮其身, 止諸躬也.

그 몸에 머물러 있음은 몸에 머물러 있는 것이다.

程傳

不能爲天下之止, 能止於其身而已, 豈足稱大臣之位也.

천하를 그치게 하지 못하고 제 몸에 그칠 뿐이니, 어찌 대신의 지위에 충분히 걸맞겠는가?

集說

● 孔氏穎達曰 : "'止諸躬也'者, '躬', 猶身也, 明能靜止其身, 不爲躁動也."

공영달이 말했다. "'몸에 머물러 있는 것'에서 '몸'은 자신과 같으니, 그 자신을 고요히 멈춰 있게 할 수 있어 함부로 날뛰지 않음을 밝힌 것이다."

● 王氏應麟曰 : "艮六四艮其身, 「象」以躬解之, 傴背爲躬', 見背而不見面. 朱文公詩云, '反躬艮其背'."

왕응린이 말했다. "간괘의 육사는 그 몸[身]에 머물러 있다는 것에 대해 「상전」에서 몸(躬)으로 풀이했는데, 굽은 등이 몸[躬]이니 등을 드러내고 얼굴을 드러내지 않는 것이다. 주자(朱子)가 시에서 '몸으로 되돌아가 그 등에 머물러 있다'[3]고 한 것이다."

案

● '止諸躬', 便是'艮其身', 但易其字爲諸字爾. 蓋易其字爲諸字, 便見得是止之於躬, 與夫正本淸源自然而止者畧異矣. 王氏解姑備一說.

'몸에 머물러 있음'은 '그 몸에 머물러 있음'인데, 단지 그 글자를 바꿈으로 그것을 구별해 보였을 뿐이다. 그렇게 한 것은 몸에 머물러 있음이 근본적으로 맑고 근원이 있어 머물러 있는 것과 대략 차이가 있음을 알게 하려는 뜻이다. 왕씨[왕응린]의 해석은 일단 하나의 설명이 되는 것이다.

3) 『성리대전(性理大全)』「감흥20수(感興二十首)」.

艮其輔, 以中正也.

그 볼에 머물러 있음은 알맞고 바른 것이다.

本義

正字, 羨文, 叶韻, 可見.

'바른[正]'이라는 말은 잘못 들어간 글자로 운을 맞춰 보면 알 수 있다.

程傳

五之所善者, '中'也. '艮其輔', 謂止於中也. 言以得中爲正, 止之於輔, 使不失中, 乃得正也.

오효가 좋은 점은 '알맞음' 이다. '그 볼에 머물러 있음'은 알맞음에 머물러 있음을 말한다. 알맞음을 얻는 것을 바름으로 삼으니, 볼에 머물러 있어 알맞음을 잃지 않아야 바름을 얻는다는 말이다.

集說

● 餘氏本曰 : "言不妄發, 發必當理, 唯有中德者能之."

여본이 말했다. "말을 함부로 발설하지 않아 발설이 반드시 이치에 합당한 것은 오직 알맞은 덕을 가진 자만이 할 수 있다."

敦艮之吉, 以厚終也.

머물러 있음에 도타움이 길함은 끝까지 도탑게 하는 것이다.

程傳

天下之事, 唯終守之爲難, 能敦於止, 有終者也. 上之吉, 以其能厚於終也.

세상일은 오직 끝까지 지키기 어려우니, 머무름에 도타울 수 있음은 마침이 있는 것이다. 상효의 길함은 그것이 끝까지 도타울 수 있기 때문이다.

集說

● 王氏申子曰: "德愈厚而止愈安, 是止之善終者也, 其吉可知."

왕신자가 말했다. "덕이 두터울수록 머물러 있음이 더욱 편안하니, 머물러 있음을 끝까지 잘 할 수 있는 것은 그 길함을 알 수 있다."

案

● 艮者, 萬物之所成終而所成始, 故於上言厚終. 凡人之心, 唯患其養之不厚, 不患其發之不光. 水蓄則彌盛, 火宿則彌壯, 厚其終, 則萬事皆由此始.

머물러 있음은 만물이 끝을 이루고 시작을 이루는 것이기 때문에 상구에서 '끝까지 도탑게 하는 것이다'고 했다. 일반 사람들의 마음은 단지 자신들의 기름을 도탑게 하지 못할 것을 염려하고 자신들의 발설을 빛나게 하지 못할 것을 염려하지 않는다. 물은 쌓이면 더욱 성대해지고 불은 오래되면 더욱 거세지니, 끝까지 도탑게 하면 모든 일이 이것으로 말미암아 시작된다.

53. 점漸䷴괘

山上有木, 漸. 君子以, 居賢德, 善俗.

산 위에 나무가 있는 것이 점이니 군자가 그것을 본받아 현명함과 덕에 머물며 풍속을 선하게 한다.

本義

二者, 皆當以漸而進. 疑賢字衍, 或善下有脫字.

두 가지는 모두 점차적으로 나아가야만 한다. '현명함[賢]'이라는 말은 잘못 들어간 것이거나 '선하게 한다[善]'는 말 뒤에 누락된 말이 있는 것 같다.

程傳

山上有木, 其高有因, 漸之義也. 君子觀漸之象, 以居賢善之德, 化美於風俗. 人之進於賢德, 必有其漸, 習而後能安, 非可陵節而遽至也. 在己且然, 敎化之於人, 不以漸, 其能入乎.

移風易俗, 非一朝一夕所能成, 故善俗必以漸也.

산 위에 나무가 있고 그 높음에 따름이 있는 것이 점(漸)의 뜻이다. 군자가 점(漸)의 상을 살펴보고 현명하고 착한 덕에 머물러 풍속을 교화시켜 아름답게 한다. 사람이 현명한 덕에 나아감에는 반드시 점차적으로 함이 있고 익힌 이후에야 편안할 수 있으니, 예절을 무시하고 급작스럽게 도달할 수 있는 것이 아니다. 자신에게서도 이러한데, 사람을 교화하는 데 점차적으로 하지 않고 어떻게 할 수 있겠는가? 풍속을 변화시킴은 하루아침이나 하루저녁에 이룰 수 있는 것이 아니기 때문에 풍속을 선하게 할 때는 반드시 점차적으로 해야 한다.

集說

● 楊氏曰 : "地中生木, 以時而升, 山上有木, 其進以漸."

양씨가 말하였다. "땅에서 나무가 나오는 상황은 때에 따라 자라나는 것이고 산에 나무가 있는 사안은 그것이 점차적으로 나아간 것이다."

● 馮氏當可曰 : "'居', 積也. 德以漸而積, 俗以漸而善. 內卦艮止, 居德者, 止諸內也, 外卦巽入, 善俗者入於外也, 體艮以居德, 體巽以善俗."

풍당가가 말하였다. "'머문다'는 말은 쌓는다는 것이다. 덕은 점차적으로 쌓이고 풍속은 점차적으로 선해진다. 내괘 간(艮☶)괘의 머물러 있음은 덕에 머물러 있는 것으로 안에 머물러 있음이고, 외괘 손(巽☴)괘의 들어감은 풍속을 선하게 하는 것으로 밖으로 들어감이니, 간괘를 본체로 하여 덕에 머물러 있고, 손괘를 본체로 하여 풍속을 선하게 한다."

案

● '地中生木', 始生之木也, '山上有木', 高大之木也. 凡木始生, 枝條驟長, 旦異而夕不同. 及旣高大, 則自拱把而合抱, 自捩手而干霄, 必須逾年積歲. 此升與漸之義所以異也. '居德善俗', 皆須以漸, 以居賢德, 然後可以善俗, 亦漸之意也.

'땅에서 나무가 나오는 것'은 처음 나오는 나무이고, '산에 나무가 있는 것'은 높고 크게 자란 나무이다. 나무가 처음 나올 때는 가지가 빨리 자라 아침저녁으로 달라진다. 높고 크게 자란 다음에는 스스로 두 팔을 벌려 합하여 안아야 될 정도이고 스스로 비틀어 잡아 하늘을 가리니 반드시 여러 해가 지나 세월이 쌓여야 한다. 이것이 승(升)과 점(漸)의 의미가 달라지는 이유이다. '덕에 머물고 풍속을 선하게 하는 것'은 모두 반드시 점차적으로 되는 일이니, 그렇게 덕에 머물러 있은 다음에 풍속을 선하게 할 수 있다는 것도 점(漸)의 뜻이다.

小子之厲, 義無咎也.

어린이의 위태로움은 의리에 허물이 없는 것이다.

程傳

雖小子以爲危厲, 在義理實无咎也.

어린아이가 위태롭게 여길지라도 의리에서는 실제로 허물이 없다.

飮食衎衎, 不素飽也.

음식을 먹음이 즐거움은 공연히 배부르게 하지 않은 것이다.

本義

‘素飽’, 如詩言‘素飡’, 得之以道, 則不爲徒飽而處之安矣.

‘공연히 배부르게 하지 않은 것[素飽]’은 『시경』에서 말한 ‘공연히 밥을 먹지 않는 것[素飡]’[1]과 같으니, 도로써 얻었다면 한갓 배를 불리고 처신만 편하게 하지 않는 것이다.

程傳

爻辭以其進之安平, 故取飮食和樂爲言, 夫子恐後人之未喩, 又釋之云, “中正君子, 遇中正之主, 漸進于上, 將行其道以及天下. 所謂‘飮食衎衎’, 謂其得志和樂, 不謂空飽飮食而已.” ‘素’, ‘空’也.

효사는 나아감이 편안하기 때문에 음식을 먹음에 화락하다는 뜻으로 말했는데, 공자는 후대 사람들이 깨닫지 못할까 염려했기 때문에 재차 풀이를 하여, “알맞고 바른 군자가 알맞고 바른 임금을 만

1) 『시경』「벌단(伐檀)」: “彼君子兮, 不素餐兮.[저 군자는 공연히 밥을 먹지 않는다.]”라고 하였다.

나, 위로 점차적으로 나아가 그 도를 시행하여 천하에 미치게 하려고 한다. 이른바 '음식을 먹음이 즐거움'은 뜻을 얻어 화락하다는 말이지 공연히 배불리 먹을 뿐만은 아니라는 말이다"고 하였다. '공연히[素]'라는 것은 '헛되이'라는 말이다.

集說

● 龔氏煥曰 : "二以中正應五而得祿, 非尸位素餐者比, 故食之衎衎而樂也."

공환이 말하였다. "이효가 알맞고 바름으로 오효와 호응하여 녹봉을 얻었으니, 자격도 없이 벼슬만 차지하고 녹봉을 축내는 일과 비교할 것이 아니기 때문에 음식을 먹음이 즐겁다."

案

● 六爻以鴻取進象, 自水涯以至山上, 自遠而近, 自下而高也. 干爲最遠, 是士之將進而不苟進者, 故在詩曰 : "置之河之干兮, 彼君子兮, 不素餐兮." 二雖進爲時用, 漸于磐矣, 而不忘不素餐之義, 所謂達不變塞者也.

여섯 효에서 기러기를 가지고 나아가는 상을 취하였다. 물가에서 산으로 가니 멀리서 가깝게 가고 아래에서 올라간다. 물가는 가장 멀리 있는 것으로 관리가 나아가면서 구차히 하지 않는 것이기 때문에 『시경』에서 "물가에 두었으니 저 군자는 공연히 밥을 먹지 않는다"[2]고 하였던 것이다. 이효가 때에 맞춰 등용되어 반석으로 나아갈지라도 공연히 밥을 먹지 않는다는 의미를 잊지 않고 있으니,

이른바 출세해도 평소 지키던 뜻이 변하지 않는다는 것이다.

2) 『시경』「벌단(伐檀)」: "寘之河之漘兮, …, 彼君子兮, 不素飧兮.[물가에 두었으니, …, 저 군자는 공연히 밥을 먹지 않는다.]"라고 하였다.

夫征不復, 離羣, 醜也. 婦孕不育, 失其道也. 利用禦寇, 順相保也.

남편이 가면 돌아오지 않음은 무리를 떠나 추한 것이다. 부인이 잉태하여 양육하지 못함은 도를 잃어버린 것이다. 적을 막는데 사용함이 이로움은 순종함으로 서로 보호하는 것이다.

程傳

夫征不復, 則失漸之正, 從欲而失正, 離叛其羣類, 爲可醜也. 卦之諸爻, 皆无不善, 若獨失正, 是離其羣類. 婦孕, 不由其道, 所以不育也. 所利在禦寇, 謂以順道相保. 君子之與小人比也, 自守以正, 豈唯君子自完其己而已乎. 亦使小人, 得不陷於非義, 是以順道相保, 禦止其惡, 故曰'禦寇'.

남편이 가서 돌아오지 않는다면 점차적으로 나아가는 바름을 잃으니, 욕심에 따라 바름을 잃고 무리를 떠나 배반하여 추할 수 있다. 괘의 여러 효들은 모두 선하지 않음이 없는데, 홀로 바름을 잃는다면 무리를 떠나는 것이다. 부인이 잉태를 했는데 도에 따르지 않기 때문에 양육하지 못한다. 이로움이 도적을 막는 데 있음은 순종의 도리로써 서로 보호하는 것을 말한다. 군자가 소인과 가까이 있음에 스스로 바름으로 지킨다면, 어찌 군자 스스로 자기만을 완전하게 할 뿐이겠는가? 또한 소인에게 의롭지 않은 곳에 빠지지 않게 하니, 순종의 도리로 서로 보호하여 악함을 막기 때문에 '적을 막는다'고 하였다.

集說

● 楊氏簡曰："'夫征不復', 上九不應, '離群醜也', '婦孕不育', 九三失其所以爲婦也, 三不中, 有失道之象, 故凶. 非正者足以害我, 故曰'寇'. 慮三之失道, 或親於寇而不能禦也, 故教之禦寇, 則我不失於正順, 而夫婦可以相保矣."

양간이 말하였다. "'남편이 가면 돌아오지 않음'은 상구가 호응하지 않음으로 '무리를 떠나 추한 것이다'. '부인이 잉태를 하여 양육하지 못함'은 구삼이 부인이 되는 까닭을 잃은 것으로 삼효가 알맞지 않아 도를 잃는 상이기 때문에 흉하다. 바른 자가 아니면 해치기에 충분하기 때문에 '적'이라고 하였다. 삼효가 도를 잃고 간혹 적을 가까이 하여 막지 못할 것을 염려했기 때문에 적을 막을 것을 가르쳤으니, 내가 바름과 순종을 잃지 않고 부부가 서로 보호할 수 있는 것이다."

● 熊氏良輔曰："'順相保', 順愼通用, 只是謹愼以相保守也."

웅량보가 말했다. "'순종함으로 서로 보호하는 것'은 순종하고 삼가며 통용하는 것으로 단지 근심함으로 서로 보호하여 지키는 일이다."

案

● 楊氏之說, 爻義文意, 兩得之矣. 君子之仕也, 上雖不交, 而己必盡其道, 故周公曰, '恩斯勤斯', 育子之閔斯, 不可以不遇而遂棄其殷勤也. 王仲淹曰, '美哉公旦之爲周也, 必使我君臣相安, 而禍亂不作', 其順相保之謂乎.

양씨의 설명은 효사의 의미와 문맥의 의미를 모두 얻었다. 군자가 벼슬하는 것은 위로 교제하지 않을지라도 자신이 반드시 그 도를 다하기 때문에 주공은 '사랑하고 애쓴다'[3]고 하였으니, 자식을 기름에 걱정이 되는 것은 뜻을 얻지 못했어도 마침내 그 깊고 두터운 정을 버릴 수 없기 때문이다. 왕중엄이 '아름답구나! 주공이 주나라를 다스림이여! 반드시 나의 임금과 신하들을 서로 편안하게 하여 화란이 생기게 하지 않는구나'[4]라고 하였으니, 순종함으로 서로 보호하는 것을 말한다.

---

3) 『시경』「치효(鴟鴞)」: "사랑하고 애쓰면서 자식들을 키우느라 노심초사 했느니라.[恩斯勤斯, 鬻子之閔斯.]"라고 하였다.

4) 이광지(李光地), 『시소(詩所)』 8권, 「주송(周頌)」.

或得其桷, 順以巽也.

혹 평평한 가지를 얻음은 순종하고 공손한 것이다.

程傳

'桷'者, 平安之處. 求安之道, 唯順與巽. 若其義順正, 其處卑巽, 何處而不安. 如四之順正而巽, 乃得桷也.

'평평한 가지[桷]'는 평평하고 편안한 곳이다. 편안함을 찾는 도는 순종함과 공손함일 뿐이다. 그 도의가 순종하고 바르며 대처가 공손하다면 어떻게 대처한들 편안하지 않겠는가? 그러니 사효의 순종하고 바르면서도 공손한 것처럼 해야 평평한 가지를 얻는다.

終莫之勝吉, 得所願也.

끝내 그를 이기지 못한데 길함은 원하던 것을 얻음이다.

程傳

君臣以中正相交, 其道當行, 雖有間其間者, 終豈能勝哉. 徐必得其所願, 乃漸之吉也.

임금과 신하가 알맞고 바름으로 서로 사귀어 그 도가 당연히 시행되니, 그 틈에 이간질하는 자가 있더라도 끝내 어찌 마음대로 할 수 있겠는가? 천천히 하면 반드시 원하던 것을 얻게 되니, 바로 점차적으로 해서 길한 것이다.

其羽可用爲儀吉, 不可亂也.

그 깃털은 예제의 장식이 될 만한 데 길함은 어지럽힐 수 없는 것이다.

本義

漸進愈高而不爲无用, 其志卓然, 豈可得而亂哉.

점차적으로 나아가 더욱 높아지는데도 쓸모없게 되지 않고 그 뜻이 높고 뛰어나니, 어찌 어지럽힐 수 있겠는가?

程傳

君子之進, 自下而上, 由微而著, 跬步造次, 莫不有序. 不失其序, 則无所不得其吉, 故九雖窮高, 而不失其吉. 可用爲儀法者, 以其有序而不可亂也.

군자의 나아감은 아래에서 위로 올라가고 미미한 것에서 드러나게 되니, 반걸음 정도 되는 짧은 거리와 찰나의 시간이라도 순서가 있지 않은 적이 없다. 순서를 잃지 않는다면 길하지 않을 수 없기 때문에, 구(九)가 지극히 높아졌을지라도 길함을 잃지 않게 된다. 예의와 법도로 삼을 수 있는 까닭은 순서가 있어 어지럽힐 수 없기 때문이다.

集說

● 胡氏炳文曰 : "二居有用之位, 有益於人之國家, 而非素飽者, 上在無用之地, 亦足爲人之儀表, 而非無用者. 二志不在溫飽, 上志卓然不可亂, 士大夫之出處, 於此當有取焉."

호병문이 말했다. "이효는 쓸모 있는 자리에서 사람들의 나라와 집안에 이로워 공연히 밥을 먹지 않는 것이고, 상효는 쓸모 없는 자리에서 충분히 사람들의 의표가 될 수 있어 쓸모 없는 것이 아니다. 이효의 뜻은 따뜻하고 배부른 것이 아니고, 상효의 뜻은 높아서 어지럽힐 수 없는 것이니, 사나 대부의 출처를 여기에서 취해야 한다."

● 張氏振淵曰 : "志慮高潔, 而功名富貴不足以累其心, 故其志可則. 使志可得而亂, 又安可用爲儀哉."

장진연이 말하였다. "뜻과 생각이 고결하여 공명과 부귀가 그 마음에 장애가 되지 않기 때문에 그 뜻을 본받을 수 있다. 뜻을 어지럽힐 수 있다면, 또 어떻게 의표가 되겠는가?"

54. 귀매歸妹䷵괘

澤上有雷, 歸妹. 君子以, 永終, 知敝.

못 위에 우레가 있는 것이 귀매이니, 군자가 그것을 본받아 끝을 영구하게 하고 무너짐이 있음을 안다.

本義

雷動澤隨, 歸妹之象. 君子觀其合之不正, 知其終之有敝也, 推之事物, 莫不皆然.

우레가 움직이고 못이 따라 가는 것은 귀매의 상이다. 군자는 바르지 못하게 합함을 보고 끝에 무너질 것을 아니, 사물에 미루어 보아도 그렇지 않음이 없다.

程傳

雷震於上, 澤隨而動, 陽動於上, 陰說而從, 女從男之象也, 故爲歸妹. 君子觀男女配合, 生息相續之象, 而以永其終, 知有敝也. '永終', 謂生息嗣續, 永久其傳也. '知敝', 謂知物有敝壞而爲相繼之道也.

우레가 위에서 진동하고 못이 따라 움직이며, 양이 위에서 움직이고 음이 기뻐하며 따르는 것은 여자가 남자를 따르는 상이기 때문에 귀매(歸妹)이다. 군자는 남녀가 짝하여 자식을 낳아 서로 잇게 되는 상을 보고, 끝을 영구하게 하고 무너짐이 있음을 안다. '끝을 영구하게 한다[永終]'는 것은 생식하여 이어가 후대에 전함을 영구히 하는 일이다. '무너짐이 있음을 안다[知敝]'는 것은 사물에 무너짐이 있음을 알아 서로 잇는 도로 한다는 뜻이다.

女歸則有生息, 故有永終之義. 又夫婦之道, 當常永有終, 必知其有敝壞之理而戒愼之. 敝壞, 謂離隙. 歸妹, 說以動者也, 異乎恒之巽而動, 漸之止而巽也.

여자가 시집을 가면 자식을 낳기 때문에 끝을 영구하게 하는 뜻이 있다. 또 부부의 도는 항구하게 하여 끝이 있어야 하니, 무너지는 이치가 있음을 반드시 알아 경계하고 삼가야 한다. 무너짐은 서로 떨어지고 틈이 생김을 말한다. 귀매는 기뻐하여 움직이는 것이니, 항괘(恒卦)의 공손하게 움직이고 점괘(漸卦)의 머물러 있어 공손한 것과는 다르다.

少女之說, 情之感動, 動則失正. 非夫婦正而可常之道, 久必敝壞. 知其必敝, 則當思永其終也. 天下之反目者, 皆不能永終者也, 不獨夫婦之道. 天下之事, 莫不有終有敝, 莫不有可繼可久之道. 觀歸妹, 則當思永終之戒也.

여동생이 기뻐함은 인정이 느껴 움직임이니, 움직이면 올바름을 잃는다. 부부가 바르고 영구할 수 있는 도가 아니면 오래됨에 반드시 무너지게 된다. 반드시 무너지게 됨을 안다면 끝을 영구하게 할 것을 생각해야 한다. 천하의 반목하는 것들은 모두 끝을 영구하게 할 수 없는 사안들로 부부의 도에서만 그런 것은 아니다. 천하의 일에는 끝이 있고 무너짐이 있지 않음이 없고, 이을 수 있고 오래할 수 있는 도가 있지 않음이 없다. 귀매괘를 살펴봤다면 끝을 영구하게 할 수 있는 경계를 생각해야 한다.

集說

● 崔氏憬曰 :“歸妹人之始終也, 始則‘征凶’, 終則‘無攸利’. 故‘君子以永終知敝’爲戒者也.”

최경이 말하였다. “귀매는 사람의 처음과 끝이다. 시작은 ‘가면 흉하고’ 끝은 ‘이로울 것이 없다’ 그러므로 ‘군자는 그것을 본받아 끝을 영구히 하여 무너짐이 있음을 아는 것’으로 경계를 삼았다.”

● 吳氏曰愼曰 :“‘永終知敝’, 言遠慮其終而知有敝也. 氓之詩, ‘不思其反’, 所以終見棄於人與.”

오왈신이 말하였다. “‘끝을 영구히 하여 무너짐이 있음을 안다’는 것은 그 끝을 멀리까지 생각하여 무너짐이 있음을 안다는 말이다. 『시경』「맹지(氓之)」의 시에서 ‘번복할 줄은 생각지도 못하였네’[1]라

1) 『시경』「국풍(國風)」:“總角之宴, 言笑晏晏, 信誓旦旦, 不思其反, 反是

는 것이 끝내 사람들에게 버려지는 까닭일 것이다."

案

澤上有雷, 不當以澤從雷取象, 當以澤感雷取象. 蓋取於陰氣先動, 爲歸妹之義.

못 위에 우레가 있으니, 못이 우레를 따르는 것으로 상을 취해서는 안되고, 못이 우레에 느껴지는 것으로 상을 취해야 한다. 음기가 먼저 움직이는 것을 취해 귀매의 뜻을 삼았다.

不思, 亦已焉哉.[총각 시절 즐거워할 때는 웃으며 말도 편안히 하였고, 약속의 맹세 날마다 하기에 번복할 줄은 생각지도 못했네. 번복할 줄은 생각지도 못했으니, 또한 어찌할 수 없게 되었네.]"라고 하였다.

歸妹以娣, 以恒也. 跛能履吉, 相承也.

여동생을 잉첩으로 시집보냄은 항구하기 때문이며, 절름발이가 걸을 수 있어 길함은 서로 받드는 것이다.

本義

'恒', 謂有常久之德.

'항구하다[恒]'는 것은 항구한 덕이 있음을 말한다.

程傳

歸妹之義, 以說而動, 非夫婦能常之道. 九乃剛陽, 有賢貞之德, 雖娣之微, 乃能以常者也. 雖在下, 不能有所爲, 如跛者之能履, 然征而吉者, 以其能相承助也. 能助其君, 娣之吉也.

귀매의 뜻은 기뻐하여 움직이니, 부부가 항상 할 수 있는 도는 아니다. 그런데 구(九)는 굳센 양으로 현명하고 곧은 덕이 있으니, 미천한 잉첩의 신분일지라도 항상 할 수 있는 것이다. 아래에 있어 할 수 있는 것이 없어 절름발이가 걷는 것과 같을지라도 나아가서 길한 것은 서로 받들어 도울 수 있기 때문이다. 임금을 도울 수 있는 것은 잉첩의 길함이다.

集說

● 鄭氏汝諧曰 : "初少女, 且微而在下, 以娣媵而歸, 乃其常也. 娣媵不能成內助之功, 雖有其德, 如跛者之履耳. 跛者之履, 雖不足以有行, 然亦可以行者, 以其佐小君, 能相承助也. 如是而征, 則爲安分, 故吉."

정여해가 말하였다. "초구는 소녀인데다가 또 미미하게 아래에 있어 잉첩으로 시집가는 것이 바로 그 항구함이다. 잉첩은 내조의 공을 이룰 수 없으니 그 덕이 있을지라도 절름발이가 걷는 것과 같을 뿐이다. 절름발이가 걷는 것은 걸어가는 데 부족할지라도 걸어갈 수 있으니, 그렇게 제후의 처를 보좌하여 서로 받들어 도울 수 있다. 그렇게 간다면 분수에 편안하기 때문에 길하다."

● 俞氏琰曰 : "'相承'者, 佐其嫡以相與奉承其夫也."

유염이 말하였다. "'서로 받든다'는 것은 본처를 도와 서로 함께 그 남편을 받드는 일이다."

案

● 言以恒者, 女而自歸非常, 唯娣則從嫡而歸, 乃其常也.

'항구하다'는 것으로 말함은 여자로서 스스로 시집가는 것은 항구한 일이 아니니, 오직 여동생의 경우 본처를 따라 시집가는 것이 바로 항구하기 때문이다.

利幽人之貞, 未變常也.

그윽하고 조용한 자의 곧음이 이로움은 항구함을 변하지 않는 것이다.

程傳

守其幽貞, 未失夫婦常正之道也. 世人以媟狎爲常, 故以貞靜爲變常, 不知乃常久之道也.

그윽하고 곧음을 지키니 부부가 항구하고 바른 도를 아직 잃지 않은 것이다. 세상 사람들은 버릇없이 구는 것을 항구함으로 여기기 때문에 곧고 고요함을 항구함을 변질시킨 것으로 여기니, 항구한 도를 알지 못한다.

集說

● 俞氏琰曰 : "屯六二曰'反常', 謂'字'乃女子之常, '不字'則非常, 至十年之後而乃字, 則返其常也. 此曰'未變常', 謂嫁著女子之常. 九二不願嫁, 似乎變常, 然能以幽靜自守, 是亦女德之常, 未爲變常也."

유염이 말하였다. "준괘 육이의 「상전」에서 '상도로 돌아온 것이다'[2)]라는 말은 시집가는 것이 바로 여자의 상도이고, 시집가지 않는 것이 상도가 아니니, 10년이 되어서야 시집가는 것은 상도로 돌아온다는 뜻이다. 여기에서 '항구함을 변하지 않는 것이다'라고 한 말은 시집가는 것이 여자의 항구함을 드러냄을 말한다. 구이가 시집가지 않으려는 것은 항구함을 변질시킨 것과 비슷하지만 조용히 스스로 지키는 일은 또한 항구한 여자의 덕으로 항구함을 변질시키지 않는 것이다."

● 來氏知德曰 : "一與之齊, 終身不改, 此婦道之常也. 守幽人之貞, 則未變其常矣."

래지덕이 말하였다. "하나로 함께 하는 가지런함은 죽을 때까지 변하지 않으니, 이것이 부인의 도에서 항구함이다. 조용한 자의 곧음을 지키는 일은 그 항구함을 변하지 않는 것이다."

2) 『주역』「준괘(屯卦)」: "象曰, 六二之難, 乘剛也, 十年乃字, 反常也.[「상전」에서 말하였다: 육이의 어려움은 굳셈을 올라타고 있기 때문이고, 십년이 되어서야 시집가는 것은 상도로 돌아온 것이다.]"

歸妹以須, 未當也.

여동생을 기다림으로써 시집보냄은 자리가 마땅하지 않은 것이다.

程傳

未當者, 其處其德其求歸之道, 皆不當. 故无取之者, 所以須也.

'마땅하지 않은 것이다'라는 말은 그 처신과 덕, 시집가기를 구하는 방법이 모두 마땅하지 않다는 것이다. 그러므로 데려가는 자가 없으니, 기다리는 까닭이다.

集說

朱氏震曰 : "六三居不當位, 德不正也, 柔而上剛, 行不顧也. 爲說之主, 以說而歸, 動非禮也, 上無應, 無受之者也. 如是而賤矣, 故曰'未當也'. 未當, 故無取之者, 反歸以娣也."

주진이 말하였다. "육삼은 자리에 합당하지 않아 덕이 바르지 않다. 부드러운데 위가 굳세어 가는 것을 돌아보지 않는다. 기뻐함의 주인으로 기뻐하며 시집가니 움직임이 예가 아닌 것이고, 위에서 호응함이 없으니 받아들임이 없는 것이다. 이렇게 해서는 미천하기 때문에 '마땅하지 않은 것이다'고 하였다. 마땅하지 않기 때문에 데려가는 자가 없으니 다시 돌아와 잉첩이 된다."

愆期之志, 有待而行也

혼기를 지나친 것의 뜻은 기다렸다가 가려고 한 것이다.

程傳

所以愆期者, 由己而不由彼. 賢女, 人所願娶. 所以愆期, 乃其志欲有所待, 待得佳配而後行也.

혼기를 놓친 까닭은 자신 때문이지 남 때문이 아니다. 현명한 여자는 사람들이 아내로 맞이하려는 자이다. 그런데 혼기를 놓친 것은 그 뜻에 기다리는 것이 있어, 아름다운 배필 얻기를 기다린 다음에야 가려고 했기 때문이다.

集說

● 孔氏穎達曰 : "嫁宜及時. 今乃過期而遲歸者, 此嫁者之志, 欲有所待而後乃行也."

공영달이 말하였다. "시집가는 것은 때에 맞추어야 한다. 그런데 이제 벌써 혼기가 지났는데 그것을 지체하는 것은 여기 시집가는 자의 뜻에 기다리는 바가 있어 그 뒤에 가려는 것이다."

● 俞氏琰曰 : "爻辭言'愆期', 而爻傳直述其志, 以見愆期在我,而不苟從人. 蓋'有待而行', 非爲人所棄也. '行', 謂出嫁, 詩泉水云'女子有行', 是也."

유염이 말하였다. "효사에서 '혼기를 지나쳤다'고 했는데 「상전」에서 그 뜻을 말해 혼기를 놓친 것이 나에게 있지 구차하게 남을 따르려는 것이 아님을 드러냈다. '기다렸다가 가려고 한 것이다'라는 말은 사람들에게 버려진 것이 아니라는 뜻이다. '가려고 한다'는 것은 시집가는 것을 말하니, 『시경』「천수(泉水)」에서 '여자가 시집가면'[3]이라는 말이 여기에 해당한다."

3) 『시경』「패풍(邶風)」: "女子有行, 遠父母兄弟, 問我諸姑, 遂及伯姊.[여자가 시집가면 부모 형제와도 멀어진다던가, 고모들 안부도 묻고 싶고 언니들 얼굴도 보고 싶네.]"라고 하였다.

帝乙歸妹, 不知其娣之袂良也. 其位在中, 以貴行也.

제을이 여동생을 시집보내니, 잉첩의 소매처럼 아름답지 못함은 그 자리가 가운데 있어 귀함으로 시행하기 때문이다.

本義

以其有中德之貴而行, 故不尙飾.

존귀한 중도의 덕을 갖추고 행하기 때문에 장식을 숭상하지 않는다.

程傳

以帝乙歸妹之道言. 其袂不如其娣之袂良, 尙禮而不尙飾也. 五以柔中, 在尊高之位, 以尊貴而行中道也. 柔順降屈, 尙禮而不尙飾, 乃中道也.

제을이 누이를 시집보내는 도리로 말했다. 소매가 잉첩의 소매보다 아름답지 못함은 예를 숭상하고 허식을 숭상하지 않기 때문이다. 오효는 부드럽고 알맞음으로 존귀한 자리에 있으니, 존귀함으로 알맞은 도를 시행한다. 유순하고 낮추어 예를 숭상하며 허식을 숭상하지 않음은 알맞은 도에 해당한다.

集說

● 王氏申子曰:"上二句擧爻辭, 下二句釋之也, 言五居尊位而用中, 故能以至貴而行其勤儉謙遜之道也."

왕신자가 말하였다. "위의 두 구절은 효사를 들었고 아래의 두 구절은 그것을 해석한 것이다. 오효가 존귀한 자리에 있으면서 알맞음을 사용하기 때문에 지극히 존귀함으로 근면하고 검소하며 겸손한 도를 행한다는 말이다."

上六無實, 承虛筐也.

상육은 담겨진 물건이 없음은 빈 광주리를 받드는 것이다.

程傳

筐无實, 是空筐也, 空筐可以祭乎. 言不可以奉祭祀也. 女不可以承祭祀, 則離絶而已, 是女歸之无終者也.

광주리에 담겨진 물건이 없으면 빈 광주리이니, 빈 광주리로 제사를 지낼 수 있는가? 제사를 받들 수 없다는 말이다. 여자가 제사를 받들지 못한다면 떠나고 관계를 끊을 뿐이니, 여자가 시집가서 끝까지 하지 못하는 것이다.

集說

● 王氏宗傳曰 : "專取虛筐無實爲言者, 上六女子也."

왕종전이 말하였다. "오로지 빈광주리로 말한 것은 상육이 여자이기 때문이다."

55. 풍豐䷶괘

雷電皆至, 豐, 君子以, 折獄致刑.

우레와 번개가 모두 이르는 것이 풍이니, 군자가 그것을 본받아서 옥사를 결단하고 형벌을 집행한다.

本義

取其威照竝行之象.

그 위엄과 비춤이 함께 행해지는 상을 취하였다.

程傳

雷電皆至, 明震竝行也, 二體相合, 故云'皆至'. 明動相資, 成豐之象. 離, 明也, 照察之象, 震, 動也, 威斷之象. '折獄'者, 必照其情實, 唯明克允, '致刑'者, 以威於姦惡, 唯斷乃成. 故君子觀雷電明動之象, 以折獄致刑也.

우레[☳]와 번개[☲]가 모두 이르는 것은 밝음과 진동이 함께 행하는 상황이니, 두 몸체가 서로 합했기 때문에 '모두 이른다'고 하였다. 밝음과 움직임이 서로 의지하여 풍성한 상을 이룬다. 리괘(☲)는 밝음이어서 비추어 살피는 상이고, 진괘(☳)는 움직임이어서 위엄으로 결단하는 상이다. '옥사를 결단함'은 반드시 그 실정에 비추어 밝아야만 믿을 수 있고, '형벌을 집행함'은 간악한 자에게 위엄으로써 대하여 결단해야만 이루어진다. 그러므로 군자가 우레와 번개의 밝고 움직이는 상을 살펴 옥사를 결단하고 형벌을 집행하는 것이다.

噬嗑言先王飭法, 豐言君子折獄, 以明在上而麗於威震, 王者之事, 故爲制刑立法, 以明在下而麗於威震, 君子之用, 故爲折獄致刑. 旅, 明在上而云君子者, 旅取愼用刑與不留獄, 君子皆當然也.

서합(噬嗑䷔)괘에서 선왕이 법을 삼감을 말하였고, 풍(豐䷶)괘에서는 군자가 옥사를 결단함을 말하였으니, 밝음이 위에서 위엄을 떨치는 데 걸려 있음은 왕의 일이기 때문에 형벌을 만들고 법을 세우는 것이 되고, 밝음이 아래에서 위엄을 떨치는 데 걸려 있음은 군자의 쓰임이기 때문에 옥사를 결단하고 형벌을 집행하는 것이 된다. 려(旅䷷)괘는 밝음이 위에 있는데도 군자라고 말한 것은 려괘가 형벌을 쓰는 데 신중하고 옥사를 지체하지 않는 뜻을 취했으니, 군자는 모두 그렇게 해야 한다.

集說

● 孔氏穎達曰 : "斷決獄訟, 須得虛實之情, 致用刑罰, 必得輕重之中. 若動而不明, 則淫濫斯及, 故君子象於此卦, 而折獄致刑."

공영달이 말하였다. "옥사와 송사를 결단함에는 반드시 진실과 허위의 실정을 얻어야 하고, 형벌을 사용함에는 반드시 가벼움과 무거움의 알맞음을 얻어야 한다. 움직이면서 분명하게 하지 않는다면 간사한 것이 함부로 바로 미치기 때문에 군자는 이 괘를 본받아 옥사를 결단하고 형벌을 집행한다."

● 蘇氏軾曰 : "傳曰 : 爲刑罰威獄, 以類天之震曜. 故『易』至於雷電相遇, 則必及刑獄, 取其明以動也. 至於離與艮相遇, 曰'无折獄', '无留獄', 取其明以止也."[1]

소식이 말하였다. "「역전」에서 말하기를, 형벌과 옥사를 행함에 하늘의 우레[☳]·번개[☲]와 비슷하다. 그러므로 『역』에서 우레와 번개가 서로 만나게 되면, 반드시 형벌과 옥사를 행하니, 그 밝음을 취해 움직이기 때문이다. 리(離☲)괘와 간(艮☶)괘가 서로 만나게 되면, '옥사를 결단하지 않는다'[2]라고 하였고, '옥사를 지체하지 않는다'[3]고 하였으니, 그 밝음을 취해 머무르기 때문이다."

1) 소식(蘇軾), 『동파역전(東坡易傳)』「풍괘(豐卦)」.

2) 『주역』「비괘(賁卦)」: "象曰, 山下有火賁, 君子以明庶政, 无敢折獄. [「상전」에서 말하였다: 산 아래 불이 있는 것이 꾸밈이니, 군자가 그것을 본받아 정사를 분명하게 하지만 감히 옥사를 결단하지 않는다.]"라고 하였다.

● 朱氏震曰 : “電明照也, 所以‘折獄’, 雷威怒也, 所以‘致刑.”

주진이 말하였다. : “번개는 밝게 빛나는 것이기 때문에 옥사를 결단하고 우레는 위엄 있게 분노하는 것이기 때문에 형벌을 집행한다.”

● 『朱子語類』問 : “雷電噬嗑與雷電豐亦同.” 曰 : “噬嗑明在上, 是明得事理, 先立這法在此. 未有犯底人, 留待異時之用, 故云‘明罰勅法’, 豐威在上, 明在下, 是用這法時, 須是明見下情曲折, 方得. 不然, 威動於上, 必有過錯也, 故云‘折獄致刑’.”[4]

『주자어류』에서 물었다. “우레[☳]와 번개[☲]가 서합(噬嗑䷔)괘인 것은 “우레와 번개가 풍(豐䷶)괘인 것과 같습니다.”
주자가 대답하였다. “서합(噬嗑䷔)괘에서 밝음이 위에 있는 것은 사리(事理)를 밝히려면 법을 여기에서 먼저 확립해야 하는 것이다. 범법자가 아직 없어도 다른 때에 쓰일 것을 대비해야 하기 때문에 ‘형벌을 밝히고 법령을 정비한다’고 했다. 풍(豐䷶)괘에서 위엄이 위에 있고 밝음이 아래에 있는 것은 법을 사용할 때 반드시 아랫사람들의 자세한 사정을 명백하게 살필 수 있어야 한다. 그렇지 않으면 위에서 위엄이 움직임에 반드시 잘못이 있기 때문에 ‘옥사를 결단하고 형벌을 집행한다’고 하였다.”

3) 『주역』「여괘(旅卦)」: “象曰, 山上有火旅, 君子以, 明愼用刑, 而不留獄.[「상전」에서 말하였다 : 산 위에 불이 있는 것이 려(旅)이니, 군자가 그것을 본받아 형(刑)을 쓰는 것을 밝게 하고 삼가며 옥사를 지체하지 않는다.]”라고 하였다.

4) 『주자어류』 71권, 4조목.

雖旬无咎, 過旬, 災也.
똑같을지라도 허물이 없으니, 똑같음이 지나치면 재앙이 된다.

本義

戒占者, 不可求勝其配, 亦爻辭外意.

점치는 자가 그 짝을 이기기를 구하지 말라고 경계한 것이니, 또한 효사 밖의 뜻이다.

程傳

聖人, 因時而處宜, 隨事而順理. 夫勢均則不相下者, 常理也, 然有雖敵而相資者, 則相求也, 初四是也, 所以雖旬而无咎也. 與人同而力均者, 在乎降己以相求, 協力以從事, 若懷先己之私, 有加上之意, 則患當至矣, 故曰過旬災也. 均而先己, 是過旬也, 一求勝, 則不能同矣.

성인은 때에 따라 마땅하게 대처하고 일에 따라 이치를 따른다. 형세가 균등하면 서로 낮추지 못하는 것이 항상된 이치이지만 대적하더라도 서로 의지할 경우에는 서로 구함이 있으니, 초효와 사효가 여기에 해당하고 그 때문에 똑같더라도 허물이 없다. 남들과 함께 하면서 힘이 균등한 경우에는 자신을 낮추어 서로 구하고 협력하여 일을 해야 하는데, 자신을 앞세우려는 사사로움을 품고 더욱 높이려는 마음이 있으면, 환난이 당연히 닥치기 때문에 '똑같음이 지나치면 재앙이 있다'고 하였다. 균등한데도 자신을 먼저 함은 똑같음이 지나치는 것이니, 한 번이라도 이기기를 구하면 함께 할 수 없다.

集說

● 劉氏牧曰:"旬, 數之極也, 猶日之中也. 言無咎者, 謂初未至中, 猶可進也. 若進而過中, 則災, 故「象」稱'過旬災也', 爻辭不言豐者, 謂初未至豐也."

유목이 말하였다. "열[旬 : 10]은 수의 끝으로 해가 중천에 있는 것과 같다. '허물이 없다'고 한 것은 초효가 아직 알맞음에 이르지 않았다는 말로 여전히 나아갈 수 있다는 뜻이다. 나아가서 알맞음을 지나치면 재앙이 되기 때문에 「상전」에서 '지나치면 재앙이 된다'고 했다. 효사에서 풍성함을 말하지 않은 것은 초효가 아직 풍성하게 되지 않았을 말한다."

● 胡氏瑗曰:"言雖居豐盈之時, 可以'無咎', 若過於盈滿, 則必有傾覆之災也."

호원이 말하였다. "풍성하게 차 있을 때 허물이 없을 수 있을지라도 차서 넘치게 되면 반드시 기울어 뒤집히는 재앙이 있다는 말이다."

● 俞氏琰曰:"爻辭云'雖旬無咎', 爻「傳」云'過旬災', 則戒其不可過也, 蓋與「彖傳」天地日月說同."

유염이 말하였다. "효사에서 '비록 똑같을지라도 허물이 없다'고 하였는데, 효사의 「상전」에서 '지나치면 재앙이 된다'고 한 것은 지나쳐서는 안됨을 경계하였으니, 「단전」에서 천지와 일월[5]에 대한 말과 같다."

案

● '過旬災', 卽'日中則昃, 月盈則食'之意也. 『經』意謂同德相濟, 雖當盈滿之時, 可以無咎. 況初居豊之始, 未及日中乎. 「傳」意則謂正宜及今而圖之耳, 稍過於中, 便將有災矣, 其義相備也."

'지나치면 재앙이 된다'는 것은 곧 '해가 중천에 있으면 기울고 달이 차며 이지러진다'는 의미이다. 『경』의 의미는 같은 덕이 서로 구제하면 차서 넘치는 때일지라도 허물이 없을 수 있다는 것이다. 하물며 초효가 풍성한 처음에 있어 해가 중천에 있게 되지 않았음에야 말해 무엇 하겠는가! 「상전」의 의미는 바르고 마땅함은 바로 이때가 되어야 도모할 뿐이고, 조금이라도 알맞음을 지나치면 재앙이 있게 된다는 것을 말했으니, 그 의미를 서로 갖추게 해준다.

5) 『주역』「풍괘(豐卦)」: "日中則昃, 月盈則食, 天地盈虛, 與時消息, 而況於人乎, 況於鬼神乎.[해가 중천에 있으면 기울고 달은 차면 이지러지니, 천지가 차고 비는 것이 때에 따라 사그라지고 불어나는데, 하물며 사람에 있어서며 하물며 귀신에 있어서이겠는가?]"라고 하였다.

有孚發若, 信以發志也.

믿음을 갖고 감동하여 분발함은 믿음으로 뜻을 분발시키는 것이다.

程傳

'有孚發若', 謂以己之孚信, 感發上之心志也. 苟能發, 則其吉可知, 雖柔暗, 有可發之道也.

'믿음을 갖고 감동하여 분발함'은 자신의 믿음으로 윗사람의 심지(心志)를 감동시켜 나오게 한다는 말이다. 감동시켜 나오게 할 수 있으면 길함을 알 수 있으니, 유약하고 어두울지라도 감동시켜 나오게 할 수 있는 방법이 있다.

集說

● 趙氏汝楳曰 : "疾得於境之疑, 孚發於志之信."

조여매가 말하였다. "병은 경계의 의심에서 얻고, 믿음은 마음의 믿음에서 나온다."

● 王氏申子曰 : "二虛中, 故有孚, 五亦虛中, 故可發, 言以誠相感也."

왕신자가 말하였다. "이효는 가운데가 비어 있기 때문에 믿음을 갖는 것이고, 오효도 가운데가 비어 있기 때문에 펼칠 수 있는 것이니, 정성으로 서로 느낀다는 말이다."

豐其沛, 不可大事也. 折其右肱, 終不可用也.

장막이 풍성하니 큰일을 할 수 없고, 오른팔이 부러졌으니 끝내 쓸 수 없다.

程傳

三應於上. 上應而无位, 陰柔无勢力而處旣終, 其可共濟大事乎. 旣无所賴, 如右肱之折, 終不可用矣.

삼효는 상효와 호응한다. 그런데 상효가 호응하지만 지위가 없고, 음의 부드러움으로 세력이 없고 이미 끝난 곳에 있으니, 어찌 함께 큰일을 이룰 수 있겠는가? 이미 의지할 곳이 없어 오른팔이 부러진 것과 같으니, 끝내 쓸 수가 없다.

集說

● 潘氏士藻曰 : "六二雖當"豐蔀"之時, 然五得位得中, 猶可以大事. 故六二發若之孚可施也. 九三所應上六, 無可發之明矣. 不可用而不用, 保身之哲也."

반사조가 말하였다. "육이는 가리개가 풍성한 때에 있을지라도 오효가 자리를 얻고 알맞음을 얻어 여전히 큰일을 할 수 있기 때문에 육이가 펼치는 믿음을 시행할 수 있다. 구삼이 상육과 호응하는 것에는 펼칠 수 있는 밝음이 없으니, 사용할 수 없어 사용하지 않는 것이 몸을 보호하는 명철함이다."

豐其蔀, 位不當也. 日中見斗, 幽不明也. 遇其夷主吉, 行也.

가리개가 풍성함은 자리가 마땅하지 않은 것이고, 대낮에 북두성을 봄은 어두워 밝지 못한 것이며, 대등한 상대를 만남은 길한 데로 나아가는 것이다.

程傳

'位不當', 謂以不中正居高位, 所以闇而不能致豐. '日中見斗, 幽不明也', 謂幽暗不能光明, 君陰柔而臣不中正故也, '遇其夷主, 吉行也'. 陽剛相遇, 吉之行也. 下就於初, 故云'行', 下求則爲吉也.

'자리가 마땅하지 않은 것'은 알맞고 바르지 않음으로 높은 자리에 있는 것을 말하니, 어두워서 풍성함을 이룰 수 없는 까닭이다. '대낮에 북두성을 봄'은 어두워 빛나고 밝힐 수 없음을 말하니, 임금은 음의 부드러움이고 신하는 중정하지 못한 것이다. '대등한 상대를 만남은 길한 데로 나아가는 것이다'는 굳센 양이 서로 만남은 길한 데로 나아간다는 뜻이다. 아래로 초효에 나아가기 때문에 '나아간다'고 말했으니, 아래로 구하면 길하다.

集說

● 項氏安世曰："六二指六五爲蔀爲斗, 故往則入於暗而得疑. 九四之蔀與斗, 皆自指也, 故行則遇明而得吉."

항안세가 말하였다. "육이는 육오를 가리켜 가리개로 여기고 북두성으로 여기는 것이기 때문에 가면 어둡게 되어 의심하게 된다. 구사의 가리개와 북두성은 모두 스스로 가리키는 것이기 때문에 가면 밝음을 만나고 길함을 얻는다."

● 吳氏澄曰："'豐蔀見斗', 六二爻辭已備. 「象傳」不釋, 而獨九四致其詳者, 蓋二象由九四而成, 四爲蔀, 故二見斗. 二爻之象同, 而所重在四也.

오징이 말하였다. "가리개가 풍성하고 북두성을 본다는 말은 육이의 효사에 이미 있다. 그런데 「상전」에서 풀이하지 않다가 유독 구사에서 자세히 설명한 것은 이효의 상이 구사로 말미암아 이루어져 사효가 가리개이므로 이효가 북두성을 보는 것이고, 두 효의 상이 같으나 중요함은 사효에 있기 때문이다."

六五之吉有慶也
육오의 길함은 경사가 있는 것이다.

程傳

其所謂'吉'者, 可以有慶福, 及于天下也. 人君雖柔暗, 若能用賢才, 則可以爲天下之福, 唯患不能耳.

이른바 '길하다'는 것은 경사와 복이 천하에 미칠 수 있다는 뜻이다. 임금이 부드럽고 어두울지라도 어진 이의 재주를 쓸 수 있으면 천하의 복이 될 수 있으니, 그렇게 할 수 없음을 걱정할 뿐이다.

集說

● 何氏楷曰: "人君以天下常豐爲慶. 慶以天下故吉, 言慶則譽在其中矣."

하해가 말하였다. "임금은 천하가 언제나 풍성함을 경사로 여기고, 경사를 천하의 일로 삼기 때문에 길하니, 경사에는 명예가 그 가운데 있다는 말이다."

豐其屋, 天際翔也. 窺其戶, 闃其無人, 自藏也.

집을 풍성하게 함은 하늘가로 비상하는 것이고, 그 문을 엿보니 고요하여 사람이 없음은 스스로 감추는 것이다.

本義

'藏', 謂障蔽.

'감춘다[藏]'는 것은 막고 가린다는 말이다.

程傳

六, 處豐大之極, 在上而自高, 若飛翔於天際, 謂其高大之甚. 闃其戶而无人者, 雖居豐大之極, 而實无位之地. 人以其昏暗自高大, 故皆棄絶之, 自藏避而弗與親也.

육(六)이 성대하고 큼의 끝에 있어 위에서 자신을 높임이 하늘가로 비상하는 듯하니, 아주 높고 큼을 말한다. 문을 엿보니 사람이 없다는 것은 성대하고 큼의 끝에 있으나 실상은 지위가 없는 곳이다. 사람들은 그가 어두우면서 자신을 높이고 크게 하기 때문에 모두 버리고 끊으니, 스스로 감추고 피하여 더불어 친하지 않다.

集說

● 石氏介曰 : "始顯大, 終自藏, 皆聖人戒其過盛. 子雲曰 : '炎炎者滅, 隆隆者絕, 觀雷觀火, 爲盈爲實, 天收其聲, 地藏其熱. 高明之家, 鬼瞰其室,'[6] 正合此義."

석개가 말했다. "처음에는 큼을 드러내고 끝에는 스스로 감추니, 모두 성인이 지나치게 성대함을 경계한 것이다. 자운(子雲)[7]이 '활활 불타오르는 빛은 소멸되고, 쩌렁 쩌렁 울리는 소리는 끊어진다. 우레를 보고 번개를 보면 성대하고 꽉 차 있으나 하늘이 그 소리를 거두고 땅이 그 빛을 감춘다. 높고 밝은 집안은 귀신이 그 집을 굽어보고 있다'고 한 것이 바로 여기의 의미와 합한다."

● 張子曰 : "豐屋蔀家, 自蔽之甚, 窮大而失居者也. 處上之極, 不交於下, 而居動之末, 故曰'天際翔也'."

6) 『전한서(前漢書)』「양웅전(揚雄傳)」.

7) 양웅(揚雄, B.C.53~18) : 서한시대 성도(城都 : 현 사천성 성도) 사람으로 자는 자운(子雲)이다. 40세에 도성으로 가서 「감천(甘泉)」, 「하동(河東)」의 부(賦)를 올리고 황제의 부름을 받았다. 성제(成帝) 때에 급사황문랑(給事黃門郎)이 되었고, 왕망(王莽)이 집권할 때에 교서천록각(校書天祿閣)으로 대부의 반열에 올랐다. 왕망(王莽)의 정권을 찬미하는 문장으로 그에게 협조하였기 때문에 지조가 없는 사람으로 송학(宋學) 이후에는 비난의 대상이 되기도 하지만, 그의 식견은 한(漢)나라를 대표한다. 사람의 본성에 대해서는 '성선악혼설(性善惡混說)'을 주장하였다. 초기에는 형식상 사마상여(司馬相如)를 모방하여 『감천(甘泉)』, 『하동(河東)』, 『우작(羽猎)』, 『장양(長楊)』 4부(四賦)를 지었으나, 후기에는 『역(易)』을 본떠서 『(태현)太玄』을 짓고 『논어』를 본떠서 『법언(法言)』을 지었다.

장재(張載)[8]가 말하였다. "집을 풍성하게 하고 집에 가리개를 쳐놓는 것은 스스로 가림이 심하니, 성대함을 다하여 거주지를 잃은 것이다. 위의 끝에 있고 아래와 사귀지 않아 움직임의 끝에 있기 때문에 '하늘가로 비상하는 것'이라고 하였다.

● 朱子語類云 : "'豐其屋, 天際翔也', 似說如翬斯飛樣, 言其屋高大到於天際, 卻只是自蔽障得闊."[9]

『주자어류』에서 말하였다. "'집을 풍성하게 함은 하늘가로 비상하는 것이다'라는 말은 꿩이 훨훨 날아오르는 것처럼 그 집이 높고 성대하여 하늘가에 이르렀지만 오히려 스스로 넓디넓게 가렸다고 말하는 것과 같다."

8) 장재(張載, 1020~1077) : 자는 자후(子厚)이고, 세칭 횡거선생(橫渠先生)이라고 한다. 송대 대양(大梁) 곧 현재 하남성 개봉(開封) 사람으로 거주지는 미현 횡거진(郿縣橫渠鎭) 곧 현재 섬서성 미현(眉縣)이었다. 1057년 진사에 급제했고 운암령(雲巖令)·숭정원교서(崇政院校書) 등을 역임하였다. 젊어서 병법을 좋아하여 범중엄에게 서신을 보냈다가 『중용』을 읽기를 권유받고, 얼마 뒤 『6경(六經)』에 전념하게 되었다. 특히 『역』과 『중용』을 중시하여 『정몽(正蒙)』, 『서명(西銘)』, 『역설(易說)』 등을 지었는데, 이로써 나중에 '관학(關學)'의 창시자가 되었다.
9) 『주자어류』 73권, 80조목.

56. 여旅䷷괘

山上有火, 旅. 君子以, 明愼用刑, 而不留獄.

산 위에 불이 있는 것이 려이니, 군자가 그것을 본받아 형벌을 쓰는 것을 밝게 하고 삼가며 옥사를 지체하지 않는다.

本義

愼刑如山, 不留如火.

형벌을 산과 같이 삼가고, 불과 같이 지체하지 않는다.

程傳

火之在高, 明无不照, 君子觀明照之象, 則以明愼用刑. 明不可恃, 故戒於愼, 明而止亦愼象. 觀火行不處之象, 則不留獄. 獄者, 不得已而設, 民有罪而入, 豈可留滯淹久也.

불이 높은 곳에 있어 밝음이 비추지 않음이 없으니, 군자가 밝게 비추는 상을 보면, 형벌 쓰기를 밝게 하고 삼간다. 밝음을 믿을 수 없기 때문에 삼가라고 경계했으니, 밝은데도 멈추는 것이 또한 삼가는 상이다. 불이 번져가고 머물지 않는 상을 관찰하면 옥사를 지체하지 않는다. 옥(獄)은 부득이하여 만든 것으로 백성들이 죄가 있어 들어오면, 어찌 지체하며 오랫동안 잡아두어서야 되겠는가?

集說

● 孔氏穎達曰 : "火在山上, 逐草而行, 勢不久留, 故爲旅象. 又上下二體, 艮止離明, 故君子象此, 以明察審慎用刑, 而不稽留獄訟."

공영달이 말하였다. "산 위에 불이 있는 것은 풀을 태우며 지나가서 기세가 오랫동안 머무르지 못하기 때문에 나그네의 상이다. 또 상하의 두 몸체는 간괘의 멈춤과 리괘의 밝음이기 때문에 군자는 이것을 본받아 형벌 쓰는 것을 밝게 살피고 삼가며 옥사를 지체하지 않는다."

● 項氏安世曰 : "山非火之所留也, 野燒延緣, 過之而已, 故名之曰旅, 而象之以不留獄".

항안세가 말하였다. "산은 불이 머물 곳이 아니어서 들로 번지고 가장자리로 가며 지나칠 뿐이기 때문에, 나그네로 이름 붙여 말하고 그것을 본받아 옥사를 지체하지 않는다."

● 趙氏汝楳曰 : "火煬則宅於灶, 冶則宅於爐. 在山則野燒之暫,猶旅寓耳, 故爲旅之象. 離虛爲明, 艮止爲謹, 君子體之, 明謹於用刑而不留獄. 蓋獄者人之所旅也, '不留獄', 不使久處其中也. 用刑固貴於明, 然明者未必謹, 謹者或留獄, 明矣謹矣. 而淹延不決, 雖明猶暗也, 雖謹反害也."

조여모가 말하였다. "불은 지피는 것으로는 아궁이를 두고, 쇠를 녹이는 것으로는 용광로를 둔다. 그런데 불이 산에서는 금방 들로 번져 나그네가 머무는 것과 같기 때문에 나그네의 상이다. 리괘의 비어 있음이 밝음이고 간괘의 그침이 삼감이니, 군자는 그것을 체득하여 형벌 쓰는 것을 밝게 하고 삼가며 옥사를 지체하지 않는다. 옥은 사람들이 나그네처럼 머무는 곳이니, '옥사를 지체하지 않는다'는 것은 그 속에 오래 동안 갇혀있게 하지 않는 뜻이다. 형벌을 씀에는 본래 밝음을 귀하게 여기지만 밝은 경우에는 반드시 삼가지는 않고 삼갈 경우에는 간혹 옥사를 지체하니, 밝고 삼가야 한다. 그런데 지체하며 판결하지 않으면 밝을지라도 오히려 어두운 것이고 삼갈지라도 도리어 해가 되는 것이다."

● 張氏清子曰 : "明則無 遁情, 慎則無濫罰. 明慎旣盡, 斷決隨之. 聖人取象於旅, 正恐其留獄也."

장청자가 말하였다. "밝으면 실정을 숨김이 없고 삼가면 벌을 함부로 줌이 없다. 밝고 삼감을 이미 극진하게 하였으니 판결은 그것을 따른다. 성인이 나그네에서 상을 취한 것은 옥사를 지체할 것을 염려했기 때문이다."

旅瑣瑣, 志窮災也.

초육은 나그네가 자잘하니 그 재앙을 취함이다.

本義

當旅之時, 以陰柔居下位, 故其象占如此.

나그네 때는 부드러운 음으로 낮은 자리에 있기 때문에 그 상과 점이 이와 같다.

程傳

六以陰柔, 在旅之時, 處於卑下, 是柔弱之人, 處旅困而在卑賤, 所存汚下者也. 志卑之人, 旣處旅困, 鄙猥瑣細, 无所不至, 乃其所以致悔辱, 取災咎也. 瑣瑣, 猥細之狀. 當旅困之時, 才質如是, 上雖有援, 无能爲也. 四, 陽性而離體, 亦非就下者也, 又在旅, 與他卦爲大臣之位者異矣.

육(六)이 부드러운 음으로 나그네가 된 때에 낮추어 아래에 있으니, 유약한 사람이 곤궁한 나그네가 되어 비천하게 있는 것은 가지고 있는 것이 낮기 때문이다. 뜻이 낮은 사람은 이미 곤궁한 나그네가 되면 누추하고 자질구레함이 이르지 않는 것이 없으니, 후회와 모욕을 부르고 재앙과 허물을 취하는 까닭이다.
'자잘함[瑣瑣]'은 자질구레한 모양이다. 곤궁한 나그네의 때에 재질이 이와 같으니, 위에서 이끌어줄지라도 할 수 있는 것이 없다. 사효는 양의 성질로 리괘의 몸체이니 또한 아래로 내려오는 것이 아니고, 또 나그네로 있으니 다른 괘에서 대신(大臣)의 지위가 되는 것과는 다르다.

集說

● 谷氏家杰曰 : "爻賤其行, 「象」鄙其志."

곡가걸이 말했다. "효사에서는 그 가는 것을 누추하게 보았고 「상전」에서는 그 뜻을 비천하게 여겼다."

● 楊氏啟新曰 : "窮不是困窮, 局促猥陋之義"

양계신이 말하였다. : "궁함은 곤궁이 아니라 편협하고 비루하다는 의미이다."

得童僕貞, 終无尤也.

동복의 곧음을 얻음은 끝내 허물이 없는 것이다.

程傳

羇旅之人, 所賴者童僕也. 旣得童僕之忠貞, 終无尤悔矣.

나그네로 떠도는 사람은 의지하는 것이 동복(童僕)이다. 그런데 이미 동복의 충성과 곧음을 얻었으니, 끝내 허물과 후회가 없다.

集說

● 王氏弼曰 : "旣得童僕, 然後卽次懷資, 皆無所失, 故終無尤."

왕필이 말하였다. "이미 동복을 얻은 다음에 머무는 곳에 나아가 물자를 간직하여 모두 잃은 것이 없기 때문에 끝내 허물이 없다."

旅焚其次, 亦以傷矣. 以旅與下, 其義喪也.

나그네가 머물 곳을 불태우니 또한 해롭고 나그네로서 아랫사람과 함께 하니, 그 의리를 상실한다.

本義

以旅之時而與下之道如此, 義當喪也.

나그네의 때에 아랫사람과 함께 하는 도가 이와 같으니, 의리를 당연히 상실한다.

程傳

旅焚失其次舍, 亦以困傷矣, 以旅之時而與下之道如此, 義當喪也. 在旅而以過剛自高, 待下, 必喪其忠貞, 謂失其心也. 在旅而失其童僕之心, 爲可危也.

나그네가 머무는 집을 불태워 잃었으니 또한 곤궁하게 되어 해로운데, 나그네의 때에 아랫사람과 함께 하는 도가 이와 같으니, 의리를 당연히 상실한다. 나그네로 있으면서 지나치게 굳세고 스스로 높게 여기는 것으로 아랫사람을 대하면 반드시 그 충성과 곧음을 잃으니, 그 마음을 잃음을 말한다. 나그네로 있으면서 동복(童僕)의 마음을 잃으면 위태하게 된다.

集說

● 郭氏雍曰 : "九三剛而不中, 故不能安. 旅失其所安, 亦可傷矣, 以剛暴之才, 而以旅道居童僕, 自其失衆心而喪也. 夫旅豈與人之道哉. 君子自厚而已, 故終無以旅與下之事."

곽옹이 말하였다. "구삼은 굳세고 알맞지 않기 때문에 편안할 수 없다. 그런데 나그네가 그 편안함을 잃었으니 또한 해로울 수 있다. 굳세고 난폭한 재질을 가지고 나그네의 도로 동복을 있게 하면 본래 여러 사람들의 마음을 잃어 망한다. 나그네가 어찌 사람의 도를 함께 하겠는가? 군자는 스스로 두텁게 할 뿐이기 때문에 끝내 나그네로 아랫사람과 함께 할 일이 없다."

● 王氏宗傳曰 : "旣已有焚其次之傷矣, 而又喪其童僕焉, 此暴厲之過也. 夫旅親寡之時也, 朝夕之所與者, 童僕而已爾, 豈可以旅視之也, 九三以旅視乎下, 則彼童僕也, 亦必以旅視乎上矣, 其能久留乎, 故曰'其義喪也.'"

왕종전이 말하였다. "이미 자신이 머무는 곳을 불태우는 피해를 당했는데, 또 동복을 잃었으니, 이것은 사나움이 지나쳤기 때문이다. 나그네는 친한 사람이 적은 때여서 아침저녁으로 함께 하는 자들이 동복일 뿐이니, 어찌 나그네로 보여서야 되겠는가? 구삼이 나그네로 아랫사람들에게 보이면 저 동복들도 반드시 나그네로 윗사람에게 보일 것이니, 어찌 오래 머무를 수 있겠는가? 그러므로 '의리를 상실한다'고 하였다."

● 黃氏淳耀曰 : "'下', 卽童僕, '以旅與下'者, 謂視童僕如旅人也. 焚次而失其身所依庇, 亦已傷而不安矣, 況又喪其童僕乎. 然非童僕之無良也, 當旅時而與下之道, 刻薄寡恩. 直若旅人然, 宜不得其心力, 義當喪也, 將誰咎哉."

황순요(黃淳耀)[1]가 말하였다. "'아랫사람'은 동복이다. '나그네로 아랫사람과 함께 하는 것'은 동복에게 나그네처럼 보인다는 말이다. 머물 곳이 불타 자신이 의탁할 곳을 잃었고 또한 자신이 다쳐 불안한데, 하물며 또 그 동복들을 잃음에야 말해 무엇 하겠는가? 그러나 동복들 중에는 어진 자가 없는 것이 아닌데, 나그네의 때에는 아랫사람과 함께 하는 도가 각박하고 은혜가 적다. 단지 나그네와 같이 할 뿐이어서 그들의 마음과 힘을 당연히 얻지 못하고 의리를 당연히 상실하니 누구를 허물하겠는가?"

1) 황순요(黃淳耀, 1605~1645) : 명나라 말기 소주부(蘇州府) 가정(嘉定) 곧 지금의 상해시(上海市) 사람으로 자는 온생(蘊生)이고, 호는 도암(陶庵)이다. 복사(復社)의 구성원이다. 숭정(崇禎) 16년(1643) 진사가 되었지만, 관직은 받지 않았다. 귀향해 더욱 열심히 경적(經籍)을 연구했다. 홍광(弘光) 원년(1645) 가정의 민중들이 청나라에 항거하는 봉기를 일으키자 후동증(侯峒曾)과 함께 지도자로 추대되었다. 그런데 성이 파괴되자 동생 황연요(黃淵耀)와 함께 암자에 들어가 목을 매어 자살했다. 문인들이 정문(貞文)이라 사시(私謚)했다. 시문에 능했다. 저서에 『도암집(陶庵集)』 22권과 『산좌필담(山左筆談)』 등이 있다.

旅於處, 未得位也. 得其資斧, 心未快也.

나그네가 거처함은 지위를 얻지 못함이니, 물자와 도끼를 얻어도 마음이 유쾌하지 않다.

程傳

四以近君爲當位. 在旅, 五不取君義, 故四爲未得位也. 曰, "然則以九居四, 不正, 爲有咎矣." 曰, "以剛居柔, 旅之宜也. 九以剛明之才, 欲得時而行其志, 故雖得資斧, 於旅爲善, 其心志未快也."

사효는 임금에 가까움으로 지위를 감당한다. 그런데 려(旅䷷)괘에서는 오효로 임금의 뜻을 취하지 않기 때문에 사효가 지위를 얻지 못함이 된다. "그렇다면 구(九)로서 사효 자리에 있음은 바르지 못하니, 허물이 있을 것입니다"라고 하기에 "굳센 양으로 부드러운 음의 자리에 있음은 나그네의 마땅함입니다. 구(九)가 굳세고 밝은 재질로 때를 얻어 그 뜻을 행하고자 하기 때문에 물자(物資)와 도끼를 얻어 나그네의 처지에 좋은 것이 될지라도 그 마음에는 유쾌하지 않은 것입니다"라고 하였다.

集說

● 黃氏淳耀曰 : "'資斧'防患之物, 得其資斧, 不過有以自防, 故曰'心未快也'."

황순요가 말하였다. "'물자와 도끼'는 우환을 막는 물건이니, 물자와 도끼를 얻었다면 스스로 막는 것에 불과하기 때문에 '마음이 유쾌하지 않다'고 하였다."

終以譽命, 上逮也.

끝내 명성과 복록으로 함은 위로 미치는 것이다.

本義

'上逮', 言其譽命聞於上也.

'위로 미치는 것이다'라는 것은 그 명성과 복록이 윗사람에게 알려짐을 말한다.

程傳

有文明柔順之德, 則上下與之. '逮', 與也. 能順承於上而上與之, 爲上所逮也, 在上而得乎下, 爲下所上逮也. 在旅而上下與之, 所以致譽命也. 旅者, 困而未得所安之時也. '終以譽命', 終當致譽命也. 已譽命則非旅也. 困而親寡則爲旅, 不必在外也.

문명하고 유순한 덕이 있으면 위아래가 함께 한다. '미치는 것이다'라는 말은 함께 한다는 것이다. 윗사람에게 순종하고 받들어 윗사람이 함께 하여 윗사람이 미치는 바가 되며, 위에 있으면서 아랫사람을 얻어 아랫사람이 위로 미치는 바가 된다. 나그네로 있으면서 위아래가 함께 하기 때문에 명성과 복록을 이룬다. 나그네는 곤궁하고 아직 편안함을 얻지 못한 때이다. 그런데 '끝내 명성과 복록을 얻는다'는 말은 끝내 당연히 명성과 복록을 이루는 뜻이다. 이미 명성과 복록이 있으면 나그네가 아니다. 곤궁하고 친한 사람이 적으면 나그네가 되는데, 반드시 밖에 있는 것만은 아니다.

集說

● 胡氏瑗曰 : "六五所謂柔得中乎外, 而順乎剛者也, 柔順中正之德, 爲上九所信, 尊顯之命及之也."

호원이 말하였다. "육오는 이른바 부드러움이 밖에서 알맞음을 얻었으나 굳셈에 순종하는 것이어서 유순하고 중정한 덕을 상구가 믿으니 존귀하고 드러난 명예가 미친다."

案

● 六五有位而上九無位, 不必以六五爲上九所尊顯也. 蓋居高位便是上逮爾. 此爻雖不以君位言, 而亦主於大夫士之載贄而獲乎名位者, 故曰'上逮', 言其地望已高也.

육오는 지위가 있고 상구는 지위가 없으니, 육오가 굳이 상구에 의해 존귀하게 드러날 것까지는 없다. 높은 지위에 있는 것은 바로 위로 미친다. 이 효가 임금의 지위로 말하지는 않을지라도 대부와 관리가 예물을 싣고 가서 명예와 지위를 얻으려는 자들이기 때문에 '위로 미치는 것이다'라고 하였으니, 지위와 바라는 것이 이미 높다는 말이다.

以旅在上, 其義焚也. 喪牛於易, 終莫之聞也.

나그네로서 위에 있으니 의리상 불타는 것이고, 쉽게 하는 데서 소를 잃음은 끝내 들어 알지 못하는 것이다.

程傳

以旅在上而以尊高自處, 豈能保其居. 其義當有焚巢之事. 方以極剛自高, 爲得志而笑, 不知喪其順德於躁易, 是終莫之聞, 謂終不自聞知也. 使自覺知, 則不至於極而號咷矣. 陽剛不中而處極, 固有高亢躁動之象, 而火復炎上, 則又甚焉.

나그네가 위에서 존귀하고 높음으로 자처하니, 어찌 그 거처를 보존할 수 있겠는가? 의리상 당연히 둥지를 불태울 일이 있다. 지극히 굳세고 자신을 높이는 것으로 뜻을 얻어 웃게 되지만, 조급하게 하고 쉽게 하는 데서 순한 덕을 잃게 될 줄 몰라 끝내 듣지 못하니, 끝내 들어 알지 못한다는 말이다. 스스로 깨달아 알게 된다면 끝에 가서 울부짖는 지경까지 되지 않는다. 굳센 양으로 가운데 있지 못하고 끝에 있으니, 진실로 지나치게 높고 조급하게 움직이는 상이 있으며, 불이 다시 타오르니 또 심한 것이다.

集說

● 張子曰 : "以陽極上, 旅而驕肆者也, 失柔順之正, 故曰'喪牛於易'. 怒而忤物, 雖有凶危, 其誰告之. 故曰'終莫之聞也.'"

장재(張載)가 말하였다. "양으로 극히 높은 것은 나그네인데 교만하게 함부로 하는 것으로 유순한 바름을 잃었기 때문에 '쉽게 하는 데서 소를 잃음'이라고 했다. 분노로 사물을 거슬러 흉하고 위태로움이 있으니, 누가 알려주겠는가? 그러므로 '끝내 들어 알지 못하는 것이다'라고 하였다."

案

● 九三以旅與下, 郭氏王氏黃氏之說美矣, 唯以旅在上則未有說. 蓋以旅之道在上, 則視所居之位, 如寄寓然, 其無敬愼之心可知, 故曰'其義焚也'.

구삼이 나그네로 아랫사람과 함께 하는 것으로는 곽씨[곽옹]·왕씨[왕종전]·황씨[황순요]의 설명이 훌륭한데, 오직 나그네가 위에 있는 것에 대해 설명한 것은 없다. 나그네의 도로서 위에 있는 것은 가진 지위를 보면 여관과 같아 공경하고 삼가는 마음이 없음을 알 만하기 때문에 '의리상 불타는 것이다'라고 하였다.

57. 손巽☴괘

隨風, 巽, 君子以, 申命行事.

따르는 바람이 손이니, 군자가 그것을 본받아 명령을 거듭 내려 정사를 행한다.

本義

'隨', 相繼之義.

'따른다[隨]'는 것은 서로 잇는다는 뜻이다.

程傳

兩風相重, '隨風'也. '隨', 相繼之義. 君子觀'重巽'相繼以順之象, 而以申命令, 行政事. '隨'與'重', 上下皆順也. 上順下而出之, 下順上而從之, 上下皆順, '重巽'之義也. 命令政事順理, 則合民心而民順從矣.

두 바람이 서로 거듭함이 '따르는 바람'이다. '따른다[隨]'는 것은 서로 잇는다는 뜻이다. 군자는 '거듭된 손(巽)'이 서로 이어 따르는 상을 보고 명령을 거듭 내려 정사를 행한다. '따름'과 '거듭함'은 위와 아래가 모두 따르는 것이다. 위는 아래를 따라서 나오고 아래는 위를 따라 좇음으로 위와 아래가 모두 따르니 '거듭된 손(巽)'의 뜻이다. 명령과 정사가 이치에 따르면 민심에 합해 백성들이 순종한다.

集說

● 荀氏爽曰 : "巽爲號令, 兩巽相隨, 故'申命'也, 法教百瑞, 令行爲上, 故曰'行事'也.

순상이 말하였다. "손(巽)은 호령으로 두 손(巽)이 서로 따르기 때문에 '명령을 거듭 내리는 일'이고, 본받아 가르침이 모두 길하며 명령이 행해짐이 위가 되기 때문에 '정사를 행하는 것'이라고 하였다."

● 胡氏瑗曰 : "巽之體, 上下皆巽, 如風之入物, 無所不至, 無所不順, 故曰'隨風巽'. 君子法此巽風之象, 以申其命行其事於天下, 無有不至, 而無有不順者也."

호원이 말하였다. "손(巽䷸)괘의 몸체는 위아래가 모두 손(巽☴)괘여서 바람이 사물로 들어가 어디든지 가지 못하는 것이 없고 순종하지 않음이 없는 것과 같기 때문에 '따르는 바람이 손이다'라고 하였다. 군자는 여기의 손괘라는 바람의 상을 본받음으로써 그 명령을 거듭하고 천하에 정사를 행하여 이르지 않음이 없고 순종하지 않음이 없다."

● 郭氏雍曰 : "君子之德風也, 有風之德而下無不從, 然後具重巽之義. 『易』於巽主教命, 猶『詩』之言風也. 故觀則'省方觀民設教', 姤則'施命誥四方', 皆主巽而言也."

곽옹이 말하였다. "군자의 덕은 바람이니, 바람의 덕이 있으면 아랫사람들이 따르지 않음이 없게 된 다음에[1] 거듭된 손(巽)의 의미를 갖춘다. 『주역』은 손괘에서 가르침과 명령을 주로 하니, 『시경』에서 바람을 말하는 것과 같다. 그러므로 관(觀䷓)괘에서는 '사방을 살피고 백성을 관찰하여 가르침을 베푸는 일'[2]이고, 구(姤䷫)괘에서는 '명령을 베풀어 사방에 알리는 일'[3]이니, 모두 손(巽☴)괘를 주로 해서 말한 것이다."

● 邱氏富國曰 : "'申命'者, 所以致其戒於行事之先, '行事'者, 所以踐其言於申命之後."

구부국이 말하였다. "'명령을 거듭 내린다'는 정사를 행하기 전에 경계를 내리는 일이고, '정사를 행한다'는 명령을 거듭 내린 다음에

1) 『논어』「안연」: "君子之德風, 小人之德草, 草上之風必偃.[군자의 덕은 바람이고 소인의 덕은 풀과 같으니, 풀은 바람이 불면 반드시 쓸리게 된다.]"라고 하였다.

2) 『주역』「관괘(觀卦)」: "象曰, 風行地上, 觀, 先王以, 省方觀民, 設教.[「상전」에서 말하였다. 바람이 땅 위에 행함이 관(觀)이니, 선왕이 그것을 본받아 사방을 살피고 백성을 관찰하여 가르침을 베푼다.]"라고 하였다.

3) 『주역』「구괘(姤卦)」: "象曰, 天下有風, 姤, 后以, 施命誥四方.[「상전」에서 말하였다. 하늘 아래에 바람이 있는 것이 구(姤)이니, 임금이 그것을 본받아 명령을 베풀어 사방에 알린다.]"라고 하였다.

말을 실천하는 것이다."

● 俞氏琰曰:"旣告戒之, 又丁寧之, 使人聽信其說, 然後見之'行事', 則民之從之也. 亦如風之迅速也. 大抵命令之出, 務在必行, 不行則徒爲虛文耳."

유염이 말하였다. "경계할 내용을 알린 다음에 또 간곡하게 사람들이 그 말을 듣고 믿은 다음에 정사를 행할 것을 드러낸다면 백성들이 따르니, 또한 바람이 신속한 것과 같다. 명령을 내렸으면 반드시 행하도록 힘써야 하니, 행해지지 않으면 단지 의미 없는 공고가 되기 때문이다."

進退, 志疑也. 利武人之貞, 志治也.

나아가고 물러남은 뜻이 의심스러운 것이고, 무인의 곧음이 이로움은 뜻이 다스려지는 것이다.

程傳

進退不知所安者, 其志疑懼也, 利用武人之剛貞以立其志, 則其志治也. '治', 謂修立也.

나아가고 물러나 편안한 것을 알지 못하는 것은 마음이 의심하고 두려워하는 것이니, 무인(武人)의 굳셈과 곧음을 쓰는 것을 이롭게 여겨 그 뜻을 세우면 그 뜻이 다스려진다. '다스려지는 것'은 닦아서 세움을 말한다.

集說

● 趙氏汝楳曰: "'治'與'疑'對. '志疑'而不決, 故進退靡定, '志治'而不亂, 故決於行."

조여매가 말하였다. "'다스려지는 것'과 '의심하는 것'은 마주하는 일이다. 뜻이 의심하여 결정하지 못하기 때문에 나아가고 물러남을 확정하지 못하고, 뜻이 합해 혼란스럽지 않기 때문에 행함을 결정한다."

● 黃氏淳耀曰 : "兩可不決之謂'疑', 一定不亂之謂'治'."

황순요가 말하였다. "양쪽으로 해야 해서 결정할 수 없는 일을 '의심스러워하는 것'이라고 하고, 한결같이 정해서 혼란스럽지 않은 일을 '다스려지는 것'이라고 한다."

紛若之吉, 得中也.

많이 하면 길함은 알맞음을 얻은 것이다.

程傳

二以居柔在下, 爲過巽之象, 而能使通其誠意者, 衆多紛然, 由得中也. 陽居中爲中實之象, 中旣誠實, 則人自當信之. 以誠意則非諂畏也, 所以吉而无咎.

이효가 부드러운 음의 자리에 있으면서 아래에 있어 지나치게 겸손한 상이 되지만, 그 성의를 통하는 자들을 어지럽게 많도록 할 수 있음은 알맞음을 얻었기 때문이다. 양이 가운데 자리에 있음은 가운데가 알찬 상이니, 가운데가 이미 성실하면 사람들은 스스로 믿게 된다. 성의로 하는 것은 아첨하거나 두려워함이 아니기 때문에 길하고 허물이 없다.

頻巽之吝, 志窮也.

자주 겸손하니 부끄러움은 뜻이 궁한 것이다.

程傳

三之才質, 本非能巽, 而上臨之以巽, 承重剛而履剛, 勢不得行其志, 故頻失而頻巽, 是其志窮困, 可吝之甚也.

삼효의 재질이 본래 겸손할 수 있는 것은 아니지만, 위에서 겸손함으로 임하고 거듭된 굳센 양을 받들며 굳센 양을 밟아 형세가 그 뜻을 행할 수 없기 때문에 자주 잃고 자주 겸손하니, 그 뜻이 곤궁해서 아주 부끄러워할 만한 것이다.

集說

● 蘇氏濬曰 : "九三之頻巽, 非勉爲之而失, 習爲之而過也. 巽而頻焉, 則振作之氣不足, 其志亦窮而無所復之矣."

소준(蘇濬)이 말하였다. "구삼이 자주 겸손한 것은 힘써 그것을 행하다 잘못한 것이 아니라 익숙하게 행하다가 잘못하기 때문이다. 겸손해서 자주하는 것은 일어나는 기운이 부족하고 그 뜻도 궁색하여 회복할 바가 없기 때문이다."

● 張氏振淵曰 : "志疑者, 可以治救之, 志窮則有吝而已."

장진연이 말하였다. "뜻이 의심스러운 것은 다스려 구제할 수 있기 때문이고, 뜻이 궁색한 것은 부끄럽기 때문이다."

田獲三品, 有功也.

사냥을 하여 삼품의 짐승을 얻음은 공이 있는 것이다.

程傳

巽於上下, 如田之獲三品而遍及上下, 成巽之功也.

위와 아래에 겸손하니 사냥으로 삼품을 얻어 위와 아래에 두루 미치듯이 하면 겸손의 공이 이루어진다.

集說

● 孔氏穎達曰 : "'有功'者, 田獵有獲, 以喻行命有功也."

공영달이 말하였다. "'공이 있는 것'은 사냥으로 얻음이 있으니, 그것으로 명령을 행하여 공이 있는 것으로 비유하였다."

九五之吉, 位正中也.

구오의 길함은 자리가 바르고 알맞은 것이다.

程傳

九五之吉, 以處正中也, 得正中之道, 則吉而其悔亡也. 正中, 謂不過无不及, 正得其中也. 處柔巽與出命令, 唯得中, 爲善, 失中則悔也.

구오의 길함은 바르고 알맞은 자리에 있기 때문이니, 바르고 알맞은 도를 얻으면 길하여 후회가 없다. '바르고 알맞음'은 지나치지도 않고 미치지 못함도 없어 바르게 그 알맞음을 얻는다는 말이다. 유순하고 겸손한 데 처함과 명령을 내는 일은 오직 알맞음을 얻는 것이 최선이니, 알맞음을 잃으면 후회한다.

集說

● 邱氏富國曰: "以九居五, 位乎中正, 此所以貞吉, 而爲申命之主也."

구부국이 말하였다. "구가 오효의 자리에 있어 알맞고 바름에 자리 잡았으니, 이것이 곧게 하여 길한 까닭이니, 명령을 거듭하는 임금이다."

巽在牀下, 上窮也. 喪其資斧, 正乎凶也.

겸손함이 상 아래에 있음은 위의 끝이기 때문이며, 물자와 도끼를 잃음은 바로 흉한 것이다.

本義

'正乎凶', 言必凶.

'바로 흉한 것이다'라는 것은 반드시 흉하게 된다는 말이다.

程傳

'巽在牀下', 過於巽也. 處卦之上, 巽至於窮極也, 居上而過極於巽, 至於自失, 得爲正乎. 乃凶道也. 巽本善行, 故疑之曰得爲'正乎', 復斷之曰乃'凶'也.

'겸손함이 상(牀) 아래에 있다'는 것은 지나치게 겸손하다는 말이다. 괘의 맨 위에 있으니, 겸손함이 궁극에 이르렀고, 위에 있으면서 겸손함에 지나치게 지극하여 스스로를 잃게 된다면 바르다고 할 수 있겠는가? 흉하게 되는 도이다. 겸손함은 본래 착한 행동이기 때문에 의심하여 '바르게' 할 수 있겠는가?라고 하고 다시 결단하여 '흉하다'라고 하였다.

集說

● 楊氏啟新曰 : "'巽在床下', 居巽之極也. 天下事唯斷乃成, 今焉'喪其資斧', 是失所以斷矣. 無斷則敗, 可必其凶也."

양계신이 말하였다. "'겸손함이 상 아래에 있음'은 손괘의 끝에 있는 것이다. 천하의 일은 오직 결단해야 이루어지는데, 이제 물자와 도끼를 잃음은 결단을 잃은 근거이다. 결단이 없으면 실패하니 반드시 흉하게 될 수 있다."

58. 태兌☱괘

麗澤, 兌, 君子以, 朋友講習.

붙어 있는 못이 태이니, 군자가 그것을 본받아 벗들과 강론하고 익힌다.

本義

兩澤相麗, 互相滋益, 朋友講習, 其象如此.

두 못[澤]이 서로 붙어 있어 서로 불어나 유익하게 하다. '벗들과 강론하고 익힌다'는 것은 그 상이 이와 같다는 말이다.

程傳

麗澤, 二澤, 相附麗也. 兩澤相麗, 交相浸潤, 互有滋益之象. 故君子觀其象而以朋友講習, 朋友講習, 互相益也. 先儒謂'天下之可說, 莫若朋友講習'. 朋友講習, 固可說之大者, 然當明相益之象.

'붙어 있는 못[麗澤]'은 두 못[澤]이 서로 붙어 있는 것이다. 두 못이 서로 붙어 번갈아 서로 점점 적셔 서로 불어나 유익하게 되는 상이 있다. 그러므로 군자가 그 상을 관찰하여 벗들과 강론하고 익힌다. '벗들과 강론하고 익힌다'는 것은 서로에게 유익하다는 말이다. 이전의 학자들은 '천하의 기뻐할 만한 것 중에 벗들과 강론하고 익히는 것 만한 것이 없다'고 하였다. 벗들과 강론하고 익힘에는 진실로 기뻐할 만한 것 중에 큰 것이지만, 서로에게 유익한 상임을 밝혀야 한다.

集說

● 虞氏翻曰 : "'學以聚之, 問以辨之', 兌兩口對, 故朋友講習也."

우번이 말하였다. "'배워서 지식을 모으고 물어서 분변한다'[1]는 것은 태괘의 두 입이 마주하기 때문에 벗들이 강론하고 익히는 것이다."

● 孔氏穎達曰 : "同門曰朋, 同志曰友. 朋友聚居, 講習道義, 相說之盛, 莫過於此也."

공영달이 말하였다. "같은 스승 밑에서 공부한 경우에는 붕(朋)이라고 하고, 뜻을 같이 할 경우에는 우(友)라고 한다. 붕우가 함께 모여 도의를 강론하고 익히면 서로 함께 하는 기쁨의 성대함이 이

1) 『주역』「건괘(乾卦)」「문언전(文言傳)」: "學以聚之 問以辨之[군자가 배워서 지식을 모으고 물어서 분변한다.]"라고 하였다.

보다 큰 것은 없다."

● 程子曰 : "天下之說不可極, 唯'朋友講習', 雖過說無害, 兌澤有相滋益處."

정자가 말하였다. "천하의 기쁨은 다해서는 안 되는데, 오직 붕우가 강론하고 익히는 것은 지나치게 기뻐할지라도 해로움이 없으니, 태괘라는 못이 서로 더욱 유익하게 하는 곳이기 때문이다."

● 蘇氏軾曰 : "取其樂而不流者也."

소식이 말하였다. "그 즐거움을 취하면서 말류로 흘러가지 않는다."

● 朱氏震曰 : "講其所知, 習其所行."

주진이 말하였다. "아는 것을 강론하고 행할 것을 익힌다."

● 俞氏琰曰 : "講者, 講其所未明, 講多則義理明矣. 習者習其所未熟, 習久則踐履熟矣. 此朋友講習, 所以爲有滋益, 而如兩澤之相麗也. 若獨學無友, 則孤陋而寡聞, 故『論語』以學之不講爲憂, 以學而時習爲說, 以有朋自遠方來爲樂."[2]

2) 『논어』「술이」: "德之不修, 學之不講, 聞義不能徙, 不善不能改, 是吾憂也."라고 했고, 「학이」: "學而時習之不亦說乎, 有朋自遠方來 不亦樂乎, 人不知而不慍不亦君子乎."라고 하였다.

유염이 말하였다. "강론하는 것은 아직 분명하지 않은 것을 익히는 것이니, 강론을 많이 하면 의리가 분명해진다. 익히는 것은 아직 익숙하지 않은 것을 익히는 것이니, 익히기를 오래하면 실천하는 것이 무르익는다. 여기에서 붕우들과 강론하고 익혀 더욱 보탬이 있게 되는 근거는 두 못이 서로 걸려 있기 때문이다. 붕우 없이 혼자 공부하면 고루하고 들은 것이 적기 때문에 『논어』에서 배우고 강론하지 않는 것을 어리석음으로 여겼고, 배우고 때에 맞춰 익히는 것을 기쁨으로 여겼으며, 벗이 멀리서 오는 것을 즐거움으로 여겼다."

和兌之吉, 行未疑也.

화합하여 기뻐함의 길함은 행함에 아직 의심스러울 데가 없는 것이다.

本義

居卦之初, 其說也正, 未有所疑也.

괘의 처음에 있어 그 기뻐함이 바르니 아직 의심할 것이 없다.

程傳

有求而和, 則涉於邪諂, 初隨時順處, 心无所係, 无所爲也, 以和而已, 是以吉也. 「象」又以其處說在下而非中正, 故云'行未疑也'. 其行未有可疑, 謂未見其有失也, 若得中正, 則无是言也. 說以中正爲本, 爻, 直陳其義, 「象」則推而盡之.

구하면서 화합하면 사특하고 아첨하게 되는데, 초효는 때에 따라 순리대로 처신하여 마음에 얽매임이 없으니 의도적으로 하려는 바가 없고, 화합으로 할 뿐이니 이 때문에 길하다. 「상전」에서 또 기뻐하는 데서 가장 아래에 있고 중정함이 아니기 때문에 '행함에 아직 의심스러울 데가 없는 것이다'라고 하였다. 그 행함에 아직 의심스러울만한 것이 없다는 것은 잘못이 있음을 아직 본 적이 없다는 말이니, 알맞고 바름을 얻었다면 이러한 말이 없다. 기뻐함은 알맞고 바름을 근본으로 삼으니, 효에서는 다만 그 뜻을 진술하였고, 「상전」에서는 미루어 극진하게 하였다.

集說

● 蔡氏淵曰 : "初未牽於陰, 聽行未有疑惑, 若四比三, 有商兌之疑矣."

채연이 말하였다. "초효가 음효에게 끌려가지 않아 듣고 행함에 아직 의혹이 없는데, 사효가 삼효를 가까이 하면 기뻐함을 헤아린다는 의심이 생긴다."

● 徐氏幾曰 : "疑謂係於陰也. 卦四陽唯初與陰無係, 故未疑".

서기가 말하였다. "의심스러움은 음효에 걸려있는 것이다. 태(兌☱)괘의 네 양 중에 초효만이 음과 걸려있지 않기 때문에 아직 의심스러울 데가 없다."

● 鄭氏維嶽曰 : 以陽剛居兌初, 又不與陰比, 故信心信理而出, 行之於外者, 未與心疑. 使有係應, 便不能自決矣.

정유악이 말하였다. "양의 굳셈이 태(兌☱)괘의 초효에 있고 또 음과 가까이 있지 않기 때문에 마음과 이치가 믿음을 주어 나오고, 밖으로 행하는 것에 아직 마음으로 의심스러울 데가 없다. 걸려서 호응한다면 스스로 결정할 수 없을 것이다."

孚兌之吉, 信志也.

믿어서 기뻐함의 길함은 뜻이 믿음을 주는 것이다.

程傳

心之所存, 爲志. 二剛實居中, 孚信, 存於中也. 志存誠信, 豈至說小人而自失乎. 是以吉也.

마음에 보존하고 있는 것이 뜻이다. 이효는 굳세고 알찬 것이 가운데 자리에 있어 믿음이 속에 보존되어 있다. 뜻이 성실함과 믿음을 보존하니, 어찌 소인인들 기뻐하여 스스로를 잃게 되겠는가? 이 때문에 길하다.

集說

● 何氏楷曰 : 初去三遠, 不特志可信, 而行亦未涉於可疑. 二去三近, 行雖不免於可疑, 而志則可信.

하해가 말하였다. "초효는 삼효와 멀리 있어 뜻으로 믿을 수 있을 뿐만 아니라 행함에도 아직 의심스러울 데가 없다. 이효는 삼효와 가까워 행함에 의심스러움을 벗어나지 못했을지라도 뜻이라면 믿을 수 있다."

來兌之凶, 位不當也.

와서 기뻐함의 흉함은 자리가 마땅하지 않은 것이다.

程傳

自處不中正, 无與而妄求說, 所以凶也.

스스로 중정하지 못한 데 있고 함께 하는 자가 없는데 함부로 기쁨을 구하니, 이 때문에 흉하다.

集說

● 熊氏良輔曰 : 六三位不當, 居上下二兌之間, 下兌方終, 上兌又來, 說而又說, 不得其正者也. 上六曰'引兌', 蓋與六三相表裏.

웅량보가 말하였다. "육삼은 자리가 마땅하지 않고 위아래로 두 태괘의 사이에 있어 아래의 태괘가 끝나면서 위의 태괘가 또 오고 있으니, 기쁜데다 또 기뻐서 그 바름을 얻을 수 없는 것이다. 상육에서 '이끌어서 기뻐함이다'라고 한 것은 육삼과 서로 안과 밖이 된다."

九四之喜, 有慶也.

구사의 기쁨은 경사가 있는 것이다.

程傳

所謂'喜'者, 若守正而君說之, 則得行其剛陽之道而福慶及物也.

이른바 '기쁨'이란 바름을 지켜 임금이 기뻐하면 굳센 양의 도를 행하여 복과 경사가 만물에 영향을 줄 수 있는 것이다.

集說

● 郭氏雍曰: "當兌之時, 處上下之際, 不妄從說, 知所擇者也. 介然自守, 故能全兌說之喜. 喜非獨一身而已, 終亦有及物之慶也."

곽옹이 말하였다. "태괘의 때에 상하의 사이에 있어 함부로 기뻐하지 않으니, 가릴 줄 아는 것이다. 확고하게 스스로 지키기 때문에 즐거운 기쁨을 온전하게 할 수 있다. 기쁨은 자신뿐만 아니라 끝내 또한 만물에 영향을 줄 수 있는 경사이다."

孚于剝, 位正當也.

양을 사그라지게 하는 것을 믿음은 자리가 정당해서이다.

本義

與履九五同.

리(履☰)괘의 구오[3]와 같다.

程傳

戒孚于剝者, 以五所處之位正當戒也. 密比陰柔, 有相說之道. 故戒在信之也.

양(陽)을 사그라지게 하는 것을 믿는 일에 대해 경계한 것은 오효가 있는 자리가 바로 마땅히 경계해야 할 자리이기 때문이다. 부드러운 음과 밀접하게 가까워 서로 기뻐하는 도가 있기 때문에 경계함이 믿음에 있다.

3) 『주역』「리괘(履卦)」: "象曰, 夬履貞厲, 位正當也.[「상전」에서 말하였다. 과감하게 결단하여 실행하니, 곧게 하더라도 위태로움은 자리가 정당한 것이다.]"라고 하였다.

集說

● 王氏申子曰 : "謂正當尊位, 若孚上之柔說, 則消剝於陽必矣."

왕신자가 말하였다. "존귀한 자리에 정당한 것이 상효의 부드러운 기쁨을 믿으면 반드시 양을 사그라지게 할 것이라는 뜻이다."

上六, 引兌未光也

상육은 이끌어서 기뻐함은 아직 빛나지 못하는 것이다.

程傳

說旣極矣, 又引而長之, 雖說之之心不已, 而事理已過, 實无所說. 事之盛則有光輝, 旣極而强引之長, 其无意味, 甚矣, 豈有光也. '未'非必之辭, 「象」中多用. 非必能有光輝, 謂不能光也.

기뻐함이 이미 지극한데도 또 이끌어 기쁨을 길게 하면, 기쁜 마음이 그치지 않을지라도 사리에 이미 지나쳐 실제로 기쁠 것이 없다. 일이 성대하면 빛남이 있지만, 이미 지극한데도 억지로 이끌어 길게 하면 전혀 의미가 없으니, 어찌 빛남이 있겠는가? '아직 ~하지 않다[未]'는 반드시 그런 것이 아니라는 말이니, 「소상전」에서 많이 사용하였다. 반드시 빛날 수 있는 것이 아니라는 말은 빛날 수 없음을 뜻한다.

集說

● 楊氏啟新曰: "'來兌''引兌', 皆小人也. 在君子則當來而勿受, 引而勿去也. 君子以道德相引, 其道爲光明. 引而爲說, 則心術曖昧, 行事邪僻甚矣, 豈得爲光乎."

양계신이 말하였다. "'와서 기뻐함'과 '이끌어서 기뻐함'은 모두 소인이다. 군자에게서는 와야 한다고 해도 받아들이지 않고 이끌어도 가지 않는다. 군자는 도와 덕으로 서로 끌어당겨 그 도가 빛나고 밝다. 끌어당겨 기뻐하는 것은 마음씀씀이가 어두워 일을 하는 것이 아주 편벽된 것이니 어찌 빛날 수 있겠는가?"

59. 환渙䷺괘

風行水上, 渙, 先王以, 享於帝立廟.

바람이 물 위로 부는 것이 환이니, 선왕이 이것을 본받아 상제에게 제향하고 사당을 세운다.

本義

皆所以合其散.

모두 그 흩어짐을 합치는 일이다.

程傳

風行水上, 有渙散之象. 先王, 觀是象, 救天下之渙散, 至于享帝立廟也, 收合人心, 无如宗廟. 祭祀之報, 出於其心, 故享帝立廟, 人心之所歸也. 係人心合離散之道, 无大於此.

바람이 물 위로 부는 상황에는 흩어지는 상이 있다. 선왕이 이러한 상을 보고 천하가 흩어지는 것을 구원하여 상제에게 제향하고 종묘를 세웠으니, 사람들의 마음을 거둬 합하는 일로는 종묘만한 것이 없다. 제사로 보답하는 일은 마음에서 나오기 때문에 상제에게 제향하고 종묘를 세우면 사람들의 마음이 돌아오는 것이다. 사람들의 마음을 붙들고 떨어져 흩어지는 것을 합하는 방법으로는 이보다 큰 일이 없다.

集說

● 程子曰:"萃渙皆享於帝立廟. 因其精神之聚而形於此, 爲其渙散, 故立此以收之."

정자가 말하였다. "취(萃䷬)괘와 환(渙䷺)괘는 모두 상제께 제향하고 종묘를 세우는 일이다. 정신이 모여 여기에서 드러나는 형체가 흩어지기 때문에 이를 세워 거둬들이는 것이다."

● 呂氏大臨曰:"風行水上, 波瀾必作. 振蕩離散不寧之時, 王者求以合其散, 莫若反其本, 享帝立廟, 所以明天人之本也."

여대림이 말하였다. "바람이 물 위로 불면 물결이 반드시 생긴다. 떨어져 흩어지면서 편안하지 않은 것을 떨쳐 씻어버릴 때 임금이 흩어지는 것을 구하여 합하는 일로 근본으로 돌아가 상제께 제향하고 종묘를 세우는 일 만한 것이 없기 때문에 하늘과 사람의 근본을 밝히는 것이다."

初六之吉, 順也.

초육의 길함은 따르는 것이다.

程傳

初之所以吉者, 以其能順從剛中之才也. 始渙而用拯, 能順乎時也.

초효가 길한 것은 굳세고 알맞은 재질을 따르기 때문이다. 흩어지는 처음에 구원하니, 이는 때를 따르는 것이다.

集說

● 郭氏雍曰 : "初六難之始也. 方難之始而拯之, 無不濟矣. 天下之事, 辨之於早, 則順而易擧, 故「傳」曰, '初六之吉, 順也'."

곽옹이 말하였다. "초육은 떨어지는 처음이다. 떨어지는 처음인데 구원하니, 구제하지 못함이 없다. 천하의 일을 일찍이 구분하면 순리대로 하여 들기 쉽기 때문에 「상전」에서 '초육의 길함은 따르는 것이다'라고 하였다."

渙奔其機, 得願也.

흩어짐에 궤로 달려감은 소원을 얻은 것이다.

程傳

渙散之時, 以合爲安, 二居險中, 急就於初, 求安也. 賴之如机而亡其悔, 乃得所願也.

흩어지는 때 합하는 일을 편안한 것으로 여기니, 이효가 험한 가운데 급히 초효로 나아가는 것은 편안함을 구하는 일이다. 궤처럼 의지하여 후회를 없애니, 바로 소원(所願)을 얻은 것이다.

集說

● 王氏宗傳曰 : 當渙之時, 以陽剛來居二, 二安靜之位也, 故有奔其機之象. 夫唯安靜, 然後能一天下之動. 五奠王居於上, 而二"奔其機"於下, 各得所安, 此所以能合天下之渙也.

왕종전이 말하였다. "흩어지는 때 양의 굳셈이 와서 이효의 자리에 있는데, 이효는 편안하고 고요한 자리이기 때문에 궤로 달려가는 상이 있다. 오직 편안하고 고요한 다음에 천하의 움직임을 하나로 할 수 있다. 오효의 존귀한 왕이 위에 있는데, 이효가 아래에서 "궤로 달려감"은 각기 그 편안함을 얻은 바이니, 이 때문에 천하의 흩어짐을 합할 수 있다."

渙其躬, 志在外也.

몸의 사사로움을 흩음은 뜻이 밖에 있는 것이다.

程傳

志應於上, 在外也. 與上相應, 故其身得免於渙而无悔. 悔亡者, 本有而得亡, 无悔者, 本无也.

뜻이 상효와 호응함은 밖에 있는 것이다. 상효와 서로 호응하기 때문에 그 몸이 흩어짐을 면하여 후회가 없어진다. '후회가 없어진다[悔亡]'는 말은 본래 있었는데 없어지는 것이고, '후회가 없다[无悔]'는 말은 본래 없는 것이다.

集說

● 黃氏淳耀曰 : "'外', 指天下言. 唯躬之渙, 所以能濟天下之渙, 唯志在天下之渙, 所以有躬之渙也."

황순요가 말하였다. "'밖'은 천하를 가리켜 말한 것이다. 몸은 흩어질 뿐이기 때문에 천하의 흩어짐을 구제할 수 있고, 뜻은 천하의 흩어짐에 있을 뿐이기 때문에 몸의 흩어짐이 있다."

渙其群. 元吉, 光大也.

붕당의 무리를 흩어버리는 일이다. 크게 길함은 빛나고 큰 것이다.

集說

● 來氏知德曰 : "凡樹私黨者, 皆心之暗昧狹小者也. 唯無一豪之私, 則光明正大, 自能渙其群矣, 故曰, '光大也.'"

래지덕이 말하였다. "사사로운 당을 심는 것은 모두 마음이 어둡고 협소한 것이다. 오직 조금도 사사로움이 없으면 빛나고 밝으며 바르고 커서 스스로 그 무리를 흩어버릴 수 있기 때문에 '빛나고 큰 것이다'라고 하였다."

王居无咎, 正位也.

왕이 차지하여 허물이 없음은 바른 자리인 것이다.

程傳

'王居', 謂正位, 人君之尊位也. 能如五之爲, 則居尊位爲稱而无咎也.

'왕이 차지하여[王居]'라는 것은 바른 자리를 말하니, 임금의 높은 자리이다. 오효가 행하는 것처럼 할 수 있으면 존귀한 지위에 있음이 걸맞아 허물이 없다.

集說

● 熊氏良輔曰 : "天下渙散之時, 須人君發號施令, 正位乎上, 使人心知所歸向而天下一矣, 故曰'王居無咎', 而「象」曰'正位也'. 此與'萃有位'之義同. 『本義』以'渙王居'爲'渙其居積', 然當渙散之時, 必有爲渙之主者, 所當從「小象」'正位'之說."

웅량보가 말하였다. "천하가 흩어지는 때는 반드시 임금이 호령을 시행하니, 위에서 자리를 바르게 하는 것으로 사람들의 마음이 돌아가 향할 것을 알아 천하가 하나가 되게 하는 것이다. 그러므로 '왕이 차지하여 허물이 없다'고 하였고, 「상전」에서 '바른 자리인 것이다'라고 하였다. 이는 취(萃䷬)괘에서 '모임에 지위가 있다'[1]는 의미와 같다. 『주역본의』에서는 '왕이 차지한 것을 흩어주는 일'을 '그 자리에 쌓아놓은 것을 흩어주는 일'로 여겼는데, 흩어주는 때 반드시 흩어주는 주인이 있는 것은 「소상전」의 '바른 자리인 것이다'라는 설명을 따라야 했기 때문이다."

1) 『주역』「취괘(萃卦)」: "九五, 萃有位, 无咎, 匪孚, 元永貞, 悔亡.[구오는 모임에 지위가 있고 허물이 없는데, 믿지 않을 경우에는 크고 영원하며 바르게 하니 후회가 없게 된다.]"라고 하였다.

渙其血, 遠害也.

그 피를 흩어버림은 해로움을 멀리하는 것이다.

程傳

若如「象」文, 爲'渙其血', 乃與'屯其膏'同也, 義則不然. 蓋'血'字下, 脫'去'字, '血去惕出', 謂能遠害則无咎也.

「상전」의 말처럼 '그 피를 흩어버림'이라고 하면, 바로 '은택을 베풀기 어렵다'[2]는 말과 같은데 의미는 그렇지 않다. '피[血]'라는 말 다음에 '제거한다[去]'는 말이 빠졌으니, '피가 사라지고 두려움에서 나옴'은 해(害)를 멀리할 수 있으면 허물이 없음을 말한다.

集說

● 項氏安世曰："上九爻辭, '血'與'出'韻叶, 皆三字成句, 不以'血'連'去'字也. 小畜之'血去惕出', 與此不同. 此血已散, 不假更去, 又'惕'與'逖'文義自殊. 據「小象」言'遠害也', 則'逖'義甚明, 不容作'惕'矣. 卦中唯上九一爻, 去險最遠, 故其辭如此."

---

2) 『주역』「준괘(屯卦)」: "九五, 屯其膏, 小貞, 吉, 大貞, 凶.[구오는 은택을 베풀기 어려우니, 작은 일에는 곧으면 길하고 큰일에는 곧아도 흉하다.]"라고 하였다.

항안세가 말하였다. "상구의 효사에서 '피혈[血]'과 '벗어날 출[出]'은 운을 맞춘 것으로 모두 세 글자로 구를 이룬 것이어서 '피혈[血]'자를 '떠날 거[去]'자와 연결하지 않는다. 그러니 소축괘의 '피가 사라지고 두려움에서 나온다'3)는 말은 여기의 구절과 다르다. 여기에서는 이미 피가 흩어졌으니 다시 제거할 필요가 없고, 또 '두려움[惕]'과 '멀리한다[逖]'는 것은 글자의 의미가 본래 다르다. 「소상전」에서 '해로움을 멀리하는 것이다'라고 한 것을 근거로 하면, '멀리한다[逖]'는 의미가 아주 분명하니, '두려움[惕]'으로 할 필요가 없다. 괘에서 상구 하나의 효만이 험함에서 벗어나 아주 멀리 있기 때문에 그 말이 이와 같다."

● 又曰 : "散其汗以去滯鬱, 散其血以遠傷害."

또 말하였다. "땀을 흘려 막힌 것을 제거하고 피를 흩어 상해를 멀리한다."

● 陳氏友文曰 : "坎爲血卦. '逖', 遠也, 「小象」'遠害', 正是以'遠'釋'逖'字. 上雖與三應, 然超處渙上, 故渙散其血, 捨之遠去, 去坎險之害而得'無咎'也."

진우문이 말하였다. "감(坎☵)괘는 피의 괘이다. '멀리한다[逖]'는 것은 '멀리한다[遠]'는 뜻이니, 「소상전」에서 '해로움을 멀리한다'는 바로 '멀리한다[遠]'는 글자로 '멀리한다[逖]'는 글자를 해석한 것이다. 상효가 삼효와 호응할지라도 환괘의 위에 초연히 있기 때문에

3) 『주역』「소축괘(小畜卦)」: "六四, 有孚, 血去, 惕出, 无咎.[육사는 믿음이 있어서 피가 사라지고 두려움에서 나오니, 허물이 없다.]"라고 하였다.

그 피를 흩어 그것을 버리고 멀리 가니, 감괘의 험한 해로움을 제거하여 '허물이 없게' 한 것이다."

60. 절節䷻괘

澤上有水節, 君子以, 制數度, 議德行.

못 위에 물이 있는 것이 절이니, 군자가 그것을 본받아 수와 법도를 제정하고 덕행을 의론한다.

程傳

澤之容水有限, 過則盈溢, 是有節, 故爲節也. 君子觀節之象, 以制立數度. 凡物之大小輕重高下文質, 皆有數度, 所以爲節也. 數多寡, 度法制. '議德行'者, 存諸中爲德, 發於外爲行, 人之德行, 當義則中節. 議, 謂商度求中節也.

못이 물을 담을 수 있는 용량에 한계가 있어 지나치면 넘치니, 절제가 있는 것이므로 절괘이다. 군자가 절괘의 상을 보고 수와 법도를 제정하여 세운다. 크고 작고, 가볍고 무거우며, 높고 낮고, 화려하고 질박한 사물에는 모두 수와 법도가 있기 때문에 절제이다. '수'는 많고 적음이고 '법도'는 법제이다. '덕행을 의론한다'에서 마음에 보존하는 것이 덕이고, 밖으로 드러내는 것이 행위이니, 사람의 덕행이 의리와 합당하면 절제에 맞는다는 뜻이다. '의론한다'는 것은 절도에 맞도록 헤아려서 구하는 일을 말한다.

集說

● 侯氏行果曰："澤上有水，以提防爲節."

후행과가 말하였다. "못 위에 물이 있는 것은 제방을 절제[節] 한 것이다."

● 張氏浚曰："數度之制因乎人，德行之議自於己，記曰，'君子議道自己，而置法以民'，蓋己之所不能行，與其所不可行，而強於人，誰其從之. 一言盡節之道中而已. 中必自身始也."

장준이 말하였다. "수와 법도의 제도는 사람으로 말미암고, 덕행의 의론은 자신으로 말미암으니, 『예기』에서 '군자가 도를 의론할 때는 자신의 입장으로 말미암고, 법을 적용할 때는 백성의 처지에서 한다'[1]고 하였다. 자신이 행할 수 없는 것과 행해서 안 되는 것인데, 이를 사람들에게 강요하면 누가 따르겠는가? 한마디로 절제를 극진하게 하는 도는 알맞게 하는 것일 뿐이다. 알맞게 하는 것은 반드시 자신에게서 말미암는다."

1) 『예기(禮記)』「표기(表記)」："無欲而好仁者，無畏而惡不仁者，天下一人而已矣. 是故君子議道自己，而置法以民.[욕심 없이 어짊을 좋아하는 자와 두려움 없이 어질지 않음을 싫어하는 자는 천하에 한 사람 정도나 있을 따름이다. 이 때문에 군자가 도를 의논할 때는 자기의 입장에서 하고, 법을 적용할 때는 백성의 처지에서 한다.]"라고 하였다.

● 朱氏震曰 : "澤之容水, 固有限量. 虛則納之, 滿則泄之, 水以澤爲節也."

주진이 말하였다. "못에 물을 저장하는 것에는 진실로 일정한 분량이 있다. 비우면 들어오고 가득하면 넘치니, 물은 못으로 절제를 삼는다."

● 郭氏雍曰 : "澤無水則爲不足, 澤上有水則爲有餘. 不足則爲困, 有餘則當節, 理之常也. 在人之節, 則制數度所以節於外, 議德行所以節於內也. 爲國爲家至於一身, 其內外制節皆一也."

곽옹이 말하였다. "못에 물이 없으면 부족한 것이고, 못의 위까지 물이 있으면 충분한 것이다. 부족하면 곤궁하고, 충분하면 절제에 합당한 것이 이치의 떳떳함이다. 사람의 절제에서 수와 법도를 제정하기 때문에 밖으로 절제하고, 덕행을 의론하기 때문에 안으로 절제한다. 나라를 다스리고 집안을 다스리는 것에서 자신에게까지 그 안과 밖으로 제정하여 절제하는 것은 모두 한 가지이다."

附錄

● 孔氏穎達曰 : "數度, 謂尊卑禮命之多少, 德行, 謂人才堪任之優劣. 君子象節以制其禮數等差, 皆使有度, 議人之德行任用, 皆使得宜."

공영달이 말하였다. "수와 법도는 높고 낮음과 예법과 명령의 다소를 말하고, 덕행은 인재가 책임을 감당하는 우열을 말한다. 군자가 절괘를 본받아 예와 수의 차등을 제정하는 것은 모두 법도 있게 하는 일이고, 사람의 덕행을 의론하여 임용하는 것은 모두 마땅함을 얻게 하는 일이다."

案

● 議德行, 諸儒皆謂一身之德行. 獨孔氏謂在人之德行, 於議字尤切, 且得愛爵祿, 慎名器之意.

덕행을 의론하는 것은 여러 학자들이 모두 일신의 덕행이라고 하였다. 공씨[공영달]만 사람들에게 있는 덕행이라고 하였는데, 의론한다는 말에서 더욱 절실하고 또 관직과 봉록을 아끼고 명칭과 의식의 제도를 삼가는 의미를 얻었다.

不出戶庭, 知通塞也.

외짝문의 뜰을 벗어나지 않는 것은 통함과 막힘을 아는 것이다.

程傳

爻辭於節之初戒之謹守, 故云'不出戶庭, 則无咎也'. 「象」恐人之泥於言也, 故復明之云, 雖'當謹守不出戶庭, 又必知時之通塞也'. 通則行, 塞則止, 義當出則出矣. 尾生之信, 水至不去, 不知通塞也. 故君子貞而不諒. 「繫辭」所解, 獨以言者, 在人所節, 唯言與行, 節於言則行可知, 言當在先也.

효사에서는 절제의 초기에 삼가 지킬 것을 경계했기 때문에 '외짝문의 뜰을 벗어나지 않으니 허물이 없다'고 하였다. 「상전」에서는 사람들이 말에서 잘못될까 염려하기 때문에 그것을 다시 밝혀 '당연히 삼가 지키고 외짝문의 뜰을 벗어나지 않더라도 또 반드시 때의 통함과 막힘을 아는 것이다'라고 하였다.

통하면 가고 막히면 멈추지만 의리상 나가야 하는 것이라면 나간다. 미생(尾生)의 믿음은 물이 차오름에도 피하지 않았으니,[2] 통함과 막힘을 몰랐던 것이다. 그러므로 군자는 바르고 견고하지만 작은 일에 구애되지 않는다. 「계사전」의 해석에서 유독 말에 대해 했

2) 미생(尾生) : 『장자』에 나오는 고지식한 선비이다. 다리 밑에서 만나기로 약속한 여자가 오는 대신 갑자기 쏟아진 폭우로 홍수가 밀어닥쳤는데도 그는 신의를 지키기 위해 그곳에서 다리 기둥을 껴안고 있다가 죽었다.

던 것[3]은 사람이 절제할 일은 말과 행실뿐이고, 말에서 절제한다면 행실을 알 수 있으니 말이 당연히 앞에 있다.

集說

● 王氏申子曰 : "時有通塞, 通則行, 塞則止. 當止卽止, 其知通塞之君子乎. 「繫辭」專以愼密言語說之, 兌體故也."

왕신자가 말하였다. "때에는 통함과 막힘이 있으니, 통하면 가고 막히면 멈춘다. 멈춰야 되면 바로 멈추는 것은 통함과 막힘을 아는 군자일 것이다. 「계사전」에서 말을 삼가고 은밀하게 하는 일로 설명한 것은 태(兌☱)괘의 몸체이기 때문이다."

● 吳氏曰愼曰 : "節兼通塞言, 猶艮之兼行止言也. 初九不出戶庭知塞也, 而兼言知通者, 見其非一於止者也. 二失時極, 則但知塞而不知通矣."

오왈신이 말하였다. "절괘에서 통함과 막힘을 겸하여 말한 것은 간괘에서 다님과 그침을 겸하여 말한 것[4]과 같다. 초구에서 외짝문

3) 『주역』「계사전」: "'不出戶庭, 无咎', 子曰, 亂之所生也, 則言語以爲階, 君不密則失臣, 臣不密則失身, 幾事不密則害成, 是以君子愼密而不出也.['호정(戶庭)을 나가지 않으면 허물이 없다'고 하니, 공자(孔子)가 말하였다. 어지럽게 되는 것은 말이 원인이니, 군주가 은밀하게 하지 않으면 신하를 잃고 신하가 은밀하지 않으면 몸을 잃으며, 기미가 은밀하지 않으면 해로움이 이루어지기 때문에 군자는 삼가고 은밀하게 하여 함부로 하지 않는다.]"라고 하였다.

의 뜰을 벗어나지 않는 것은 막힘을 안다는 의미인데, 통함까지 안다고 겸하여 말한 뜻은 그것이 그침에 오로지 하는 일이 아님을 알았기 때문이다. 이효가 끝까지 때를 잃었다면 막힘만 알고 통함을 모르는 것이다."

---

4) 『주역』「간괘(艮卦)」: "彖曰, 艮止也. 時止則止, 時行則行, 動靜不失其時, 其道光明, 艮其止, 止其所也.[「단전」에서 말하였다. 간(艮)은 그침이다. 때가 그칠만하면 그치고 때가 다닐만하면 다녀서 움직임과 고요함이 그 때를 잃지 않음이 그 도리가 빛남이니, 그 그쳐야 함에 그침은 그 자리에 그치기 때문이다.]"

不出門庭凶, 失時極也.
양짝문의 뜰을 벗어나지 않으니 흉함은 때를 잃음이 심한 것이다.

程傳

不能上從九五剛中正之道, 成節之功, 乃係於私暱之陰柔, 是失時之至極, 所以凶也. 失時, 失其所宜也.

위로 구오의 굳세고 중정한 도를 따라 절제의 공을 이루지 못하고, 유순한 음의 사사로움에 빠져 끝까지 때를 잃었기 때문에 흉하다. 때를 잃음은 그때의 마땅함을 잃은 것이다.

集說

● 蘇氏軾曰: "水之始至, 澤當塞而不當通, 旣至當通而不當塞. 故初九以不出戶庭爲無咎, 言當塞也. 九二以不出門庭爲凶, 言當通也. 至是而不通, 則"失時"而至於極.

소식이 말하였다. "물이 처음 들어올 때는 못이 막혀 있어야 하고 통과되어서는 안 되며, 들어오고 난 다음에는 통과되어야 하고 막혀 있어서는 안 된다. 그러므로 초구에서 외짝문의 뜰을 벗어나지 않음을 허물이 없는 것으로 여겼으니, 막혀 있어야 한다는 말이다. 구이에서 양짝문의 뜻을 벗어나지 않음을 흉한 일로 여긴 것은 통과되어야 한다는 말이다. 들어왔는데도 통과되지 않으면 때를 잃고 끝까지 가기 때문이다."

● 郭氏雍曰 : "初爲不當有事之地, 而二以剛中居有爲之位, 其道不可同也. 故初以不出戶庭爲知塞, 而二以不出門庭爲不知通. 知塞故無咎, 不知通則有失時之凶矣."

곽옹이 말하였다. "초효는 일이 있어서는 안 되는 곳이고, 이효는 굳세고 알맞은 것이 일을 할 수 있는 지위에 있으니, 그 도가 같아서는 안 된다. 그러므로 초효에서 외짝문의 뜰을 벗어나지 않는 것을 막힘을 아는 뜻으로 여겼고, 이효에서 양짝문의 뜰을 벗어나지 않는 것을 통함을 모르는 일로 여겼다. 막힘을 알기 때문에 허물이 없고, 통함을 모르면 때를 잃는 흉함이 있다."

不節之嗟, 又誰咎也.

절제하지 못한 한탄이니, 또 누구를 허물하겠는가?

本義

此无咎, 與諸爻異, 言无所歸咎也.

여기에서 허물할 데가 없다[无咎][5]는 것은 여러 효와 의미가 다르니, 허물을 돌릴 데가 없다는 말이다.

程傳

節則可以免過, 而不能自節, 以致可嗟, 將誰咎乎.

절제하면 잘못을 면할 수 있는데, 스스로 절제하지 못하여 한탄하게 되었으니, 누구를 허물하겠는가?

集說

● 沈氏一貫曰 : "王介甫程沙隨謂能嗟怨自治亦無咎, '嗟'與'戚嗟若'之'嗟'同, '又誰咎'與'出門同人'之「象」同."

5) 『주역』「절괘(節卦)」: "六三, 不節若, 則嗟若, 无咎.[육삼은 절제하지 못하여 한탄하는 것이나 허물할 데가 없다.]"라고 하였다.

심일관(沈一貫)[6]이 말하였다. "왕개보와 정사수는 '한탄하고 원망하여 스스로 다스리니, 또한 허물이 없다'라고 하였으니, '한탄하는 것'은 '근심하고 한탄하는 것의 한탄하는 것'[7]과 같고, '또 누구를 허물하겠는가'라는 것은 '문을 나가 사람들과 함께 한다'[8]라는 「상전」[9]과 같다."

● 何氏楷曰 : "諸卦爻辭言'無咎'者九十有九, 多補過之辭. 解三爻「傳」又誰咎, 語雖與此同, 然爻辭未嘗有無咎字."

6) 심일관(沈一貫, 1531~1615) : 명나라 절강(浙江) 은현(鄞縣) 사람으로 자는 견오(肩吾)이고, 호는 용강(龍江)이며, 시호는 문공(文恭)이다. 융경(隆慶) 2년(1568) 진사(進士)가 되었다. 사관(史館)에 있으면서 장거정(張居正)에게 붙으려고 하지 않아 고결한 지조가 천하에 알려졌다. 만력(萬曆) 22년(1594) 남경예부상서(南京禮部尙書)로 입조하여 동각대학사(東閣大學士)가 되어 기무(機務)에 참여했다. 나중에 수보(首輔) 조지고(趙志皐)가 죽자 마침내 수보가 되었다. 태자를 세우거나 광세사(礦稅使)에 대해 간하는 등 민심을 잘 반영했다. 13년 동안 정치를 보좌하면서 4년 동안 국정을 담당했는데, 호부상서(戶部尙書)와 무영전태학사(武英殿太學士), 건극전대학사(建極殿大學士) 등을 지냈다. 시호는 문공(文恭)이다. 사장(詞章)에도 능했다. 저서에 『역학(易學)』과 『장자통(莊子通)』, 『경사굉사(經史宏辭)』, 『경정초(敬亭草)』, 『오월유고(吳越遊稿)』 등이 있다.

7) 『주역』「리괘(離卦)」: "六五, 出涕沱若, 戚嗟若, 吉.[육오는 눈물을 줄줄 흘리며 근심하고 한탄하니 길하다.]"라고 하였다.

8) 『주역』「동인괘(同人卦)」: "初九, 同人于門, 无咎.[초구는 문밖에서 사람들과 함께 하니, 허물이 없다.]"라고 하였다.

9) 『주역』「동인괘(同人卦)」: "象曰, 出門同人, 又誰咎也.[「상전」에서 말하였다. 문을 나가 사람들과 함께 함을 또 누가 허물하겠는가?]"라고 하였다.

하해가 말하였다. "모든 괘의 효사에서 '허물이 없다[無咎]'고 말한 것은 99차례로 대부분 허물을 보완하는 말이다. 해(解䷧)괘의 삼효 「상전」에서 '또 누구를 허물하겠는가'[10]라고 하였으니, 여기의 경우와 같으나 효사에 '허물이 없다'는 말이 없다.[11]"

10) 『주역』「해괘(解卦)」: "象曰, 負且乘, 亦可醜也. 自我致戎, 又誰咎也. [「상전」에서 말하였다. '짊어져야 하는데 또 올라탐'은 또한 추하며, 나로부터 도적을 불렀으니 또 누구를 허물하겠는가?]"라고 하였다.

11) 『주역』「해괘(解卦)」: "六三, 負且乘, 致寇至, 貞吝. [육삼은 짊어지고 또 올라타서 도둑을 오게 하니, 곧게 하더라도 부끄럽게 될 것이다.]"라고 하였다.

安節之亨, 承上道也.

편안하게 절제한 형통함은 위의 도를 받드는 것이다.

程傳

四能安節之義非一.「象」獨擧其重者, 上承九五剛中正之道, 以爲節, 足以亨矣, 餘善, 亦不出於中正也.

사효가 편안하게 절제할 수 있는 의리는 하나가 아니지만「상전」에서 유독 그 중요한 것을 들어 위로 굳센 구오의 중정한 도를 계승하여 절제하면 충분히 형통할 수 있으니, 나머지 착함도 중정을 벗어나지 않는다.

集說

● 錢氏一本曰 : "中正之通在五, 四以近承, 不以徒止爲功, 更以通行爲道, 故曰'承上道也'".

전일본(錢一本)이 말하였다. "중정하여 통함이 오효에 있으니, 사효는 가까이서 계승하고 단지 그침으로 공을 삼지 않고 다시 통하여 가는 것으로 도를 삼는다. 그러므로 '위의 도를 받드는 것이다'라고 하였다."

案

● 節曰'亨', 爲九五中正以通也而亨, 於四言之者. 五者水之源也, 四者水之流也, 水之通在流, 承上之源而布之者也.

절괘에서 '형통하다'고 한 것은 구오의 중정을 행하여 통하고 형통함이니, 사효에서 말한 것이다. 오효는 물의 근원이고 사효는 물의 흐름인데, 물의 통함은 흐름에 있으니, 위의 근원을 이어 펼치는 것이다.

甘節之吉, 居位中也.

감미롭게 절제한 길함은 있는 자리가 가운데인 것이다.

程傳

旣居尊位, 又得中道, 所以吉而有功. 節, 以中爲貴. 得中則正矣, 正不能盡中也.

이미 존귀한 자리에 있고, 또 알맞은 도를 얻었기 때문에 길하고 공이 있다. 절제는 알맞음을 귀하게 여긴다. 알맞음을 얻으면 바르지만 바른 것으로 알맞음을 다할 수 없다.

集說

● 俞氏琰曰: "節貴乎中. 當節而不節, 則六三有不節之嗟. 過於節, 則上六有苦節之凶. 唯九五甘節而吉者, 蓋居位之中, 當位以節, 無過無不及也."

유염이 말하였다. "절제는 알맞음을 귀하게 여긴다. 절제해야 하는데 절제하지 않으면, 육삼의 절제하지 못한 한탄이 있다. 절제를 지나치게 하면, 상육의 괴롭도록 절제하는 흉함이 있다. 오직 구오의 달콤하게 절제하여 길한 것은 자리의 가운데 있어 절제를 자리에 합당하게 하여 지나침과 미치지 못함이 없다."

苦節, 貞凶, 其道窮也.

괴롭도록 절제하니, 곧더라도 흉함은 그 도가 다한 것이다.」

程傳

節旣苦, 而貞固守之, 則凶. 蓋節之道, 至於窮極矣.

절제하는 것이 이미 괴로운데 바르고 견고하게 지키면 흉하니, 절제하는 도가 끝에 이르렀기 때문이다.

集說

● 吳氏曰愼曰: "'爻言'苦節貞凶'. 象言苦節不可貞, 唯其貞凶, 是以不可貞也, 故「彖」「象」, 皆以'其道窮也'釋之."

오왈신이 말하였다. "'효사에서 괴롭도록 절제하니 곧더라고 흉하다'고 말하고 괘사에서 '괴롭도록 절제해서는 곧을 수 없다'고 말한 것으로 곧음이 흉할 뿐이기 때문에 곧을 수 없다는 말이다. 그러므로 「단전」과 「상전」에서 모두 '그 도가 다한 것이다'[12]로 풀이했다."

12) 『주역』「절괘(節卦)」: "彖曰, 節亨, 剛柔分而剛得中. 苦節, 不可貞, 其道窮也.[단전에서 말하였다. '절이 형통함'은 굳셈과 유순함이 나눠져서 굳셈이 중도를 얻은 것이다. '괴롭도록 절제해서는 곧을 수 없음'은 그 도가 다한 것이다.]"라고 하였다.

61. 중부中孚䷼괘

澤上有風, 中孚, 君子以議獄緩死.

못 위에 바람이 있는 것이 중부이니, 군자가 그것을 본받아 옥사를 의논하며 사형을 늦춘다.

本義

風感水受, 中孚之象. 議獄緩死, 中孚之意.

바람은 느끼게 하고 물은 받아들이는 것이 중부의 상이다. 옥사를 논의하고 사형을 늦추는 것은 중부의 뜻이다.

程傳

澤上有風, 感于澤中. 水體虛, 故風能入之, 人心虛, 故物能感之. 風之動乎澤, 猶物之感于中, 故爲中孚之象, 君子觀其象, 以議獄與緩死. 君子之於議獄, 盡其忠而已, 於決死, 極於惻而已, 故誠意常求於緩. 緩, 寬也. 於天下之事, 无所不盡其忠. 而議獄緩死, 最其大者也.

못 위에 바람이 있어 못 속을 느끼게 한다. 물의 몸체는 비어있기 때문에 바람이 들어갈 수 있고, 사람의 마음은 비어있기 때문에 만물이 감응할 수 있다. 바람이 못을 움직이는 것은 만물이 속에서 감응하는 것과 같기 때문에 중부의 상이니, 군자가 그 상을 보고 옥사를 논의하고 사형을 늦춘다. 군자가 옥사를 논의할 때는 그 진심을 다할 뿐이고, 사형을 결단할 때는 측은한 마음을 극진히 할 뿐이기 때문에 성의껏 항상 늦추기를 구한다. 늦춤은 너그러운 것이다. 천하의 일에 그 진심을 다하지 않는 바가 없는데, 옥사를 논의하고 사형을 늦추는 것이 그 중에 가장 큰 일이다.

集說

● 楊氏萬里曰 : "風無形而能鼓幽潛, 誠無象而能感人物. 中孚之感, 莫大於好生不殺, '議獄'者, 求其入中之出, '緩死'者, 求其死中之生也."

양만리가 말하였다. "바람은 형태가 없는데 깊숙이 잠겨 있는 것을 일어나게 할 수 있으니, 진실로 형상이 없는데 사람과 만물을 느끼게 할 수 있는 것이다. 중부의 느낌은 살리기를 좋아하여, 죽이지 않는 것보다 큰 일이 없으니, '옥사를 의논하는 것'은 가둬놓은 가운데 출소시키기를 구하는 일이고, '사형을 늦추는 것'은 죽게 된 가운데 살리기를 구하는 일이다."

● 項氏安世曰："獄之將決則議之，其旣決則又緩之，然後盡於人心，王聽之，司寇聽之，三公聽之，議獄也．旬而職聽，二旬而職聽，三月而上之，緩死也，故獄成而孚，輸而孚．在我者盡，故在人者無憾也."

항안세가 말하였다. "옥사를 결단하기 위해 의논하고, 이미 결단했으면 또 늦춘 다음에 사람의 마음을 다하니, 왕이 듣고 사구(司寇)가 들으며 삼공이 듣고서 옥사를 의논한다. 10일 동안 심리하며 들어보고 20일 동안 심리하고 들어보며 3개월이 지난 다음에 올리는 것은 사형을 늦추는 일이기 때문에 옥사가 끝나도 믿고 바뀌져도 믿는다. 자신에게서 할 것을 다했기 때문에 유감이 없다."

● 徐氏幾曰："「象」言刑獄五卦．噬嗑豐以其有離之明，震之威也．賁次噬嗑，旅次豐，離明不易，震皆反爲艮矣．蓋明貴無時不然，威則有時當止．至於中孚，則全體似離，互體有震艮，而又兌以議之，巽以緩之．聖人卽象垂敎，其忠厚惻怛之意，見於謹刑如此."

서기가 말하였다. "「상전」에서 형벌과 옥사에 대해 말한 것은 다섯 괘이다. 서합(噬嗑䷔)괘와 풍(豐䷶)괘는 리(離☲)괘의 밝음과 진(震☳)괘의 위엄이 있다. 비(賁䷕)괘가 서합(噬嗑䷔)괘 다음에 있고 려(旅䷷)괘가 풍(豐䷶)괘 다음에 있는 것은 리(離☲)괘의 밝음이 바뀌지 않고 진(震☳)괘가 모두 거꾸로 간(艮☶)괘가 되었기 때문이다. 밝음은 어느 때고 그렇지 않음이 없는 것을 귀하게 여기고, 위엄은 때에 따라 멈추어야 한다. 중부(中孚䷼)괘는 전체가 리(離☲)괘와 비슷하고 호체(互體)로 진(震☳)괘와 간(艮☶)괘가 있으나, 또 태(兌☱)괘로 의논하고 손(巽☴)로 늦춘다. 성인은 상(象)을 가지고 교화를 드리우니, 진실한 마음과 가련한 마음을 이처럼 형벌을 삼가는 것에 나타냈다."

案

● 風之入物也, 不獨平地草木, 爲之披拂, 巖谷竅穴, 爲之吹吁, 卽積水重陰之下, 亦因之而凍解冰釋焉. 此所以爲至誠無所不入之象也. 民之有獄, 猶地之有重陰也, 王者體察天下之情隱, 至於'議獄緩死', 然後其至誠無所不入矣.

바람이 사물로 들어가는 것은 평지의 초목에 스칠 뿐만 아니라 낭떠러지와 골짜기의 구멍에서 울리는 데, 물이 모여 음이 중첩된 곳의 아래에서도 그렇게 해서 얼어붙은 것들을 녹인다. 이 때문에 지극한 정성은 어디든 들어가지 않음이 없는 상이 된다. 백성들이 옥에 갇힌 것은 땅에 음이 중첩된 것과 같으니, 임금이 천하의 숨겨진 실정을 몸소 살펴 옥사를 의논하고 사형을 늦춘 다음에 그 지극한 정성이 들어가지 않음이 없는 것이다.

初九虞吉志未變也

초구는 헤아리면 길함은 뜻이 변하지 않는 것이다.

程傳

當信之始, 志未有所存而虞度所信, 則得其正, 是以吉也, 蓋其志未有變動. 志有所從則是變動, 虞之, 不得其正矣. 在初, 言求所信之道也.

믿음이 시작될 때 아직 뜻에 보존 한 것이 없이 믿어야 할 것을 헤아리면 그 바름을 얻기 때문에 길하니, 그 뜻에 변동이 없다. 뜻에 따르는 것이 있다면 변동하는 것이니 헤아림에 그 바름을 얻지 못한다. 초기에 믿을 것을 구하는 도리를 말하였다.

案

● '志未變', 言其實心不失也. 志變則有它矣.

'뜻이 변하지 않은 것'은 그 진실한 마음을 잃지 않는다는 말이다. 뜻이 변하면 다른 것을 둔다.

其子和之, 中心願也.

그 새끼가 화답함은 속마음에서 원하는 것이다.

程傳

'中心願', 謂誠意所願也. 故通而相應.

'속마음에서 원하는 것'은 진실한 뜻으로 원하는 바를 말한다. 그러므로 통하고 서로 호응한다.

集說

● 朱氏震曰 : "『荀子』所謂'同焉者合, 類焉者應'也."

주진이 말하였다. "『순자』의 이른바 '함께 하는 경우에는 합하고 무리 짓는 경우에는 호응한다'[1]는 것이다."

● 程氏敬承曰 : "鶴之鳴, 由中而發, 子之和, 亦根心而應, 故曰'中心願', 願出於中, 乃孚之至也."

1) 『순자(荀子)』「불구편(不苟篇)」: "挈其辯而同焉者合矣, 善其言而類焉者應矣.[그 변론을 이끌어 함께 하는 경우에는 합하고, 그 말을 잘해서 무리 짓는 경우에는 호응한다.]"라고 하였다.

정경승이 말하였다. "학의 울음은 속에서 나오고, 새끼의 화답도 마음에서 호응한 것이기 때문에 '속마음에서 원하는 것이다'라고 하였으니, 원하는 것이 속에서 나와야 믿음이 지극하다."

或鼓或罷, 位不當也.

북을 울렸다가 그만두었다가 함은 자리가 마땅하지 않는 것이다.

程傳

居不當位, 故无所主, 唯所信是從, 所處得正, 則所信, 有方矣.

마땅하지 않은 자리에 있기 때문에 주로 하는 것 없이 믿는 바를 따를 뿐이니, 처신이 바름을 얻으면 믿는 것에 방도가 있을 것이다.

集說

● 俞氏琰曰: "六三居不當位, 心無所主, 故'或鼓或罷'而不定, 若初九則不如是也."

유염이 말하였다. "육삼이 마땅하지 않은 자리에 있어 마음에 주로 하는 것이 없기 때문에 '북을 울렸다가 그만두었다'가 하며 일정하지 않으니, 초구라면 이렇지 않다."

馬匹亡, 絶類上也.

말의 짝이 없어짐은 무리를 끊고 올라가는 것이다.

程傳

絶其類而上從五也. 類, 謂應也.

그 무리를 끊고 올라가 오효를 따르는 것이다. 무리[類]는 호응하는 효를 말한다.

集說

● 胡氏炳文曰 : "坤以喪朋爲有慶, 中孚之四, 以絶類爲無咎."

호병문이 말하였다. "곤(坤䷁)괘에서는 벗을 잃음을 경사가 있는 것으로 여겼고,[2] 중부(中孚䷼)괘에서는 무리를 끊음을 허물이 없는 것으로 여겼다."

● 趙氏玉泉曰 : "'馬匹亡'者, 四有柔正之德, 故能絶初之黨類,

2) 『주역』「곤괘(坤卦)」: "先迷失道, 後順得常, 西南得朋, 乃與類行, 東北喪朋, 乃終有慶.[먼저 하면 미혹되어 도를 잃고 뒤에 하면 유순하여 상도를 얻으리니, 서남에서 벗을 얻음은 같은 부류와 함께 행함이고, 동북에서 벗을 잃으나 마침내 경사가 있다.]"라고 하였다.

而上以信於五也."

조옥천이 말하였다. "'말[馬]의 짝이 없어짐'은 사효에 부드럽고 바른 덕이 있기 때문에 처음에 무리를 끊고 오효에게 믿음으로 올라갈 수 있는 것이다."

案

● 三與四, 皆卦所謂中虛者也. 其居內以成中虛之象同, 其得應而有匹敵者亦同. 然三心繫於敵, 而四志絕乎匹者, 三不正而四正也. 又六四承九五者多吉, 六三應上九者多凶, 『易』例如此.

삼효와 사효는 모두 괘에서 말한 가운데가 비어 있는 것이다. 그것들이 안에 있어 가운데가 비어 있는 상을 이룬 것은 같고, 그것들이 호응을 얻어 서로 짝하고 적이 있는 것도 같다. 그러나 삼효의 마음은 적에 걸려 있고, 사효의 뜻은 짝을 끊어버리는 것이니, 삼효는 바르지 않고 사효는 바르기 때문이다. 또 육사가 구오를 계승하는 것은 대부분 길하고, 육삼이 상구에 호응하는 것은 대부분 흉하니, 『역』의 사례가 이와 같다.

有孚攣如, 位正當也.

미더움이 있는 것을 잡아당기듯 함은 자리가 정당한 것이다.

程傳

五居君位之尊, 由中正之道, 能使天下信之, 如拘攣之固, 乃稱其位. 人君之道, 當如是也.

오효가 존귀한 임금의 자리에 있으면서 중정한 도로 말미암아 천하가 믿게 하기를 잡아당기는 것처럼 견고하게 할 수 있어야 그 지위에 걸맞다. 임금의 도리는 이와 같이 해야 한다.

集說

● 孔氏穎達曰 : "以其正當尊位, 故戒以繫信, 乃得無咎."

공영달이 말하였다. "존귀한 자리를 정당하게 하기 때문에 믿음을 유지해야 허물이 없을 수 있다고 경계하였다."

翰音登於天, 何可長也.
날아가는 소리가 하늘로 올라가니, 어찌 오래갈 수 있겠는가?

程傳

守孚, 至於窮極, 而不知變, 豈可長久也. 固守而不通, 如是則凶也.

믿음을 지켜 궁극에 이르렀는데 변할 줄을 모르니 어찌 오래갈 수 있겠는가? 굳게 지켜 통하지 못하니, 이와 같이 한다면 흉하다.

集說

● 孔氏穎達曰: "虛聲無實, 何可久長."

공영달이 말하였다. "비어 있는 소리에는 알참이 없으니 어찌 오래갈 수 있겠는가?"

● 侯氏行果曰: 窮上失位, 信不由中. 有聲無實, 虛華外揚, 是翰音登天也. 虛音登天, 何可久也.

후행과가 말하였다. "위에까지 다하고 자리를 잃어 믿음이 속에서 나오지 않는다. 소리가 있으나 알참이 없어 공연히 화려하게 밖으로 날아오르는 것은 날아가는 소리가 하늘로 오르는 것이다. 비어 있는 소리가 하늘로 올라가니, 어찌 오래 갈 수 있겠는가?"

● 胡氏瑗曰 : 上九徒以虛聲外飾, 無純誠篤實之行, 以此而往, 愈久愈凶, 故聖人戒之曰 : '何可長'如此. 蓋欲人改過反誠, 以信實爲本也.

호원이 말하였다. "상구가 기껏 비어 있는 소리로 밖을 꾸미는 것은 순수하게 정성을 다하고 독실하게 행동함이 없다. 이렇게 하면서 간다면 오래될수록 더욱 흉하게 되기 때문에 성인이 경계하며 '어찌 오래 갈 수 있겠는가?'라고 하였다. 사람들이 잘못을 고치고 정성을 되돌리는 것은 신실함으로 근본을 삼는다."

● 項氏安世曰, "上九巽極而躁, 不正不中, 內不足而求孚於外. 聲聞過情, 其涸也, 可立而待. 愈久愈凶, 何可長也."

항안세가 말하였다. "상구는 손(巽☴)괘가 다하여 조급하게 된 것으로 바르지 않고 알맞지 않으며 안으로 부족하여 밖으로 믿음을 구하는 일이다. 명성이 실정을 지나치면 그 잘못됨은 서서도 기다릴 수 있다. 오래될수록 더욱 흉하게 되니, 어찌 오래 갈 수 있겠는가!"

62. 소과小過䷽괘

山上有雷, 小過, 君子以, 行過乎恭, 喪過乎哀, 用過乎儉.

산 위에 우레가 있는 것이 소과이니, 군자가 그것을 본받아 행동에는 공손함을 지나치게 하며 상사에는 슬픔을 지나치게 하며, 씀에는 검소함을 지나치게 한다.

本義

山上有雷, 其聲小過, 三者之過, 皆小者之過. 可過於小而不可過於大. 可以小過而不可甚過, 彖所謂可小事而宜下者也.

산 위에 우레가 있으면 그 소리가 조금 지나치니, 세 가지의 지나침은 모두 작은 일의 지나침이다. 작은 일에는 지나치게 해도 되지만 큰일에는 지나치게 해서는 안 된다. 작게는 지나치게 해도 되지만 심하게 지나치게 해서는 안 되니, 괘사에서 이른바 '작은 일에는 되고, 내려옴이 마땅하듯이 한다'는 것이다.

程傳

雷震於山上, 其聲過常, 故爲小過. 天下之事, 有時當過, 而不可過甚, 故爲小過. 君子觀小過之象, 事之宜過者則勉之, 行過乎恭, 喪過乎哀, 用過乎儉, 是也. 當過而過, 乃其宜也, 不當過而過則過矣.

우레가 산 위에서 진동하면 그 소리가 보통을 지나치기 때문에 '소과(小過)이다. 천하의 일은 때에 따라 지나치게 해야 할 것이 있지만 너무 지나쳐서는 안 되기 때문에 소과이다. 군자가 소과의 상을 관찰하여 일에 마땅히 지나치게 해야 할 것이면 힘쓰니, 행함에는 공손함을 지나치게 하고 상사(喪事)에는 슬픔을 지나치게 하고 씀에는 검소함을 지나치게 하는 것이 여기에 해당한다. 지나치게 해야 하므로 지나치는 것은 바로 마땅함이고, 지나치게 해서 안 되는데 지나치는 것은 잘못이다.

集說

● 孔氏穎達曰: "小人過差, 失在慢易奢侈, 故君子矯之以'行過乎恭, 喪過乎哀, 用過乎儉'也."

공영달이 말하였다. "소인의 착오는 잘못을 깔보고 업신여기며 사치하는 것에 있기 때문에 군자가 '행동에는 공손함을 지나치게 하며 상사(喪事)에는 슬픔을 지나치게 하며, 씀에는 검소함을 지나치게 한다'는 것으로 바로 잡았다."

● 張子曰: "過恭哀儉, 皆宜下之義."

장재(張載)가 말하였다. "지나치게 공손하고 슬퍼하고 검소하게 하는 일에는 모두 낮추어야 하는 의미가 있다."

● 晁氏說之曰 : "時有舉趾高之莫敖, 故正考父矯之以循牆, 時有短喪之宰子, 故高柴矯之以泣血, 時有三歸反坫之管仲, 故晏子矯之以敝裘, 雖非中行, 亦足以矯時厲俗."

조열지가 말하였다. "그때에 행동거지가 거만한 막오(莫敖)[1]가 있었기 때문에 정고보(正考父)[2]가 담장을 따라 걸어감으로써 바로잡았고, 당시에 단상(短喪)하려고 했던 재여(宰予)가 있었기 때문에 고시(高柴)[3]가 피눈물로써 바로잡았으며, 당시에 삼귀(三歸)[4]와

1) 막오(莫敖) : 벼슬이름으로 초(楚)나라 무왕(武王)의 아들 굴하(屈瑕)를 말한다. 이에 관한 고사는 『春秋左氏傳(춘추좌씨전)』 환공(桓公) 십이년(十二年)조에 보인다.
2) 정고보(正考父) : 공자의 6대조로 송나라에서 3대의 제후를 섬기며 상경(上卿)이 되었는데, 『좌전(左傳)』「소공(昭公)」 7년에 그가 지위가 높아짐에 따라 몸가짐을 더욱 공손히 하기 위해 '큰길에서도 담장을 따라 다닌다[循墻而走]'라고 하고 있다.
3) 고시(高柴) : 고시는 춘추시대 사람으로 자를 자고(子羔) 또는 자고(子高), 자고(子皐), 계고(季皐), 계자고(季子皐) 등으로 불렀다. 공자 문하의 72명 수제자를 칭하는 공문72현 중 한 사람인데, 공자보다 서른 살 아래였다. 고시는 키가 5척(尺)에도 미치지 못할 정도로 작고 못생겼지만 우직하고 성실하였다. 옥관(獄官)으로 있을 때도 옥사를 공정히 처리했고, 공자도 그를 우직한 사람으로 보았다. 자로와 친분이 깊어 자로가 그를 비읍(費邑)의 원(員, 수령, 사또)으로 삼았다. 효성 또한 지극하여 부모의 그림자를 밟지 않았으며, 부모의 상을 당했을 때 3년 동안 슬프게 울며 웃지 않았다고 한다. 『예기(禮記)·단궁(檀弓)』에서 "高子皐之執親之喪也, 泣血三年, 未嘗見齒.[고자고(高子皐)가 어버이의 상을 집행

반점(反坫)[5]을 두었던 관중이 있었기 때문에 안자(晏子)가 헤진 갖옷으로써 바로잡았으니[6], 중도를 행하지 않았을지라도 당시의 사나운 습속을 충분히 바로잡을 수 있었다.

● 趙氏彦肅曰 : "恭哀儉多不及, 過之而後中."

조언숙이 말하였다. "공손함·슬픔·검소함은 대부분 미치지 못하니, 지나치게 한 다음에 알맞게 된다."

● 楊氏啟新曰 : "過恭過哀過儉, 此豈不爲高世絕俗之行而過乎人. 但其所過者, 以收斂卑下爲過, 故但可言小過, 而不可言大

할 적에 3년 동안 피눈물을 흘려서 일찍이 치아를 드러낸 적이 없다.]"라고 하고 있다.

4) 삼귀(三歸) : 춘추 시대 제(齊) 나라 관중(管仲)이 축조한 삼귀대(三歸臺)라는 누대(樓臺)로, 시문이 사치스러울 정도로 화려하기만 하고 법도를 무시한 참람한 느낌마저 든다는 것을 암시한 표현이다.

5) 반점(反坫) : 술잔을 올려놓는 잔대. 『논어』「팔일(八佾)」에 어떤 사람이 "관중(管仲)은 검소했습니까?"라고 묻자 공자가 "관중은 삼귀(三歸)가 있었고 관사(官事)도 겸하지 않았으니 어찌 검소했겠는가?" "그러면 관중은 예를 알았습니까?" "임금이라야 문에 병풍을 가리는데 관중도 역시 문에 병풍을 가렸으며, 두 나라 임금이 모여서 면담할 때라야 술잔 올려놓는 자리를 만드는데 관중도 술잔 올려놓는 자리가 있었으니, 관중이 예를 안다면 누군들 예를 모르겠는가?"라고 한 데서 나온 말이다.

6) 춘추시대 제(齊)나라의 어진 재상 안영(晏嬰)은 절검(節儉)하기로 유명하였으니, 『예기(禮記)』「단궁(檀弓下)」에서 공자의 제자 유약(有若)이 "안자는 30년 동안 여우갖옷 한 벌만을 입었다.[晏子一狐裘三十年]"고 하였다.

過也."

조언숙이 말하였다. "지나치게 공손하고 지나치게 슬퍼하며 지나치게 겸손한 것, 이것이 어찌 세속을 초월하는 행동으로 사람들보다 지나치게 하려는 것이겠는가? 지나치게 하는 것은 수렴하고 낮추는 것을 지나치게 할 뿐이기 때문에 소과라 해야 하고 대과라 해서는 안 된다."

案

● 雷出地, 則聲方發達而大, 及至山上, 則聲漸收斂而微, 故有平地風雷大作, 而高山之上不覺者, 此小過之義也.

우레가 땅으로 나오면 소리가 왕성해져 커지고, 산위까지 미치면 소리가 점점 수렴되어 작아지기 때문에 평지에 바람과 우레가 크게 일어나도 높은 산위에는 알지 못하는 경우가 있으니, 이것이 소과의 의미이다.

飛鳥以凶, 不可如何也.

나는 새처럼 빠르니 흉함은 어쩔 수 없는 것이다.

程傳

其過之疾, 如飛鳥之迅, 豈容救止也. 凶其宜矣. '不可如何', 无所用其力也.

그 지나침의 빠름이 나는 새의 신속함과 같으니, 어찌 구원하고 멈추게 할 수 있겠는가. 흉함이 마땅하다. '어쩔 수 없는 것이다'라는 것은 힘을 쓸 곳이 없다는 말이다.

集說

● 何氏楷曰 : "以凶者自納於凶也, 孽由己作, 可如何哉."

하해가 말하였다. "흉함은 스스로 흉함을 끌어들인 것이고, 재앙은 자신으로 말미암아 생긴 일이니, 어찌할 수 있겠는가?"

不及其君, 臣不可過也.

임금에게 미치지 않음은 신하는 지나치게 해서는 안 되는 것이다.

本義

所以不及君而還遇臣者, 以臣不可過故也.

임금에게 미치지 못하고 도리어 신하를 만나는 것은 신하가 지나치게 해서는 안 되는 것이기 때문이다.

程傳

過之時, 事无不過其常, 故於上進則戒及其君, 臣不可過臣之分也.

지나치는 때는 일이 보통을 넘지 않음이 없기 때문에 위로 나아갈 때는 임금에게 미침을 경계하였으니, 신하는 신하의 분수를 지나쳐서는 안 된다.

集說

● 胡氏炳文曰 : "小者有時而可過, 臣之於君, 不可過也."

호병문이 말하였다. "작은 것은 때에 따라 지나칠 수 있으나 신하가 임금에 대한 것은 지나쳐서는 안 된다."

從或戕之, 凶如何也.

따라서 간혹 해침은 흉함이 어떠하겠는가?

程傳

陰過之時, 必害於陽, 小人道盛, 必害君子, 當過爲之防. 防之不至, 則爲其所戕矣. 故曰'凶如何也', 言其甚也.

음이 지나친 때는 반드시 양을 해치고, 소인의 도가 왕성하면 반드시 군자를 해치니, 지나치게 됨을 방비하여야 한다. 방비함이 지극하지 않으면 해침을 당하기 때문에 '흉함이 어떠하겠는가?'라고 하였으니, 심하다는 말이다.

弗過遇之, 位不當也. 往厲必戒, 終不可長也.

지나치지 아니하여 만남은 자리가 마땅하지 않은 것이고, 가면 위태로워 반드시 경계하여야 함은 끝내 장성할 수 없는 것이다.

本義

爻義未明, 此亦當闕.

효의 뜻이 분명치 않으니, 이 또한 빼놓아야 한다.

程傳

'位不當', 謂處柔. 九四當過之時, 不過剛而反居柔, 乃得其宜. 故曰'遇之', 遇其宜也. 以九居四, 位不當也, 居柔, 乃遇其宜也.

'자리가 마땅하지 않다'는 것은 부드러운 음의 자리에 있는 것을 말한다. 구사가 지나친 때에 지나치게 굳세지 않고 도리어 부드러운 음의 자리에 있으니, 그 마땅함을 얻었다. 그러므로 '만난다'고 말했으니, 그 마땅함을 만나는 것이다. 구(九)로서 사효의 자리에 있음은 자리가 마땅하지 않고 부드러운 자리에 있음은 바로 마땅함을 만나는 것이다.

當陰過之時, 陽退縮自保足矣, 終豈能長而盛也. 故往則有危, 必當戒也. '長', 上聲, 作平聲, 則大失『易』意, 以夬與剝觀之, 可見. 與夬之「象」, 文同而音異也.

음이 지나친 때 양은 물러나 움츠려 자신을 보존하기만 하면 충분하니, 끝내 어찌 자라게 하고 왕성하게 할 수 있겠는가? 그러므로 가면 위태로움이 있으니, 반드시 경계해야 한다. '장(長)'은 상성(上聲)인데, 평성(平聲)으로 보면 『주역』의 뜻을 크게 잃으니, 쾌(夬䷪)괘[7]와 박(剝䷖)괘[8]로 보면 알 수 있다. 쾌(夬䷪)괘 상육의 「소상전」과 비교해 보면 글자는 같으나 음은 다르다.

集說

● 錢氏一本曰 : "三四皆失位, 故特明其位不當. 三防四遇, 亦皆宜下, 三從或戕, 四往必戒, 亦皆不宜上."

전일본이 말하였다. "삼효와 사효는 모두 자리를 잃었기 때문에 특별히 자리가 마땅하지 않음을 밝혔다. 삼효의 방비함과 사효의 만남은 또한 모두 낮추어야 하고, 삼효의 따라서 간혹 해치고 사효의

7) 『주역』「쾌괘(夬卦)」: "象曰, 无號之凶, 終不可長也.[「상전」에서 말하였다. 호소할 곳이 없는 흉함은 끝내 길지 못할 것이다.]"라고 하였다.

8) 『주역』「박괘(剝卦)」: "彖曰, 剝, 剝也. 柔變剛也, 不利有攸往, 小人長也. 順而止之, 觀象也, 君子尙消息盈虛, 天行也.[「단전」에서 말하였다. 박(剝)은 깎아냄이다. 부드러움이 굳셈을 변화시킨 것이니, 가는 것이 이롭지 않음은 소인이 자라나는 것이다. 따라서 멈추는 것은 상을 본 것이고, 군자가 사라지고 자라나며 차고 빔을 숭상하는 것은 하늘의 운행이다.]"라고 하였다.

가서 반드시 경계하는 일은 또한 모두 낮추지 않아야 한다."

案

● 位不當, 卽所謂剛失位而不中者, 唯剛失位而不中, 故戒以當過遇之. 不然則有危矣, 豈可長執此而不知變乎.

자리가 마땅하지 않음은 이른바 자리를 잃고 알맞지 않은 것으로 오직 굳셈이 자리를 잃고 알맞지 않기 때문에 지나쳐서 만나야 하는 것으로 경계하였다. 그렇게 하지 않으면 위태로우니, 어찌 길이 이것을 붙잡고 있으면서 변화할 줄 몰라서야 되겠는가?

密雲不雨, 已上也.

구름이 빽빽이 끼고 비가 오지 않음은 너무 올라간 것이다.

本義

'已上', 太高也.

'너무 올라간 것'은 너무 높음을 뜻한다.

程傳

陽降陰升, 合則和而成雨, 陰已在上, 雲雖密, 豈能成雨乎. 陰過, 不能成大之義也.

양이 내려오고 음은 올라가서 합하면 화합하여 비를 만드는데, 음이 이미 위에 있으면 구름이 빽빽이 끼었을지라도 어찌 비를 만들 수 있겠는가? 음이 지나쳐서 큰 일을 이룰 수 없다는 뜻이다.

集說

● 龔氏煥曰 : 密雲不雨, 小畜謂其'尚往'者, 陰不足以畜陽而陽尚往也, 小過謂其'已上'者, 陰過乎陽, 而陰已上也. 一爲陽之過, 一爲陰之過, 皆陰陽不和之象, 所以不能爲雨也.

공환이 말하였다. "구름이 빽빽이 끼고 비가 오지 않는 것은, 소축(小畜☰)괘에서 '위로 올라간 것이다'[9]라고 하였으니, 음이 양을 저지하지 못해 양이 위로 올라간 것이고, 소과괘에서 '너무 올라간 것이다'라고 하였으니, 음이 양을 지나쳐서 음이 너무 올라 간 것이다. 한 번은 양이 지나쳤고 한 번은 음이 지나쳤으니, 모두 음과 양의 화합하지 못한 상(象)으로 비를 만들지 못하는 것이다."

案

● 兩卦'密雲不雨', 龔氏謂皆陰陽不和之象是已. 然小畜所謂'尚往'者, 亦是陰氣上行, 與此爻'已上'同, 非兩義也. 但小畜卦義喻在下者, 則'尚往'者當積厚而自雨, 此爻之義, 喻在上者, 則'已上'者, 當下交而乃雨, 意義不同爾.

두 괘에서 '구름이 빽빽이 끼고 비가 오지 않는 것'에 대해 공씨[공환]는 모두 음양이 화합하지 못한 상(象)일 뿐이라고 하였다. 그러나 소축괘에서 '위로 올라간 것이다'라고 한 것은 또한 음기가 위로 올라간 것으로 이 효사에서 '너무 올라간 것이다'라는 말과 같으니, 두 가지 의미가 아니다. 다만 소축괘에서의 의미는 아래에 있는 것을 비유한 것으로 '위로 올라간 것이다'라는 것은 두텁게 쌓여 저절로 비가 내리고, 이 효사에서의 의미는 위에 있는 것을 비유한 것으로 '너무 올라간 것이다'라는 것은 아래로 사귀어야 비가 내린다는 말이니, 의미가 같지 않다.

9) 『주역』「소축괘(小畜卦)」: "密雲不雨, 尙往也. 自我西郊, 施未行也.['구름이 빽빽이 끼고 비가 오지 않음'은 위로 올라감이고, '나의 서쪽들에서 옴'은 베풀어 행해지지 못함이다.]"라고 하였다.

弗遇過之, 已亢也.

만나지 못하여 지나침은 너무 높은 것이다.

程傳

居過之終, 弗遇於理而過之, 過已亢極, 其凶宜也.

지나침의 끝에 있는 것은 이치와 만나지 못하고 지나쳐서, 지나침이 이미 높아 지극함이니, 그 흉함은 당연하다.

集說

● 孔氏穎達曰 : "釋所以'弗遇過之', 以其已在亢極之地故也."

공영달이 말하였다. "'만나지 못하여 지나친' 까닭을 이미 높아 지극한 곳에 있기 때문으로 풀이하였다."

● 趙氏汝楳曰 : "'已上'未爲極, '已亢'則極矣."

조여매가 말하였다. "'너무 올라간 것'은 아직 끝까지 간 것이 아니고, '너무 높음'은 끝까지 간 것이다."

● 俞氏琰曰 : "六五曰'已上', 謂其已過也, 上六又過甚, 故曰'已亢'."

유염이 말하였다. "육오에서 '너무 올라간 것이다'라고 한 것은 이미 지나쳤음을 말하는데, 상육에서 또 지나침이 심하기 때문에 '너무 높은 것이다'라고 하였다."

63. 기제既濟䷾괘

水在火上, 既濟, 君子以, 思患而豫防之.

물이 불 위에 있는 것이 기제이니, 군자가 그것을 본받아 환란을 생각하여 미리 방비한다.

程傳

水火既交, 各得其用, 爲既濟. 時當既濟, 唯慮患害之生. 故思而豫防, 使不至於患也. 自古天下既濟而致禍亂者, 蓋不能思慮而豫防也.

물과 불이 이미 사귀어 각각 그 쓰임을 얻은 것이 기제(既濟䷾)괘이다. 기제의 때에는 오직 환난과 해가 생기는 것을 우려해야 하기 때문에 생각하여 미리 방비해서 화에 이르지 않게 한다. 예로부터 천하가 이미 이루어졌는데도 재난과 어지러움이 생기는 것은 사려하여 미리 방비하지 못했기 때문이다.

集說

● 王氏申子曰 : "旣濟雖非有患之時, 患每生於旣濟之後, 君子思此而豫防之, 則可以保其初吉, 而無終亂之憂矣."

왕신자가 말하였다. "기제는 환난이 있는 때가 아닐지라도 환난이 매번 기제의 뒤에 생기니, 군자가 이것을 생각하여 미리 방비한다면 처음의 길함을 보존하여 끝내 어지러운 우환이 없을 것이다."

● 龔氏煥曰 : "水上火下, 雖相爲用, 然水決則火滅, 火炎則水涸. 相交之中, 相害之機伏焉, 故君子思患而豫防之. 能防在乎豫, 能豫在乎思."

공환이 말하였다. "물이 위에 있고 불이 아래에 있어 서로 작용할지라도 물이 넘쳐흐르면 불이 꺼지고 불길이 거세어지면 물이 말라버린다. 서로 사귀는 가운데 서로 해치는 기미가 숨어 있기 때문에 군자는 환난을 생각하여 미리 방비한다. 미리 하는 것에서 방비할 수 있고 생각하는 것에서 미리 할 수 있다."

曳其輪, 義无咎也.

수레바퀴를 뒤로 끄는 것은 의리에 허물이 없는 것이다.

程傳

旣濟之初而能止其進, 則不至於極, 其義自无咎也.

이미 이루어진 초기에 나아감을 그칠 수 있으면 극한에 이르지 않으니, 그 의리에 저절로 허물이 없다.

集說

● 徐氏在漢曰 : "初當方濟之始, 而曳其濟險之輪. 控制在我, 則義無不濟, 此所以濡其尾而無咎. 「象」故歸重於曳其輪也."

서재한이 말하였다. "초기에 한창 구제하기 시작할 때 험함을 구제하는 수레바퀴를 뒤로 끈다. 당기고 제재함이 나에게 있으면 의리상 구제하지 않음이 없고, 이 때문에 꼬리를 적셔도 허물이 없다. 「상전」이기 때문에 수레바퀴를 뒤로 끈다는 것에 귀중함을 돌렸다."

七日得以中道也

칠일 만에 얻음은 중도를 쓰는 것이다.

程傳

中正之道, 雖不爲時所用, 然无終不行之理. 故喪茀七日當復得, 謂自守其中, 異時必行也. 不失其中, 則正矣.

중정의 도는 당시에 쓰이지 않더라도 끝내 행해지지 않을 이유가 없다. 그러므로 가리개를 잃은 지 칠일 만에 다시 얻으니, 스스로 중도를 지키면 다른 때 반드시 행해짐을 말한 것이다. 중도를 잃지 않으면 바름이 된다.

集說

● 何氏楷曰 : "二居下卦之中, 以中感中, 得其正應, 故終必相孚也."

하해가 말하였다. "이효가 아래 괘의 가운데 있어 가운데에서 가운데로 감응하여 바르게 호응함을 얻기 때문에 끝내 반드시 서로 믿는다."

三年克之, 憊也.

삼년 만에 이기는 것은 피곤한 것이다.

程傳

言憊以見其事之至難. 在高宗爲之則可, 无高宗之心, 則貪忿以殃民也.

피곤함을 말하여 그 일이 지극히 어려움을 드러냈다. 고종(高宗)이 하는 일에서는 괜찮지만, 고종의 마음이 없다면 탐함과 분노로 백성을 해치는 것이다.

案

● 言憊以見成功之非易, 如人之疾病, 而以毒藥攻去之者, 其元氣亦耗傷矣. 苟無休養之方以復元氣, 則有大病之根也.

피곤함을 말하여 성공이 쉽지 않음을 드러냈으니, 사람이 병을 앓고 있어 독약으로 다스려 제거하는 것처럼 그 원기도 소비되고 상한다는 말이다. 휴양할 방법 없이 원기를 회복하면 큰 병의 뿌리가 된다.

終日戒, 有所疑也.

종일 경계함은 의심이 있는 것이다.

程傳

終日戒懼, 常疑患之將至也. 處旣濟之時, 當畏愼如是也.

종일토록 경계하고 두려워함은 항상 환란이 생길 것을 의심해서이다. 이미 이루어진 때 두려워하고 삼가기를 이처럼 해야 한다.

集說

● 李氏簡曰 : "'終日戒', 謂備患之心, 無時可忘也."

이간이 말하였다. "'종일 경계함'은 환난에 대비하는 마음을 어느 때라도 잊을 수 없음을 말한다."

東鄰殺牛, 不如西鄰之時也 : 實受其福, 吉大來也.

동쪽 이웃의 소를 잡는 제사는 서쪽 이웃의 때에 맞는 제사만 못하니, 실제로 복을 받음은 길함이 크게 오는 것이다.

程傳

五之才德非不善, 不如二之時也. 二在下有進之時, 故中正而孚, 則其吉大來, 所謂受福也. 吉大來者, 在旣濟之時, 爲大來也, 亨小初吉是也.

오효의 재주와 덕이 불선한 것은 아니지만, 이효의 때에 알맞음만 못하다. 이효는 아래에서 나아감이 있는 때이기 때문에 중정하고 미더우면 길함이 크게 오니, 이른바 복을 받는다는 뜻이다. 길함이 크게 온다는 것은 이미 이루어진 때에 크게 옴이니, '형통함이 작다'는 것과 '처음에는 길하다'는 말이 여기에 해당한다.

集說

● 朱氏震曰 : "盛不如薄者時也. 五旣濟無所進, 盈則當虛, 故曰'不如西鄰之禴祭', 理無極而不反者, 旣濟極矣. 五以中正守之, 能未至於反而已."

주진이 말하였다. "성대함은 담박한 것이 때에 알맞은 것만 못하다.

오효의 '이미 이룬 것[旣濟]'은 나아갈 곳이 없고, 가득하면 비워야 하기 때문에 '서쪽 이웃의 검소한 제사만 못하다'고 하였다. 이치는 다해서 돌아가지 않는 것이 없으니, 이미 이루어 다했다면, 오효가 중정함으로 지켜 되돌아가지 않게 할 뿐이다."

● 王氏申子曰 : "言人君處旣濟如未濟, 而後有受福之實, 不然, 雖極其豐盛,而濟道衰矣."

왕신자가 말하였다. "임금이 이미 이룬 것을 아직 이루지 못한 것처럼 여긴 다음에 복을 받는 실질이 있으니, 그렇게 하지 않으면 그 풍성함을 지극하게 할지라도 이루는 도는 쇠퇴하게 된다는 말이다."

● 張氏清子曰 : "旣濟之後, 唯恐過盛. 以'祭'言之. 於斯時也, 豐不如約, 故東鄰不如西鄰, 牛不如禴. 蓋祭而得其時, 雖禴之薄, 實足以'受其福', 而吉之大來可知矣."

장청자가 말하였다. "이미 이룬 다음에는 지나치게 극성하게 될 것을 두려워할 뿐이다. 제사로 말하면 이때에 풍성한 것은 검소한 것만 못하기 때문에 동쪽의 이웃이 서쪽의 이웃만 못하고 소를 잡는 제사가 검소한 제사만 못한 것이다. 제사를 지내면서 때에 알맞음을 얻으면, 검소한 제사일지라도 실제로 충분히 복을 받으니, 길함이 크게 오는 것을 알 수 있다."

濡其首厲, 何可久也.

그 머리를 적셔 위태로움은 어찌 오래갈 수 있겠는가?

程傳

旣濟之窮, 危至於濡首, 其能長久乎.

기제괘가 다하여 위태로움이 머리를 적시게 되는 지경이니, 어찌 오래갈 수 있겠는가?

集說

● 胡氏瑗曰 : "旣濟之終, 反於未濟, 至於濡沒其首, 故當翻然而警, 惕然而改, 何可久如此乎."

호원이 말하였다. "기제가 끝날 때는 미제로 되돌아가 그 머리를 적시게 되기 때문에 날아가면서 경계하고 두려워하면서 고치니, 어찌 이처럼 오래갈 수 있겠는가?"

案

● 厲未至於凶, 特可危爾. 知其危而反之, 則不至於濡首矣. 凡『易』言何可長, 何可久者, 自屯上至此爻, 皆惕以改悟而不可迷溺之意.

위태로움이 흉하게 될 정도까지 아직 가지 않았다면 단지 위태로울 뿐이다. 위태로움을 알고 되돌아간다면 머리를 적시게 되지 않는다. 『역』에서 '어떻게 오래도록 할 수 있겠는가?'[1]라고 하고 '어찌 오래갈 수 있겠는가?'라고 하는 것은 준괘에서 여기 미제의 효사까지 모두 두려워함으로 고치고 깨달으며 미혹되어 빠져서는 안 된다는 의미이다.

---

1) 『주역』「준괘(屯卦)」: "象曰, 泣血漣如, 何可長也.[「상전」에서 말하였다. '피눈물을 줄줄 흘림'을 어떻게 오래도록 할 수 있겠는가!]"라고 하였다.

64. 미제未濟䷿괘

在水上, 未濟. 君子以, 愼辨物居方.

불이 물 위에 있는 것이 미제이니, 군자가 그것을 본받아 삼가 사물을 분별하여 제자리에 있게 한다.

本義

水火異物, 各居其所, 故君子觀象而審辨之.

물과 불은 다른 것으로 각기 제 자리에 있기 때문에 군자가 상(象)을 관찰하고 살펴서 변별한다.

程傳

水火不交, 不相濟爲用, 故爲未濟. 火在水上, 非其處也. 君子觀其處不當之象, 以愼處於事物, 辨其所當, 各居其方, 謂止於其所也.

물과 불이 사귀지 못하여 서로 이루면서 쓰이지 못하기 때문에 '미제(未濟)'이다. 불이 물 위에 있는 것은 제 자리가 아니다. 군자는 합당하지 못한 데 있는 상(象)을 보고 사물에 대하여 조심스럽게 대처하고 그 마땅한 바를 분별하여 각기 그 처소에 있도록 하니, 제 자리에 머무름을 말한다.

集說

● 朱氏震曰:"火上水下, 各居其所, 未濟也. 君子觀此愼辨萬物, 有辨然後有交. 有未濟乃有旣濟, 而未濟含旣濟之象."

주진이 말하였다. "불이 위에 있고 물이 아래에 있는 것은 각기 그 처소에 있는 것으로 미제이다. 군자가 이것을 보고 만물을 삼가 분별하니, 분별이 있은 다음에 사귐이 있다. 미제가 있어야 기제가 있으니, 미제는 기제가 포함된 상(象)이다."

● 何氏楷曰:"愼辨物者, 物以羣分也. 愼居方者, 方以類聚也."

하해가 말하였다. "삼가 사물을 분별하는 것은 사물이 무리대로 나눠지고, 삼가 제자리에 있는 것은 방향이 종류대로 모아지는 일이다."

濡其尾, 亦不知極也.

꼬리를 적심은 또한 알지 못함이 지극한 것이다.

本義

'極'字, 未詳, 考上下韻, 亦不叶, 或恐是'敬'字. 今且闕之.

'지극한 것[極]'이라는 글자는 자세하지 않다. 앞과 뒤의 운(韻)을 살펴봐도 또한 맞지 않으니, 아마도 '공경하는 것[敬]'이라는 말인 듯하다. 지금은 그냥 제쳐놓는다.

程傳

不度其才力而進, 至於濡尾, 是不知之極也.

자신의 자질과 힘을 헤아리지 않고 나아가 꼬리를 적시게 되었으니, 알지 못함의 지극함이다.

集說

● 張氏振淵曰 : "事必敬始, 而後可善其用於終, 初所以致尾之濡, 不是時不可爲, 心不知敬慎故耳."

장진연이 말하였다. "일을 할 때 반드시 경건하게 시작한 다음에 끝에서 쓰는 것을 잘 할 수 있으니, 처음에 꼬리를 적시게 된 것은 때맞춰 할 수 없었기 때문이 아니라 마음으로 경건하게 하고 삼갈 줄 몰랐기 때문이다."

九二貞吉, 中以行正也.

구이는 바르기 때문에 길함은 가운데 자리로 바름을 행하는 것이다.

本義

九居二, 本非正, 以中故, 得正也.

구(九)가 이효 자리에 있는 것은 본래 바름이 아니지만, 가운데 자리에 있기 때문에 바름을 얻었다.

程傳

九二得正而吉者, 以曳輪而得中道乃正也.

구이가 바름을 얻어 길한 것은 수레바퀴를 뒤로 끌듯이 하여 중도(中道)를 얻어 이에 바르다.

案

● 程子言正未必中, 中無不正. 故凡九二六五皆非正也, 而多言'貞吉'者, 以其中也, 唯此「象傳」釋義最明.

정자가 '바른 것은 반드시 알맞은 것이 아니고 알맞은 것은 바르지 않음이 없다'고 하였다. 그러므로 구이와 육오가 모두 바른 것이 아닌데도 대부분 '바르기 때문에 길하다'고 했는데, 그것이 알맞기 때문이다. 오직 이 「상전」에서 의미를 풀이한 것이 가장 분명하다.

未濟征凶, 位不當也.

미제(未濟)에서 가면 흉함은 자리가 합당하지 않은 것이다.

程傳

三, 征則凶者, 以位不當也, 謂陰柔不中正, 无濟險之才也. 若能涉險以從應則利矣.

삼효에서 '가면 흉하다'는 것은 자리가 합당하지 않음이니, 부드러운 음이 알맞고 바르지 않아 험함을 구제할 자질이 없음을 말한다. 만약 험함을 건너 호응하는 바를 따를 수 있다면 이롭다.

集說

● 吳氏澄曰 : "未濟諸爻, 皆位不當, 而獨於六三言之, 以未濟由六三故也."

오징이 말하였다. "미제괘의 모든 효는 모두 자리가 합당하지 않은데, 육삼에서만 그것을 말한 것은 미제가 육삼으로 말미암기 때문이다."

● 俞氏琰曰 : "六爻皆位不當, 而獨於六三曰'位不當', 以六三才弱, 而處下體之上也."

유염이 말하였다. “여섯 효가 모두 자리가 합당하지 않은데 육삼에서만 ‘자리가 합당하지 않다’고 했으니, 육삼의 재질이 약한데도 아래 몸체의 위에 있기 때문이다.”

貞吉悔亡, 志行也.

곧으면 길하여 후회가 없어짐은 뜻이 행해진 것이다.

程傳

如四之才, 與時合而加以貞固, 則能行其志, 吉而悔亡. 鬼方之伐, 貞之至也.

사효와 같은 자질이 때와 부합하여 바르고 곧음을 더한다면 그 뜻을 행할 수 있어 길하고 후회가 없다. 귀방(鬼方)을 정벌함은 곧음의 지극함이다.

集說

● 俞氏琰曰 : "爻以六三爲'未濟', 則九四其濟矣, 是以其志行也."

유염이 말하였다. "효에서는 육삼을 '구제되지 않은 것[未濟]'으로 여겼다면, 구사는 구제된 것이기 때문에 그 뜻이 행해졌다."

君子之光, 其暉吉也.

군자의 빛남은 그 빛남이 길한 것이다.

本義

'暉'者, 光之散也.

'빛남[暉]'이란 빛이 발산하는 것이다.

程傳

光盛則有暉, 暉, 光之散也. 君子積充而光盛, 至於有暉, 善之至也, 故重云吉.

빛이 성대하면 빛남[暉]이 있으니, '빛남[暉]'이란 빛이 발산하는 것이다. 군자가 덕을 쌓음이 충만하여 빛이 성대하게 빛남은 선의 지극함이기 때문에 거듭하여 '길함'을 말하였다.

集說

● 張氏振淵曰 : "光而言暉, 昭其盛也. '貞吉'之吉, 吉在五, 暉吉之吉, 吉在天下."

장진연이 말하였다. "빛나서 빛남을 말하였으니, 그 성대함이 빛나는 것이다. '곧아서 길하다'에서 길함은 길함이 오효에 있고, '빛남이 길한 것이다'에서 길함은 길함이 천하에 있다."

飮酒濡首, 亦不知節也.

술을 마셔 머리를 적심은 또한 절제를 알지 못하는 것이다.

程傳

飮酒至於濡首, 不知節之甚也. 所以至如是, 不能安義命也. 能安則不失其常矣.

술을 마셔 머리를 적시게 됨은 절제를 알지 못함이 심한 것이다. 이렇게 된 까닭은 '의로움[義]'과 '명(命)'을 편안하게 여기지 못해서이다. 편안하게 여긴다면 그 항상됨을 잃지 않는다.

集說

● 孔氏穎達曰: "釋'飮酒'所以致濡首之難, 以其不知止節故也."

공영달이 말하였다. "술을 마셨기 때문에 머리를 적시는 어려움을 당하는 것으로 풀이하였으니, 멈추어 절제할 줄 모르기 때문이다."

案

● 旣濟之上, 「象」所謂'終亂', 未濟之上, 則「象」所謂'汔濟'者也. 緣'尾'之象在初, 故此不用'濡尾'之義, 但戒以不可'濡首'而失其節, 則猶之不續終之意也.

기제괘의 위는 「단전」의 이른바 '끝에는 어지럽다'[1]는 것이고, 미제괘의 위는 「단전」의 이른바 '거의 건넜다'[2]는 것이다. 꼬리의 상(象)은 처음에 있기 때문에 여기에서는 꼬리를 적신다는 의미를 사용하지 않고 단지 머리를 적셔 그 절제를 잃어서는 안 된다는 말로 경계하였으니, 끝까지 이어가지 못한다는 의미와 같다.

1) 『주역』「기제괘(旣濟卦)」: "旣濟, 亨小利貞, 初吉終亂.[기제(旣濟)는 조금 형통하고 곧음이 이로우니, 처음에는 길하고 끝에는 어지럽다.]"라고 하였다.

2) 『주역』「미제괘(未濟卦)」: "未濟, 亨, 小狐汔濟, 濡其尾, 无攸利.[미제(未濟)는 형통하니, 어린 여우가 거의 건너서 그 꼬리를 적시니, 이로운 바가 없다.]"라고 하였다.

| 역주자 소개 |

신창호申昌鎬

현 고려대학교 교수
고려대학교 박사(Ph. D, 동양철학/교육철학 전공)
권우(卷宇) 홍찬유(洪贊裕), 일평(一平) 조남권(趙南勸), 중관(中觀) 최권흥(崔權興), 위재(威齋) 김중렬(金重烈), 수강(修岡) 유명종(劉明鍾) 선생 등으로부터 한학 및 동양학 사사
한국교육철학학회 회장(역임)
「중용(中庸) 교육사상의 현대적 조명」(박사논문) 외 『관자』, 「주역 계사전」, 『유교의 교육학 체계』, 한글사서(『논어』, 『맹자』, 『대학』, 『중용』) 등 100여 편의 논저가 있음

김학목金學睦

현 고려대학교 연구교수
건국대학교 박사(Ph. D, 한국철학 전공)
해송학당 원장(사주명리 · 동양학 강의)
「박세당의 『신주도덕경』 연구」(박사논문)를 비롯하여 『왕필의 노자주』, 『하상공의 노자』, 『한국주역대전』 등 50여 편의 논저가 있음

심의용沈義用

현 숭실대학교 H.K 연구교수
숭실대학교 박사(Ph. D, 주역철학 전공)
「정이천의 『역전』 연구」(박사논문)를 비롯하여 『주역』, 『성리대전』, 『인역』, 『주역과 운명』, 『세상과 소통하는 힘』 『시적 상상력으로 주역을 읽다』 등 30여 편의 논저가 있음.

윤원현尹元鉉

전 고려대학교 연구교수
臺灣 文化大學校 박사(Ph. D, 주자철학 전공)
한중철학회 회장(역임)
「從朱子思想中之天人架構闡論其義理脈絡」(박사논문)를 비롯하여 『성리대전』, 『태극해의』, 『역학계몽』, 『율려신서』 등 10여 편의 논저가 있음.

한 국 연 구 재 단
학술명저번역총서
[동 양 편] 620

주역절중周易折中 8

초판 인쇄 2018년 11월 1일
초판 발행 2018년 11월 15일

편 찬 | 이광지
책임역주 | 신창호
공동역주 | 김학목·심의용·윤원현
펴 낸 이 | 하운근
펴 낸 곳 | 學古房

주 소 | 경기도 고양시 덕양구 통일로 140 삼송테크노밸리 A동 B224
전 화 | (02)353-9908 편집부(02)356-9903
팩 스 | (02)6959-8234
홈페이지 | www.hakgobang.co.kr
전자우편 | hakgobang@naver.com, hakgobang@chol.com
등록번호 | 제311-1994-000001호

ISBN 978-89-6071-798-5 94140
978-89-6071-287-4 (세트)

값: 42,000원

이 책은 2015년도 정부재원(교육부)으로 한국연구재단의 지원을 받아 연구되었음
(NRF-2015S1A5A7018113).
This work was supported by National Research Foundation of Korea Grant funded by the Korean Government(NRF-2015S1A5A7018113).

이 도서의 국립중앙도서관 출판예정도서목록(CIP)은 서지정보유통지원시스템 홈페이지 (http://seoji.nl.go.kr)와 국가자료종합목록시스템(http://www.nl.go.kr/kolisnet)에서 이용하실 수 있습니다. (CIP제어번호 : CIP2018032008)